エンカウンターで学級が変わる
ショートエクササイズ集 Part 2

監修：國分康孝
編集：林伸一　飯野哲朗
　　　簗瀬のり子　八巻寛治　國分久子

図書文化

序文

ショートエクササイズの気合い

監修　國分康孝

　ショートエクササイズは短時間決戦であるから，気合いが大事である。例えば，こういう具合である。

　私は授業の前後に，40秒くらいの「あいさつ」をショートエクササイズのつもりで課している。まず「起立！」と号令をかける。たいていいっせいに起立しないので，全員がきちんと起立するまでじっと待つ。このじっと待つ時に気合いが必要である。いい加減な状態で「では，お早うございます」と言うようでは，教師の私は超自我機能が果たせないからである。

　このエクササイズのねらいは「人に頭を下げる体験をさせること」にある。カウンセラーや教師は人が頭を下げてくれる職業であるから，ナーシシズムがふくれあがり，慢心が生じやすい。そこで謙虚な心を育てるために，私の役割（授業担当）に頭を下げてもらうのである。

　エンカウンターは personal relation（感情交流）と social relation（役割関係）の2要素から構成されているが，私のショートエクササイズは後者に基づくものである。

　受講生がお辞儀をする時，私はそれを受けて立つというよりは，こちら側も「私の講義をききに来てくださってありがとう」という感謝を込めて「お早うございます」と打って出る。つまり，気合いを入れてエンカウンターするのである。

　オーバーやジャンバーを着用したまま起立している学生には「オーバーの類は脱げ！あいさつがすんでから着よ。風邪を引いている人も40秒は我慢しろ」と気合いをかける。

　私はこのようなささやかな体験から，ショートエクササイズは，本来の（正規の）エンカウンターのようにパーソナリティにゆさぶりをかけはしないが，現実社会に生きる心がまえを育てる（例，春風をもって人に接する，自分を人に知ってもらう，人に感謝する）のに有効だと思っている。例えば，1日を振り返るショートの内観では，人は懺悔の念にかられて苦しくなることはない。しかし，人生へのポジティブな態度は育成されると思う。

　ショートエクササイズのリーダーは，①ねらい（なぜ，そのエクササイズをするのか）を自覚し，②そのねらいが自分の哲学およびカウンセリング理論に則しているかを自問自答することが大切である。同じエクササイズをしても，リーダーによってねらいは違う。自分の納得できるねらいを立てたならば，そのねらいを達成しやすいエクササイズを作るか，修正するか，選択する。本巻も前巻もその参考例にこと欠かない。この2冊を活用されんことを。

はじめに

構成的グループエンカウンター
シンプルエクササイズのすすめ

編集　林　伸一

　エンカウンター（encounter）とは，人と人との出会い，遭遇という意味である。忙しい現代人にとって，人と接触する機会は多くなったかもしれないが，互いに心とこころの通い合う人間関係づくりは困難になり，人間関係そのものは希薄になったと言われる。

　構成的グループエンカウンター（Structured Group Encounter，略称 SGE，以下 エンカウンター）は，希薄になった人間関係を回復し，新たな人間関係を育てるカウンセリングの有効な方法論である。

　エンカウンターは，安心して自己開示できる場を作り出す。自己開示とは，自分の感情，思考，行動をオープンにすることである。では，何のために自己開示をするのか。それは，自己開示することによってリレーションがつき，人間関係が深まるからである。

　仕事のノルマを消化するだけでも大変なのに，とても人と自己開示し合う余裕がない，というのが現代人の実感であろう。しかし，わずかな時間にも心とこころの出会いは可能である。本書のエクササイズを実施することにより，自己開示を通して本音と本音を交流させ，リレーション（人間関係）をつくる場を意識的に設けることができる。

　本書で紹介するショートエクササイズは，次のようなすき間時間を活用して実施することが可能である。

　例えば，朝の会をただのあいさつと諸連絡の場に終わらせずに，プラスワンのメッセージ交換を通して，コミュニケーションできる時間にする。これは，企業の朝礼でも同じである。

　また，授業の5分か10分の余り時間を参加者のシェアリング（分かち合い）の時間にあてる。長い授業では，最後の10分から15分に意図的にエクササイズを挿入する。会議でも，休憩時間にトラストパッティング（p.68）などのリラクゼーションを兼ねたエクササイズを取り入れる。

　そのほかにも，帰りの会で，その日の出来事や活動を振り返り，気づいたこと，感じたことを述べ合うシェアリングの時間をつくる。

　要は，このようなちょっとした時間をとらえて，心とこころが触れ合うエンカウンターを行うことである。

　すでに『エンカウンターで学級が変わる』のシリーズで示されているエクササイズについても，手順を簡略・簡便にしたショート＆シンプルエクササイズとしてアレンジできる可能性が残されている。

エンカウンターで学級が変わる　ショートエクササイズ集Part 2
CONTENTS

　　序文　ショートエクササイズの気合い　2
　　はじめに　シンプルエクササイズのすすめ　3

第1章　ショートエクササイズとは何か
　　構成的グループエンカウンターとは　8
　　ショートエクササイズとは　10
　　日常の教育活動とのつなげ方　12
　　ショートエクササイズの可能性　18
　　エンカウンターと類似の活動について　20
　●column　学級新聞とショートエクササイズ　24
　●ショートエクササイズに使われている理論と技法　26

第2章　シンプルエクササイズ集
　●解説：シンプルエクササイズ　27
　1　この指とまれ（グループづくりのエクササイズ）　28
　2　あなたにインタビュー（反復質問法を使ったエクササイズ）　30
　3　4つの窓（選択法を使ったエクササイズ）　32
　4　いいとこさがし（リフレーミングを使ったエクササイズ）　34
　5　カラーワーク（非言語で行うエクササイズ）　36
　6　トラストウォーク（非言語で行うエクササイズ）　38
　7　文章完成法（連想法を使ったエクササイズ）　40
　8　他己紹介（役割交換法を使ったエクササイズ）　42
　9　内観（自己分析のエクササイズ）　44
　10　わたしのしたいこと（自己表現のエクササイズ）　46
　11　それはお断り（自己主張のエクササイズ）　48
　12　2人組・4人組（シェアリング）　50
　●column　ツールボックスを作ろう　52

第3章　あなたを大切に
　●解説：あなたを大切に　55
　青い糸　56
　心と心の握手　58
　つながりカップル　60
　おはよう，昨日ねぇ！　62
　言葉のプレゼント　64
　一番おかしい失敗談　66
　トラストパッティング　68
　そんなあなたが好き好き！　70

カラーで相手をさがそう　72
時間半分トーク　74
うちの子マップ　76
素朴なコロンブス　78
忘れられない経験　80

この色なーんだ！　82
2人で描こう　84
イメージトリップ　86
あなたの印象　88
●「あなたを大切に」共通ふりかえり用紙　90

第4章　みんなを大切に

●解説：みんなを大切に　91
われら○○族　92
みんなでミラー　94
どうやってそうなったの？　96
それから　98
つもり運動　100
カードトーキング　102
ポジティブしりとり　104
キラキラ生きる　106
私の3大ニュース　108
何が伝わった？　110
何考えてるかあててみて！　112
はらはら親子紹介　114

3つの発見　116
体ぜんぶで自己紹介！　118
自己紹介トス　120
あわせアドジャン　122
トーキング・ペンダント　124
心の色は何色ですか？　126
SAY YES！　128
ぼく、わたしのヒーロー、ヒロイン　130
ハンドパワーの輪　132
得意なこと・できること　134
ねえ、どうして？　136
●「みんなを大切に」共通ふりかえり用紙　138

第5章　わたしを大切に

●解説：わたしを大切に　139
心の中の鬼さがし　140
わたしのためにあなたのために　142
私へのメッセージ　144
いまの私は何色？　146
マイ・ビューティフル・ネーム　148
もしもなれるなら　150
2人の私　152

魔王の関所　154
養育費の計算　156
ヘルプ・ミー　158
どっちがソン de ショー　160
じつは私……　162
自由に羽ばたこう　164
●「わたしを大切に」共通ふりかえり用紙　166

ショートエクササイズ Part 2 一覧表　167
執筆者・監修者・編集者紹介　172

第1章

ショートエクササイズとは何か

構成的グループエンカウンターとは
「エンカウンター」とは何か/エンカウンターは,何を構成するのか/
エンカウンターのねらい/エンカウンターのリーダー役/
日常にエンカウンターの発想を生かす

ショートエクササイズとは
ショートであることの意味/ショートの姿/ショートの利点と限界/本書の活用

日常の教育活動とのつなげ方
「なぜやるのか」を子どもたちと共有する/スムーズなグループづくりのために/
子どもたちに合わせてアレンジする/時間内に納まらない!/
心に響く自己開示の力を身につける

ショートエクササイズの可能性
学校での可能性/学校以外での可能性

エンカウンターと類似の活動について
エンカウンターがあるからSGE/SGEにおける類似の活動の活用例/
SGEでよく活用される類似の活動/
SGEの中で技法などが活用されている類似の活動/
SGEと類似の目的や内容をもつ活動/さまざまなアプローチと共にあること

構成的グループエンカウンターとは

林 伸一 はやししんいち
山口大学人文学部教授

無理なく安心してホンネでふれあえる関係づくり

「自己発見・他者発見・人生発見」をめざすエンカウンター。エクササイズで深められるリレーションによって，一人一人に新しい気づきが生まれる。自然な枠づくりと気づきの援助は，リーダーの腕の見せどころ。

「エンカウンター」とは何か

　國分久子は「エンカウンターというのはエクササイズを介して，リレーションをつくり，リレーションを介して自己発見，他者発見，人生発見（発見とは認知の修正・拡大の意）を促進する教育的色彩の強い援助方法である」（『エンカウンターとは何か』図書文化）と定義している。ただ，「エンカウンター」と言うと非構成のエンカウンター・グループ（basic encounter group）の印象が強く，拒否反応を示す人がいる。それは「学級でエンカウンターを実施するなどとんでもない」「子どもを対象にエンカウンターをするべきではない」などという声になって聞こえてくる。本書でエンカウンターと言っているのは，非構成のエンカウンター・グループのことではなく，構成的グループエンカウンター（略称ＳＧＥ）のことである。

エンカウンターは，何を「構成」するのか

　「構成的」グループエンカウンターでは，いったい何を構成するのであろうか。
　エンカウンターでは，小グループの人数，エクササイズの内容，実施時間の三つを構成する。
　まず，グループの人数を構成する。2人組，3人組，4人組など，エクササイズをするうえでの小グループの人数をリーダーが構成する。本書では，おもに2人組で実施するエクササイズを第3章の「あなたを大切に」に，3人組以上のエクササイズを第4章の「みんなを大切に」に配している。
　全体のグループサイズは，30～40人位の一般的な学級を想定しているが，少人数学級や，学年単位，学校ぐるみの多人数でもできるものが多い。非構成のエンカウンター・グループの方がグループサイズを構成しないように思うかもしれないが，日本カウンセリング学会の研修会などでは15人に制限している。いっぽう，エンカウンターは，感度のよいマイクとスペースがあれば300人でも実施できると言われている。
　次に，エンカウンターは，エクササイズのテーマや内容，実施手順を構成する。非構成のように「どうぞ，ご自由に」とはいかず，エクササイズのねらいを言い，実施手順を説明する。
　最後に，エンカウンターは，時間を構成する。エクササイズの実施時間を構成するだけでなく，インストラクションが冗長にならないように簡潔にし，シェアリングも小刻みに設定することが多い。短い時間では，シェアリングが表面的に流れて深まらないのではないと思われるかもしれない。しかし，時間を制限されることによ

り，かえって要点を得た自己開示が可能となる場合もある。

シェアリングを通して，人前で自分の気づいたこと，感じたこと，考えたことを述べることにより，言いたいことが言える自己表現力が得られる。時間内に言いたいことを要領よく他者に伝える自己主張訓練になる。

エンカウンターのねらい

エンカウンターのねらいは，エクササイズそのものよりも，エクササイズ実施後に行うシェアリングのほうにある。エクササイズの後，参加者同士が，お互いにそれぞれどのような気づきや感想をもったか振り返り，分かち合うことが大切である。例えば「得意なこと，できること」（p.134）を実施した後でシェアリングすると，「恥ずかしかった」と言う人がいたり，「すっきりして面白かった」と言う人がいたり，「言うことが見つからなくて困った」と言う人がいたりする。シェアリングでは，グループ討議とは違って，統一見解を出す必要はない。それゆえ，自己開示しやすい場をつくることがリーダーの任務である。

自己肯定的な気づきも，自己否定的な気づきも出たなかで，リーダーが「自己肯定的な気づきが得られてよかったですね」とねらいにとらわれたまとめにしてしまうと，自己否定的な気づきを述べた参加者は，何か悪いことを言ってしまったのかと思い込み，次回のエンカウンターでは，否定的な気づきを口にすることをさしひかえるようになってしまう。これでは，今井英弥が『エンカウンタースキルアップ』（2001）で指摘しているように「構成的」グループエンカウンターが「強制的」グループエンカウンターになりかねない。ねらいが達成されなかった場合にも，シェアリングを通じて，なぜエクササイズのねらいが達成されなかったか，リーダーがメンバーからフィードバックをもらえるという点で，改善し発展することが期待できる。

エンカウンターのリーダー役

エンカウンターのインストラクションとエクササイズにおけるリーダー役は，能動的にリーダーシップを発揮することが期待される。いっぽう，エクササイズ後のシェアリングのリーダー役は，カウンセラーのごとく非審判的・許容的態度で臨むことが期待される。「非審判的態度」とは，気づきに正しい気づき，間違った気づきがあるような評価をしない態度のことである。「許容的態度」とは，ねらいどおりの気づきは快く受け入れるが，ねらいに反する気づきは受け入れないといった選り好みをしないで，その人の気づきはその人の気づきとして尊重する態度である。

もちろんシェアリングの際に特定の人だけが独占的にしゃべるという状況が発生した場合には，「ところでほかの人はどう感じたのかな」と介入する必要がある。また，放っておくとエクササイズのシェアリングとは関係のない世間話やよもやま話に流れてしまう場合には「今，ここで気づいたことや感じたことを話してください」と介入する。

日常にエンカウンターの発想を生かす

日頃，テレビ番組を見ていてもエンカウンターのネタになるような素材はたくさんころがっている。ＮＨＫの朝の連ドラ『ちゅらさん』の主人公が「あなたが一人前になったと思った時は，どんな時ですか」と周りの人に聞いて回るシーンを見て，これはエンカウンターに使えるなと思った。さっそく成人対象のエンカウンター講座で，4人1組で上記の質問を順にしてもらい，参加者それぞれの一人前体験を話してもらった。「死んで棺桶に入った時が一人前」という72歳の老人から，「生まれ落ちた時から一人前」という大学生までいて，それぞれの人生観，価値観の多様性を認識する機会となった。シェアリングを通して認知の修正・拡大が図られると，それが日常生活にも還元され，しなやかに柔軟に日常生活が送れるようになる。

ショートエクササイズとは

飯野哲朗 いいのてつろう
静岡県総合教育センター
教職研修部指導主事

ショートエクササイズにはSGEの本質がある

ショートエクササイズは，ひとつの技法・理論を使って，ひとつの場面で，ひとつのテーマを追求していく10～15分程度の活動である。熟達した教師は「ショート」を上手に生かしている。

　ショートエクササイズについては，パート1の「ショートエクササイズとは何か」「ショートエクササイズの使い方」において，その特徴や活用・運用の仕方について記した。ここでは，ロングエクササイズ（1時間の展開のエクササイズ。以下，ロングと表記）に対するショートエクササイズ（20分以内で展開するエクササイズ。以下，ショートと表記）の独自性について述べたい。

ショートであることの意味

　ショートエクササイズのパート1を編集する際には，「ロングを展開しやすくしたものとしてショートを開発してほしい」という要望があった。ショートはロングを簡便にしたものであるというイメージや，ロングの一部に過ぎないというイメージがあった。ショートはロング実施への前段階として考えられていたのである。
　しかし，編者の思いは少し違っていた。
　エンカウンターに精通した教師が，どのようにエクササイズを運用しているかを見ると，実はショートのスタイルをとっていることが多かったのである。
　エンカウンターの展開がショートスタイルになるのはなぜか。それは，いわゆる"コツ"といえるものがわかってくるからである。
　パート1の解説では，ショートを序論・本論・結論の本論の部分，起承転結の転の部分と表現したが，コツをつかんだ展開とは，子どもたちに成長への変化をもたらす展開のことである。それはロングの本質，エッセンス，核になる部分を取り出し，枝葉を切り捨てて，幹の部分を展開することなのである。
　こう考えると，ショートは，ロングの部分や簡便形，初心者向けのエクササイズというだけの存在としては捉えられなくなる。
　本書の編者としては，「ショートには，エンカウンターにとって本当に必要なものが抽出されている」「ショートにはエンカウンターの本質が示されている」と言いたいところなのである。

ショートの姿

　ショートは，「ひとつの技法，ひとつの理論を活用して，ひとつの場面の中で，ひとつのテーマを追求していく，10～15分程度の活動」であることを基本としている。ショートが，ロングの本質・エッセンス・核になる部分を取り出したものであるということを考えると，この内容がショートを突き詰めた形となる。
　しかし，実際には，技法や理論は必ずしも

"ひとつ"というわけにはいかないものもある。また，活動時間についても，20分程度のものや，初回には少し多くの時間を要するものもある。

ショートの利点と限界

ショートの利点は，まず，追求姿勢の明確さにある。20分以内の活動では高い集中力を維持することが可能である。テーマが明確であり，単一の技法を活用していることから，リーダーは目的に向かって，ズバリと切り込んでいくことができる。ちょうど，エンカウンターの原型であるゲシュタルト療法（カウンセリングの理論の1つ）のワークのように，課題達成に向かって突き進んでいくことができるのである。

反面，その展開が子どもたちにとって負担になることもある。その時には，すぐに展開を緩やかなものに変更することができる。

ショートは，単一の技法を単純な場面で活用しているので，技法の運用の仕方をゆるめれば，展開はすぐに緩やかなものとなる。活動の構成がシンプルなだけに，何をどうすればよいかが明確になっているのである。もし，修正がむずかしいならば，ためらわずに中止すればよい。その活動が目的を達成することができずに終わったとしても，短時間の活動であるだけに，その後，他の活動を継ぎ足して目的を変えて展開することもできる。

いくつかのエクササイズをブロックのように組み合わせていくことによって，不十分な部分を補ったり，目的を変更していったりできるのは，ショートの利点である。

さらに，短時間の活動ということでは，教科の授業や道徳・学活の時間の合間，朝や帰りの会の時にも実施できる。実施の期間も，1日10分間の活動を1週間，1か月，あるいは1年間と継続して実施することもできる。

とにかく，ショートは，実施しようという意志さえあれば学校の生活のどの部分でも，実施が可能であり，その場その時の状況に応じて臨機応変に活用できるという利点がある。もちろん，ロングの活動と組み合わせて実施することも可能である。

いっぽう，ショートの短さは，それ自体に限界を含んでいる。例えば，「いかに生きるか」「将来の夢と職業」などをテーマにした活動となると，ひとつのショートプログラムだけで完結させるには時間が足りない。

このような活動には1～2時間程度のがっしりとしたロングの展開が適している。あるいは，いくつかのショートの活動を組み合わせて，1～2時間の活動を組み立てていくことが適当である。

結論としては，"学校におけるエンカウンターの運用に関しては，状況に応じて，ショートとロングとを適切にアレンジしていくことがよい"ということになるようだ。

本書の活用

パート2にあたる本書では，第2章「シンプルエクササイズ集」で，基本的な技法と展開方法をもつエクササイズを提示した。ショートの特徴をぜひ理解していただきたい部分である。

第3～5章は「あなたを大切に」「みんなを大切に」「わたしを大切に」と，テーマに従ってエクササイズを分類している。各自の目的に応じてエクササイズを選択することができる。

エンカウンターのエクササイズを展開するにはカウンセリングの素養があるにこしたことはないが，私たちは"教師の専門性をもってすれば展開可能な活動"をめざして，エクササイズを開発してきたつもりである。

本書を見て可能性を感じたら，まず実践に移してみていただきたい。

日常の教育活動とのつなげ方

簗瀬のり子 やなせのりこ
矢板市立矢板中学校教諭

日常生活にとけ込んでこそ発揮される，ショートエクササイズの力

人間関係を切り口に，自らの教育活動を分析して学級経営のビジョンをつくろう。エンカウンターを学ぶことで学級経営が変わり，学級経営が変わるから「学級」も変わるのだ。

「なぜやるのか」を子どもたちと共有する

エンカウンターをする時，「なぜやるのか」を説明することは大切である。そのわけは，エンカウンターの必要性を子どもたちにも感じてもらうためである。意義を感じて活動したほうが，「思考・行動・感情の修正と拡大」というねらいがより達成できる。教師側からすれば，強制的なエンカウンターを防ぐことにもなる。

私は，「なぜやるのか」を学級の目標と関連づけて説明している。そのためには，年度当初に教師と子どもの考えを合致させておきたい。

(1) 学級開きで，めざす学級像を共有する

　　『３６人＋先生の全員が，
　　　　　　仲よしで楽しいクラスにしよう』

これは，学級開きの日に，子どもがまず目にするように板書しておく私のメッセージである。私のめざす学級像であり，私の願いである。

始業式から戻った時には，「仲よし」「楽しい」の部分を消して（　　）にしておく。そして，（　　）に書かれていた言葉を質問する。さらに，①自分にとって仲よしのクラスとはどんなクラスですか，②自分にとって楽しいクラスとはどんなクラスですかと問い，具体像をできるだけたくさん書かせる。その後は４人グループで話し合わせ，グループの考えを書き出して黒板に貼り，全体で発表し合う。この活動は，学級開き当日か次の日には実施する。

時間をかけて子どもたちに具体像を考えさせる意図は２つある。１つは，教師の願いと子どもたちの願いを重ねられるからである。「こうなってほしい」という教師の願いを一方的に押しつけたくはない。品田笑子の言う「教師と子どものニーズの一致」を図りたいのである。

もう１つは，「けんかをしないクラス」「仲間はずれをつくらないクラス」など，子どもたちはめざす学級を行動のレベルで書き出すので，それがルールの確立につながるからである。

これは，その後の１年間にショートエクササイズを展開していくうえで重要なポイントとなる。つまり，「みんなが仲よくなるために，今から～をします」「楽しいクラスにするために，今から～をします」と，ショートエクササイズのねらいを簡潔に示すことができるし，ねらい達成のためのモチベーションをつくることにもなるからである。また，実施する側としても，どのようなショートエクササイズを系統立てて構成していくかの指針をもつことになり，活動が散漫にならずにすむ。

(2) 日常のトラブルをとらえて発展させる

もちろん，学級開きの活動だけでは子どもた

ちのモチベーションは持続しない。またリレーションづくりから発展して、自己受容や自己主張をねらいとしたエクササイズにまではつなげられないことが多い。

では、どうするか。日常の出来事をとらえて揺さぶりをかけることである。「けんかをしたら仲よしではなくなるのか？」「笑っていることだけが楽しいということか？」と。

揺さぶりをかける場は、トラブルが起こった時がチャンスである。けんかが起きた時に、私はいけないとは言わない。けんかは1対1でやり、他を巻き込まない。言葉でやり、暴力や物を隠すなどの卑怯な手は使わない。必ず解決をして、後々まで引きずらない。必要なら、解決のアイディアを友達や先生に相談する。このように私のけんかの定義を言う。1対複数や解決せずに続けているのはいじめで、いじめは絶対に許さないと表明する。また他の子どもたちには、他人のけんかに混ざってはいけない、解決の手伝いは公平にしなさいと言っている。

けんかをしないことが大切なのではない。上手に自己主張し、問題を解決する力をつけることが大切なのである。けんかは本音の交流であり、一種のエンカウンター場面でもある。

このように、実際の場面をとらえて「仲よし」の意味を少しずつ拡大し、その後に自己主張のエクササイズを関連づけていく。同様に、「楽しい」の意味についても場をとらえて考えさせる。充実感や達成感、他に尽くす喜び、前向きな変化への喜び、他と違う喜びなど、楽しいの意味をしだいに拡大していき、そうした日常の場面と絡めて自己を見つめるようなエクササイズを実施するのである。

(3) 学級目標に合わせてエクササイズを行う

このように、教師のめざす学級像とエクササイズの目的を合致させていくほかに、子どもたちがつくった学級目標とエクササイズの目的も合致させて実施している。

例えば、「あいさつができるクラス」という目標であれば、「今から〜をして気持ちのよいあいさつを体験してみましょう」とスキルトレーニング的なエクササイズを実施する。また、「協力できるクラス」が目標ならば、「グループで協力し合って〜をしましょう。協力し合うためのトレーニングです」といった具合に新聞パズルのようなエクササイズを実施する。この場合も、目標に照らして説明することでエンカウンターを行うねらいがわかりやすく伝わり、モチベーションを高める効果がある。

また、私は日常の学級生活にもシェアリングを取り入れているが、その際にも学級目標と結びつけて考えることが多い。ふだんから、機会をとらえて学級目標に立ち返り、学級目標を意識させておくことが必要だと私は考えている。

さて、以上述べてきたことは、年間を見越して年度当初に行う取り組みであるが、年度の途中からでもすることは可能である。教師が、自分はどんなクラスにしたいのか、願いを語るところから始めればいい。

蛇足になるが、学級経営録に入れる学級目標・経営の方針・具体目標・実践計画などは、やはりしっかりと作成しておくことが大切だと思う。それが学級経営のビジョンになるからだ。ビジョンのない活動はその場その場の対応で終わり、成果につながりにくい。また、学級経営のビジョンを作り上げるうえで、一人一人を大切にするというエンカウンターの思想や、さまざまなエクササイズを支える理論・技法がとても役に立つことも付け加えておきたい。

スムーズなグループづくりのために

エンカウンターを実施する時、グループの人数、構成メンバー、そのつくり方は熟考すべき大切なポイントである。なぜなら、エンカウンターは集団体験なので、メンバーによっても成否が左右されるからである。

本を参考にしつつも、グループを何人にするか、男女混合か別か、エクササイズを複数行う時はどこでグループを変えるかなど、クラスの実態に応じて必ずアレンジしたほうがよい。

ところで、このようなグループづくり以前の問題に頭を悩ます場合も少なくないだろう。クラスで行うエンカウンターには、日常の人間関係が影響するからだ。そこで、グループづくりの前提となる取り組みについて、以下に述べる。

(1) できるだけ早く多くの人とかかわらせる

学級開きで私がいつも念頭においているキーワードは、「物理的距離を縮めて、心理的距離を縮める」である。そのために、機械的にグルーピングして、できるだけたくさんの級友とどんどんかかわらせるようにしている。方法は、「○○の順」「違う人と組んで」などと指示したり、集合ゲームを使ったり、絵合わせカードをランダムに配ったりしている。工夫しだいで、グルーピング自体も楽しめるものになる。

機械的にどんどんかかわらせる理由は、これまでのうわさ話から相手に先入観をもつ前に、直接かかわらせて互いに親しみをもたせ、リレーションをつくりたいからである。またいろいろな人とかかわれば、模倣の対象となるモデルが増え、自分の行動や考え方を多様化させるチャンスを得ることにつながるからである。

新しいクラスでの緊張状態が共通体験を通して全体的にほぐれ、ほのぼのとした雰囲気ができると、クラスの一体感が早くから生まれる。気心の知れた仲間意識、攻撃されることのない安心感、ありたいようにあれる自由さ（自分勝手とは違う）、そういうものを、一部の者だけでなく全員が感じられれば、学級生活は楽しいものになる。これが、出身校や前のクラス、部活などが同じ者同士だけで過ごしてしまうようになると、うまくなじめる者とそうでない者との差が大きくなり、クラスの凝集性を高めるのによけいな時間と労力がかかることになる。エンカウンターの実施時期として、学級開きがまずあげられるのはこのためである。

またエクササイズをしなくても、いろいろな人とグループを組める工夫はできる。例えば、私の場合は清掃班を2週間に1度2人ずつローテーションしている。その都度、仕事の分担も変わるので仕事に飽きないという利点もある。

このように学級開きから取り組んでくると、だれとでも組めるようになり、グルーピングの悩みが少なくてすむ。しかし、だからといって、どのようなグループをつくるか考えなくてよいわけではない。例えば、自己開示が自然にできるB君と組ませて、自己開示の苦手なAさんのモデルにしたい。一緒になるとふざけてしまうC君とD君は別にしたい。このように、配慮したい子どものためにグルーピングを考えることはよくある。そのようなときは絵合わせカードを意図的に配り、子どもたちにはこちらの意図がわからないようにして、組ませたり組ませなかったりしている（p.52参照）。

では、これらの取り組みが日常生活ではどのような形で現れるのだろうか。私は次の2つの点で見ている。1つは、必要に応じてだれとでもグループが組めるか。もう1つは、組んだその目の前の人を大切にできるかである。

36人もの子どもがいればサブグループは当然できる。しかし、例えばパートごとに分かれる合唱練習ではサブグループを越えて組め、そのグループのメンバーで協力し合うことができればよいと私は考えている。また、いつも一緒にいる友人が欠席で1人になってしまった時、自分からほかの者に声をかけたり、ほかの者がその子に声をかけたりできればよいと考えている。

(2) 特定のグループが固まってしまった場合

ところで問題は、特定のグループが固まってしまい、クラス全体の交流が停滞している場合である。その場合は、ゲーム性の高いエクササイズを、グループではなく「ペア」で繰り返し実施して対応する。つまり集団初期に戻るわけである。厄介なのは、互いにホンネを出しにくい状態ができあがってしまっている点である。そこで、日常の様子をよく観察して、組ませたいあるいは組ませたくないという意図をより反映させていくことになる。方法は、先ほどの絵合わせカードが便利である。

それが無理な場合は、できてしまったグルー

プを崩そうとせず，グループ内のリレーションをつくることを目的にする。こういうときのサブグループは表面的な交流にとどまり，信頼関係ができていない場合が意外に多いからである。

子どもたちに合わせてアレンジする

　構成的グループエンカウンターの「構成的」とは，対象に合わせて次のものをアレンジするということである。①何をするのかの活動内容，②それをどのように展開するのかの活動方法，③時間配分，④1人かペアかグループか，グループの人数は何人かというメンバー構成と，そのつくり方などである。

(1) 一般的なアレンジの手順

　まず最初に目的を決める。次に，その目的に合う「活動内容」，つまりエクササイズを選ぶ。エクササイズ集などを参考にして選ぶわけだが，例えばリレーションづくりが目的なら，クラスのリレーションの度合いを考えてエクササイズを選ぶ。ここでは，まだまだリレーションができていないので，「質問ジャンケン」のエクササイズを選んだとしよう。

　次に「活動方法」を考える。ここから，クラスの実態に応じてアレンジを加えることになる。ふつう質問ジャンケンでは，自由歩行で出会った人と2人組になり，ジャンケンをして勝った人が1つ質問をして負けた人が答える。クラスの状態によって，男同士・女同士で組む，逆に男女で組むなどと，条件を付け加えることもあるだろう。クラスの人数が少なければ，質問の数を増やすこともアレンジの1つである。また「質問ジャンケンpartⅡ」として，4人グループをつくり，1人の質問に3人が答えるという形も可能である。このように，同じエクササイズをアレンジして繰り返すことも可能である。

　他の例では，「私はわたしよ」のエクササイズの始めに，教科担任の先生や学年の先生に書いてもらったものを読み上げ，だれのものかを当てる。やり方の説明にも，モチベーションを高めることにもなるし，子どもたちにも毎回好評

である。また，「トラストウォーク」のエクササイズでは，子どもたちの落ち着きの様子によって，毎年歩かせる場所を変えるようにする。

　最後に，「グループの人数，構成メンバー，そのつくり方」を決める。これは，アレンジで私がもっとも重要視している点である。どのエクササイズを行う場合でも，本のとおりに実施できるかどうか，この点だけは検討してほしい。

　以上，アレンジの手順について述べた。活動内容までをアレンジするのはむずかしいが，目的に合うエクササイズがない場合は，既存のエクササイズを参考にアレンジして，新しいエクササイズをつくっていくことになる。

(2) クラスに合わせた大胆なアレンジ例

　中学1年生のクラスの例である。

　給食時は席順で4人グループをつくっていたのだが，5月に初めての席替えをすると，後ろを向いて話しかけたり，遠くの者と大きな声で話しだしたりする姿が見られた。4月のグループの者と話したり，仲よしの者と話したりしているのである。せっかく机をつけている級友がいるのだから，目の前の人を大切にしてほしいと私は考えた。そこで，給食時の4人グループでエンカウンターを実施することにした。

　参考にしたのは「サイコロトーキング」である。食べながらなのでサイコロを使うのは躊躇された。そこで，割り箸に番号を書いて引かせることにした。しかし，順番が来るたびに何度も割り箸を引くのでは食事の手を休めてしまい，時間の問題が出てしまう。そこで，準備中に1回だけいっせいに引くことにした。名付けて「くじ引きトーキング」である。

　やり方は次のとおりである。まず，クジによって役割分担をする。1番を引いた者は今日のお題（「～について話す」など）を決める。2番を引いた者がゴミを片づける。3・4番を引いた者が食器を片づける。次に，ルールを次のようにした。出されたお題について順番に話す。友達の話は聞く。お題はいくつつくってもよいが，みんなが話しやすい題であること。

子どもたちの様子は，クイズやしりとりをして盛り上がったり，だれかの話がふくらんで時にはお題と離れたりしたが，目的は給食の4人グループで会話することなので，それでよしとした。1週間も繰り返すと，くじなしでも会話をするようになったので，様子を見ながらくじを配るのをやめた。そして，6月，7月と新しいグループになる度に同様に実施した。9月も同様に始めたが，自分たちで自由に話せる雰囲気ができていたので2日でやめた。このクラスでは，夏休み明けにもかかわらず，1学期にできたリレーションが崩れていなかったのである。

時間内に納まらない！

ショートエクササイズ開発の過程には，朝や帰りの会を中心に日常的に使えるエンカウンターがほしいとの要請があった。そこで，実施時間を10分前後に納める工夫を紹介したい。

(1) インストラクションの工夫

インストラクションで伝えることは，①ねらい，②方法，③してはいけないこと（ルール）である。さて，手短なインストラクションで以上の3つを周知させるにはどうするか。

1つはメモを用意することである。ぐだぐだと説明しては集中力が散漫になる。簡潔明瞭が大切なので，必要なことだけを子どもにわかる言葉で伝える。その場で考えて話すのはむずかしいので，事前に考えてメモしておくのである。

2つめは，予め板書しておいたり，模造紙に書いて貼ることである。文字を見ながら説明を聞くので，子どもたちも理解しやすいし，聞き逃しを補うこともできる。エクササイズ実施中に，それを見ながら確認できるという利点もある。教室には黒板があり，教師にとって板書はお手のものである。これを使わない手はない。

そして3つめは，「何か質問はありませんか」と尋ね，些細な質問にもていねいに応じる。理解が深まり，活動の途中で同じ説明を繰り返したり付け加えなくてすむ。質問は「いい質問でした」「おかげで大事な確認ができました」などと強化する。質問しやすい雰囲気ができるので，これはふだんの教科の授業でもお勧めである。

(2) シェアリングの工夫

シェアリングの目的は「認知の修正と拡大」である。そのためには，他者の感じ方や考え方などを知る必要がある。またモデリングの対象が増えるので，できるだけ多くの他者に触れるのが望ましい。しかし，時間の制約が大きいショートではロングエクササイズのようには行うことができない。どうするか。

①時間と人数を少なくする

ショートのシェアリングでは，30秒から1分程度を2人組で行うか，エクササイズを行ったメンバーで2分程度を行うのがせいぜいである。つまり，時間と人数を少なくすることが1つの工夫となる。本書を含め，エクササイズ集の展開例には全体でシェアリングしているものが多いが，発表が少なかったり特定の生徒に限られる場合には，少人数で行うようにするとよい。

②振り返り用紙を用いる

シェアリングの原則である face to face の型を破ってしまうのだが，私は振り返り用紙を用いてシェアリングを行うことが多い。

振り返り用紙は，他者の感じ方や考え方まで知ることはできないが，自分自身の感じ方や考え方をはっきりさせられるというよさがある。わずかな時間で互いに自分の気持ちを語り合うのはむずかしく，表面的で似たような言葉が交換されがちである。それよりも黙って自分と対話し，書きながら自分の感情や考えを意識化する練習をさせたほうがよいと考えている。

③日常生活でのトレーニング

エンカウンター場面に限らず，授業でも日常生活でも子どもたちは気持ちを表現することがとても苦手になっている。吉田隆江が指摘するように「自分の気持ちを感じたり，見つめたりその思いをそのまま語るなどという習慣がない」のだ（『エンカウンターとは何か』図書文化）。

そこで，ショートのシェアリングでは，自分の感情や考えをはっきりさせることに重点を置

き，そこまでできればよしとしている。もちろん，このやり方の欠点を少しでも補うために，振り返り用紙に書かれたものを学級通信に載せたり，朝や帰りの会で紹介したりして一人一人の気づきを全体で分かち合う工夫も行っている。

なお，自分自身の感情や考えをはっきりさせるためのトレーニングは，ふだんの生活の中でも行うことができる。例えば，「今日の演劇鑑賞会で気づいたことや感じたことを書こう」「朝の学年集会で，学年主任の話を聞いて思ったことや考えたことを書こう」などとトピックを与えておいて，帰りの会の5分間を使い，「気づいたこと，感じたこと」や「思ったこと，考えたこと」を書かせる取り組みである。その他のトピックとしては，①学校行事，②集会などでの話，③学級や学年，学校の問題，④善行，⑤ニュースなど社会の問題などがある。

シェアリングに当てはめれば，トピックの内容がエクササイズに当たるわけである。私自身も，シェアリングの場にいるつもりで子どもたちの感想にコメントして返す。また，全員で分かち合いたい，「認知の修正と拡大」に役立てたい内容については，全体の前で読んで紹介したり，学級通信に載せたり，手間はかかるが全員分を書き出してプリントしたりしている。

心に響く自己開示の力を身につける

「自己開示」とはエンカウンターの中心概念である。人と人が出会うと，互いに少しずつ自己開示し合って親しくなり，理解し合うようになる。相手を親しく理解するにつれて，より深い自己開示をし合うようになり，信頼関係がさらに強まっていく。このように，人間関係は自己開示を媒介として築かれるのである。

エンカウンターのリーダーを務める教師は，自己開示の力を身につけたい。ただし，エンカウンターを実施する場面においてだけ，自己開示的であればすむというものではない。学校現場は日常生活そのものがエンカウンターだととらえることもできる。ふだんから，自己開示を通じて子どもたちとの人間関係づくりをしようとする姿勢が問われるのである。

では，自己開示の姿勢を身につけるにはどうするか。國分康孝はワンネス，ウイネス，アイネスを教えている。そして，これら3つには順序性がある。ワンネスができてウイネスへ，ワンネスとウイネスができてアイネスへとなる。

ワンネスとは，子どもの世界を子どもの目で一緒に見るということである。つまり，子どもをわかろうと思って接し，対話せよということである。子どもをわかるためには，①特定の価値観に固執しないこと，②自分の体験を豊富にすること，この2点を教師自ら鍛えることである。

ウイネスとは，子どもの足しになることを何かするというリレーションのもち方である。直訳は「われわれ意識」で，互いに味方同士なのだという雰囲気をさす。ウイネスを実現するには3つの条件がある。1つめは，見る能力があること。単純なことだが，物理的にその子がそこにいることに気づくこと。それだけで，うれしく元気が出るものである。2つめは，よいところをほめられること。ほめ上手のポイントは，子どもに対して劣等感が少ないこと，複数の観点をもっていてリフレーミングできることである。3つめは，体を張って何かしたほうがいい時に実際にアクションを起こさせること，である。

アイネスとは，「私には私の考えがある」と自分の考えを打ち出すことである。打ち出す方法は2通りある。1つが自己開示，もう1つが自己主張である。自己開示とは，「私はこう感じる」「私はこう思う」とアイメッセージで自分を語ることである。自己主張とは，「こうしてほしい」「ああしなさい」と指針を示すことである。子どもたちは依存の対象を求めているので，指針を示してくれる大人の存在も必要なのである。

信頼できない教師がいくら「私はこう思う」と言ったところで，耳にうるさいだけである。教師にはワンネス，ウイネス，アイネスの3つの実践が大切なのだ。これは，私にとっても子どもと向き合う時の拠り所になっている。

ショートエクササイズの可能性

八巻寛治 やまきかんじ
仙台市立東長町小学校教諭

ショートエクササイズはウルトラ簡便法。だからこそ可能性は広くて深い

学校では学級づくりはもちろん，各教科の導入やまとめ，生活科や総合的な学習，宿泊行事，保護者会など，学校以外ではスポーツ少年団や子ども会，企業研修から飲み会まで，ショートゆえに可能性は広くて深い。

学校での可能性

「ショートエクササイズ」の可能性を，学校現場を仮定して，①だれを対象に，②どんな場面で，③どのような使い方ができるか，次のように羅列してみる。果たしてあなたは，どのようにつなげてアレンジしたり，活用したりすることができるかを具体的にイメージできるでしょうか。

①だれを対象に？
・幼稚園・保育園児　・小学生　・中学生
・高校生　・専門学校生　・大学生
・教師，学校職員　・保護者　等

②どんな場面で？
・朝の会・帰りの会　・授業の始めや終わり，あるいは授業中のある場面　・委員会活動
・生活科や総合的な学習の一部　・道徳
・学活（ホームルーム）　・学校行事
・部活動やクラブ活動　・児童会　・生徒会
・保護者会　・面接場面　・教育研修会
・出会いや節目の場面　・雨の日　等

③どのような使い方が？
・ショートエクササイズを単発で
・いくつかのものを組み合わせて（串刺し）
・同じものを繰り返して
・ある一定の期間を継続して

・年間の見通しを立てて
・ウォーミングアップやアイスブレーキングとして
・メインエクササイズの補強，強化として
・ロングエクササイズと組み合わせて
・事前や事後指導として

以上のようなサンプルを組み合わせるだけでも，学校現場でさまざまな活用ができることがわかる。

ショートエクササイズは，ショート&シンプルゆえに手軽でアレンジしやすいというよさがあり，エンカウンターを初めて実施する教師でも抵抗なく取り組むことができる。

このようにショートエクササイズは，ある程度の人が集まるところにおいて，いろいろな場面で，工夫しだいでさまざまに活用できる可能性をもっている。

それでは，学校以外の場所ではどのような活用例があるだろう。筆者が報告を受けた何件かのケースを紹介したい。

学校以外での可能性

①子ども会では

子ども会は，1～6年生が所属する異年齢集

団で，資源回収やレクリエーション，夏休みのラジオ体操などの活動が行われているところが多い。また，世話人（役員）として，保護者の代表何人かがかかわるケースもある。いずれも1年交替で，しかも限られた時間の中での活動になることが多い。そんな時が，ショートエクササイズの活用場面になる。

S市では，子ども会のリーダーとして活躍する5，6年生の児童に対し，「インリーダー研修会」を行っているが，ショートエクササイズを活用して人間関係づくりの大切さを学んでいる地域がある。同時に，世話人に対しても，世話人同士のコミュニケーションの促進を図ることを目的として体験プログラムの中でショートエクササイズを実施している。

また，中学・高校生を対象にした「ジュニアリーダー（中・上級）研修会」では，2泊3日の宿泊研修会にショートエクササイズを取り入れ，短時間での仲間づくりに活用したり，一味違った（パワーアップした）レクリエーションやゲームのリーダーとしての指導に成果をあげている。

②スポーツ少年団などで

野球，サッカー，バレーボール，バスケットボールなどの同好会やスポーツ少年団などでは，お互いの気持ちがわかることで，チームプレーが向上したり，コンビネーションが円滑に行われたりするといわれている。

M県のある少女バレーボールチームでは，人数の関係（少子化傾向）で，いくつかの小学校から集まった子どもたちが1つのチームを組んで練習をしている。そのチームでは，短時間でのリレーションづくりと，お互いの気持ちをホンネで言い合える関係づくりを目的に，監督の発案でショートエクササイズを定期的に取り入れている。実践してきたところ，子どもたちにメンタルな面でのたくましさが感じられるようになってきたということだ。

③塾経営者は

K県のある塾経営者は，指導者が子どもの心をつかむことがむずかしくなってきていること，同じ教室に学ぶ子ども同士の間にも心理的な距離があり，円滑にいかないことの2つの課題を何とか解決できないかと考え，学級づくりのためのエンカウンターの入門講座（問合せ：日本図書文化協会・エンカウンター講座係 TEL 03－3947－7031）に参加した。

「エンカウンターの有効性を肌で感じ，ぜひ取り入れてみたいと思うが，少人数であること，短時間しかとれないことを考えると実施がむずかしいのでは」という疑問に講師がショートエクササイズを紹介した。始めは指導教員や職員に行い，慣れてきたところで子どもたちにショートエクササイズを実施したところ，徐々にではあるが，リレーションづくりに役立てることができたということだ。さらに，保護者との面接に傾聴技法を取り入れたり，塾の説明会の時の雰囲気づくりに活用したりして，好評を得ているということだ。

④飲み会

とある小学校では，飲み会の時に一部の人だけで固まって会話をしてしまったり，喜んで参加する人が少なくなるなどの大きな課題があった。当番（担当）に当たる職員は，それを打開する手だてはないかと真剣に悩んでいた。

そんな時，ある教師からの提案で，エンカウンターのエクササイズを飲み会に取り入れて実施してみることになった。「質問ジャンケン」や「サイコロトーキング」など，コミュニケーションを促進するには有効であったが，エクササイズが長過ぎてゆっくり話ができないとの声もあった。そこでショートエクササイズの実施となったわけである。果たしてその学校の職員室は…。

ご想像のとおり，いろいろな人と公私に及ぶ話ができるほどになり，飲み会だけでなく，職員室の雰囲気も，親和的で，支持的で，穏やかな感じになったということだ。

ショートエクササイズは，学校以外でもさまざまな可能性を秘めている。

エンカウンターと類似の活動について

飯野哲朗 いいのてつろう
静岡県総合教育センター
教職研修部指導主事

さまざまな参加型・体験型のグループ活動や学習との関連性

エンカウンターのリーダーは類似の活動に親しんでおくとよい。SGE至上主義に陥らないためである。目的に応じてベターな方法を用いる柔軟さと，それぞれの成り立ちや実践者を尊重する心を求めたい。

構成的グループエンカウンター（SGE）は，開発や普及活動において，他のさまざまな活動と関連をもちながら，現在に至っている。

例えば，活動自体は他の活動に分類されるが，それをSGEの考え方に従って展開することで，SGEのエクササイズとなっているものがある。これはSGEが折衷主義の立場をとっていることを考えると，ある面では必然的なことなのである。ここでは，現在のSGEが，他のどのような活動と関連をもちながら，歩みを進めているかについて述べる。

エンカウンターがあるからSGE

その活動がSGEとして分類される最も重要な基準は，活動の中に本音と本音による人間関係（エンカウンター）があるか否かによる。

純粋なSGEのエクササイズでは，メンバーとエンカウンターして，他と自分についての洞察を深めていく。

では，SGE以外の活動の中にはエンカウンターの要素がないかというと，そうではない。その活動のリーダーは意識していないこともあるが，実際の活動をみると，SGEの要素を含んでいて，SGEと変わらない活動となっているものがある。こうなると，SGEと他の活動との区別はむずかしくなる。

要は，どんな時に，どんな目的で，その活動にエンカウンターの要素を加味していくかということである。こうした疑問に答えるために，また，SGEの可能性をしっかりと見据えるためにも，SGE以外の類似の活動について理解しておくことは大切である。

以下，SGEに部分的に組み込まれている活動や，その他の類似の活動を取り上げる。

SGEにおける類似の活動の活用例

SGEのロングやショートのエクササイズを見ると，「カウンセリング（狭義）」や「ソーシャルスキル・トレーニング（SST）」，「グループワーク・トレーニング（GWT）」，「参加型・体験型の学習活動」などが活用されているものがある。

例えば，カウンセリング（狭義）の要素のあるエクササイズでは，本音でのかかわりによって，自分やメンバーの悩み・問題・課題の解決を図る活動を行っている。

ソーシャルスキル・トレーニング（SST）の要素のあるエクササイズでは，挨拶の仕方・断り方など，日常生活を営むのに必要なスキルを理解するなかで，エンカウンターとしての活

動が行われている。
　グループワーク・トレーニング（GWT）の要素のあるエクササイズでは，各自の本音を通して，共通理解のもち方，チームワーク，リーダーシップなど，組織・集団のあり方についての理解が図られている。
　参加型・体験型の学習活動の要素のあるエクササイズでは，人権・国際理解・自然・環境などについての作業的・体験的な学習活動の中に，エンカウンターの要素が組み込まれている。
　以上のようなものは一例であって，SGEの活動の中には，他にもさまざまな類似の活動が活用されている。

SGEでよく活用される類似の活動

　ここでは先に例としてあげた4つの類似の活動のうち，SGEの中でよく活用されたり，SGEと比較して語られたりする「SST」「GWT」「参加型・体験型の学習活動」の3つの活動について，その特徴を記す。

① ソーシャルスキル・トレーニング（SST）
　良好な人間関係をつくり，それを保つための知識と具体的な技術やコツをつかむことを目標とする活動である。活動の中には相互理解をめざした活動もあって，単なるトレーニングにとどまらない要素がある。
（参考文献）「ソーシャルスキル教育で子どもが変わる」小林正幸・相川充編著　図書文化　など

② グループワーク・トレーニング（GWT）
　体験的な活動を通して，自分及びメンバー，グループ，組織に対しての気づきを深めていくことを目標とし，グループを"自立した人間の機能的統合体に成長させていくこと"をめざしている。
（参考文献）「新グループワーク・トレーニング」（財）日本レクリエーション協会監修　遊戯社　など

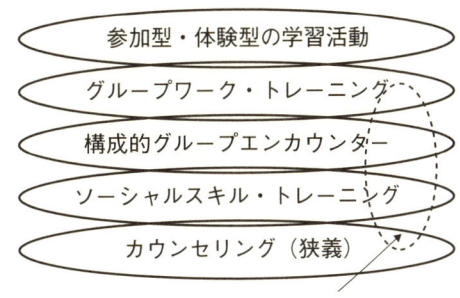

cf. ピア・カウンセリング
【SGEと主な類似の活動との関連図】

③ 参加型・体験型の学習活動
　人権教育や国際理解教育，自然・環境学習など，特定の分野の学習に，体験的な学習法を活用しているものがある。

ア．人権教育
　作業的な活動や疑似体験などを通して，人権について学ぼうとする活動である。日本人権教育啓発推進センター，ユネスコなど，さまざまな団体で実践されている。
（参考文献）「ワークショップ「気づき」から「行動」へ」日本人権教育啓発推進センター編　など

イ．国際理解教育
　よりよい未来を協力して切り開いていくために，子どもたちが地球市民としての考え方や態度を身につけていく教育をめざしている。人権教育やコミュニケーションなど，人間関係づくりに関する理論や技法も活用されている。
（参考文献）「開発のための教育」日本ユニセフ協会編　など

ウ．ネイチャーゲーム
　自然への気づき，分かち合い，フローラーニングといった基本理念を踏まえ，五感を使ったゲームなどを通して自然を直接体験する活動である。学習の手法や，自然と人間についての考え方などは参考になる。
（参考文献）「学校で役立つネイチャーゲーム20選」（社）日本ネイチャーゲーム協会著　明治図書　など

SGEの中で技法などが活用されている類似の活動

前記の活動以外にも，SGEの中で部分的に技法などが活用されているものがある。ここでは，「レクリエーション・ゲーム」「ロールプレイング」「研修技法の学習」を取り上げる。

①レクリエーション・ゲーム

爽快で楽しい時間を過ごすことで，意欲的に生活（仕事など）に向かっていく力を生み出し，健康で明るい豊かな暮らしを築きあげていこうとする活動である。自分や他の人とのあり方などについて考えさせられる場面もある。SGEの導入としても活用されている。

（参考文献）「図解ゲーム大全集」小菅知三・松崎暎子著　成美堂出版　など

②ロールプレイング（含心理劇）

予測できない未来に，自発性と創造性をもって，柔軟に対応できる人格の陶冶を図ることをめざしている活動である。自分自身や人間関係について考える活動がある。

（参考文献）「ロールプレイング入門」金子賢著　学事出版　など

③研修技法の学習

発想法，討議法，体験学習法，スピーチ，プレゼンテーションの技法など，研修技法の習得を目的として行われる活動である。その中で，自己理解，他者理解などをテーマとして技法の習得をめざすこともある。

（参考文献）「研修技法ガイドブック」鈴木伸一監修　実務教育出版　など

SGEと類似の目的や内容をもつ活動

SGEと類似の目的や内容をもつ活動がある。ここでは「ベーシック・エンカウンター・グループ」「ニュー・カウンセリング」「ピア・カウンセリング」などを取り上げる。

①ベーシック・エンカウンター・グループ

構成の仕方がSGEと異なるという違いはあるが，めざすものは基本的に同じであるといってよい活動である。

（参考文献）「エンカウンター・グループ」ロジャーズ著　創元社　など

②ニュー・カウンセリング

提唱者の伊東博（故人）は，この活動を，「今ここに」生きて，環境（含人間，文化，社会）と相互作用をしている「からだである人間」を「体験しながら学習」する人間教育へのアプローチである，と述べている。この活動は，感覚の覚醒，からだの動き方，自己への気づき，人・ものとのかかわり，表出・表現の5つの領域の学習内容によって組み立てられている。感覚やイメージに関する内容を多く含んでいる。

（参考文献）「ニュー・カウンセリング」伊東博著　誠信書房　など

③行動集団カウンセリング

提唱者の中澤次郎氏は，この活動を，行動理論を基礎としながら，エンカウンター・グループ，人間開発プログラム，内観法の原理・方法を導入した総合的な構成集団カウンセリングである，と述べている。複数の活動を行動理論によって意味づけ，統合しているところに特徴を感じる。

（参考文献）「行動集団カウンセリング」中澤次郎著　川島書店　など

④アサーション・トレーニング

相互尊重の精神に裏づけられた自己表現と，充実した人間関係のもち方について考え，お互いを大切にしながらも，率直に素直にコミュニケーションできるようになることをめざした活動である。"アサーション"をテーマとしてカウンセリングを再構成しているというイメージがある。

（参考文献）「アサーショントレーニング」平木典子著　日本・精神技術研究所　など

⑤人間関係トレーニング

南山短期大学の人間関係科，人間関係研究センターで実施されている体験学習である。グループプロセス，リーダーシップ，コミュニケーション，個と集団にかかわる活動など，目的・内容にSGEと類似した部分がある。

(参考文献)「人間関係トレーニング」南山短期大学人間関係科監修　ナカニシヤ出版　など

⑥研修ゲーム

　組織・企業における人材育成をめざしている活動である。相互理解，コミュニケーション，チームワーク，創造性開発，問題解決などに関する内容の活動がある。

(参考文献)「企業研修ゲームハンドブック」日経連研修部編　日経連出版部　など

⑦ピア・カウンセリング

　仲間同士で支え合って生活していくことに視点をおいた活動である。"ピア（仲間）"という視点から，さまざまな活動を再構成しているというイメージがある。活動の中では，１対１のカウンセリング的な要素の強い部分と，グループで行う活動の要素の強い部分とがある。ここではピア・カウンセリングの中に，ピア・サポートを含めて述べたが，異なる考え方もある。

(参考文献)「ピア・サポートで学校がかわる」滝充編著　金子書房　など

⑧クラス会議（アドラー心理学による）

　アドラー心理学に基づいた，"子どもたちが責任ある市民となるためのプログラム"である。情動的知性とライフスキルと人生を成功に導くものの見方を伸ばすように，勇気づけていくものである。育てるカウンセリングとして，目的に共通した部分がある。

(参考文献)「クラス会議で子どもが変わる」ジェーン・ネルセン他著　コスモス・ライブラリー　など

さまざまなアプローチと共にあること

　以上，ＳＧＥの視点からさまざまな活動について触れたが，それぞれの活動は，活動を支える理念や強調される部分が違っていたり，構成の仕方や方法論が異なっていたり，活動場面やテーマの限定の仕方が違っていたりするが，実際に体験してみると，どの活動も類似した技法と内容をもっていることがわかる。

　私は，ＳＧＥのリーダーはこうした類似の活動にも親しんでおくことがよい，と考えている。それは，ＳＧＥ至上主義に陥らないためである。

　ここで提示した活動は，それぞれの内容や技法に微妙な重なりがある。そのことは，ある目的を達成しようとした時，場合によっては，ＳＧＥ以外の活動を使っても，その目的を達成することができることを示している。

　多くの活動は関係をもちながら，さまざまな条件や場面の中で開発されてきたものである。そうした開発の過程を尊重する心のあるリーダーにして，本来のＳＧＥが展開できるといってよいのではないか。「あなたは○○でやるんだ。それがあなたに適したアプローチなんだね！私はＳＧＥでやるよ。私にぴったりだからね！」と言いたいのである。

　他の活動の意味を認めながら，自らの志向を意識していくことが，リーダーの自信と柔軟性を育み，バランスのとれた活動を可能にする。

　例えば，小学校の低学年ではレクリエーション・ゲームやＳＳＴを中心に活動を組み，高学年，中学校，高等学校と進むに連れて，ＳＧＥやＧＷＴを中心に活動を組み立てていくと，スムーズに展開できることがある。また，学級が落ち着かない段階にはＳＳＴを中心にして活動を組み立てて，徐々にＳＧＥ，ＧＷＴ，参加型・体験型の学習活動を導入していくこともできる。

　私は，「ある人がある目的を達成するには，その人に合った追求方法がある。だから，さまざまなアプローチが存在するには意味があり，さまざまなアプローチを尊重することは大切なことなのだ」という主張には，十分にうなずけるのである。

学級新聞と
ショートエクササイズ

八巻寛治

学級新聞に感想を載せてシェアリングの助けにしてはいかがでしょうか。
ショートエクササイズにはそれなりのよさがありますが，ショートゆえのネックもあります。
シンプルであるために切り落とさなければいけないものも……。
時間内にエクササイズやシェアリングができるのが理想ですが，
ワンポイントでこんな使い方ができるという例を紹介します。

★学級新聞にエクササイズ後の感想を載せよう

ふだん学級新聞をどう活用していますか。
・係活動の1つとして子どもたちに任せている
・保護者向けにクラスの雰囲気を伝えるために，教師が書いている
など目的によってさまざまな取り組みをしていることでしょう。

私は，学級新聞は子どもたちの声や考えが反映させられるものであることが大切だと思い，実践してきています。

例えば，学級内での問題や悩みの確認のための記事（仲間はずれをする側とされる側の意識のずれ），子どもたちの興味があるアンケートの結果やまとめ（趣味・趣向），みんなで考えたいこと（学級目標づくりに向けたこんなクラスにしたいという意識）などを学級新聞に載せることです。

つまり，一人一人の心の声（見えないもの）を"見えるようにする"工夫や，自分の考えが同じクラスの中で反映されているという感覚を養うことで，その課題や問題が自分もかかわっていることなのだという実感を伴うこと，それが"われわれ意識"につながるのではないでしょうか。

この考え方を，ショートエクササイズ展開後のシェアリングの時間がとれない時に，感想集としてまとめ，シェアリングの助けにしようという活用の仕方を紹介します。

＝掲載のポイント＝
①感想文として書いたものをそのままの文で掲載する
②傾向をまとめ，似たようなものをある程度まとめて掲載する
③傾向を数値化し，表やグラフにしてみる

平成　年　月　日(水) チャレンジ学級仲よしタイム　第14号

チャレンジ学級 仲よしタイム

「ひと夏の体験二〇〇一」

八月二十七日、まちにまった二学期がはじまりました。
仙台市は来年から二学期制になるので、二学期は十月からになるのですね。長い夏休み明けの最初の日は、何となくうれしいような、不思議な気分です。悲しいような、うれしいような気分ではなく、来年からは最初からずっと来年から来年になるそうですね。

さて、五年三組では、みんなの夏休みの思い出の体験発表として、四枚時間目に「ひと夏の体験二〇〇一」をしました。

楽しかった夏休みの思い出を、一人一人に発表してもらいました。その後のふり返りは次の通りです。

〈ふりかえりコーナー〉
=5年3組三十五人=

① 自分の体験を、しっかり発表できましたか。
（思っていることを）
- まあまあ 40%
- はい 34%
- いいえ 17%
- すごく 9%

② 友だちのことで、新しい発見がありましたか。
- はい 6%
- すごく 94%

③ 夏やすみだちのことで「なるほど」と思えましたか。
- はい 12%
- すごく 88%

みんないろいろなことを考えていることが分かりますね。ふりかえりを読んであなたはどう思いましたか？
ヤマカン先生の感想コーナー

クラスのみんな一人一人が、たくさんの体験や経験をしたことが分かりました。
国語の作文を書き、発表するのとは、ちょっと違ったように感じました。
友達の話を聞いて、今まで知らなかった友達のよさに気づいたり、新しい発見があったりしたようですね。
二学期も楽しみにしています。
ヤマカン

♡Eさん
Fくんが、毎日ゲームをしていて楽しかったけど、一人で旅行したことをきいて100キロマラソンをして、こえたことがすごいと思いました。ほかにも、みんながいろいろなことをしたのでおどろきました。今度聞いてみたいです。

♤K君
夏休みに、九州まで一人で旅行したことを言ったら、みんなおどろいていた。

♡Yさん
私は、総合の宿題の福祉で、バリアフリーにきょう味をもったので、Rさんといっしょに一日体験したことをみんなに言いました。みんなせいいっぱい生きているんだなあと思った。すごく大切な時もあるのがわかりました。本当にほしい時もなろがわかりました。私もすごいと言ってくれてうれしかったです。

♤G君
毎年骨を折っていると言ったら、みんながびっくりしていた。だいじょうぶ？と聞いてくれた人がいたので、うれしかった。もっといろんなことを聞きたい。

♤H君
夏休み前に、うでの骨をおったので、ずっと家でしずかにしてあまりおもしろくなかったと言ったら、友だちがうん、うんと言ってくれてうれしかった。ゲームのソフトをかってもらったと言ったら、「ずるい」と言われた。よかったねとも言われた。

♡Jさん
みんな、いろいろな夏休みだったんだなと思った。私は、いなかのおじいちゃんの家に行って、ほたるをみて、感動した。かんきょうの下で、見てほしいなあと言ったら、あまり話したことがない人も、すごいと言ってくれた。

【みんなの感想コーナー】

25

ショートエクササイズに使われている理論と技法

林 伸一

1. 構成的グループエンカウンターの理論

國分康孝によると，構成的グループエンカンターそのものの理論はまだない。ただ，個々のエクササイズに何らかの理論的な背景がある。特にカウンセリングの理論を応用または援用したエクササイズが多い。ゆえにエンカウンターのリーダーには，カウンセリングの理論と技法を学んでほしい。カウンセリングを習熟していなければリーダーになれないわけではないが，参加者が突然泣き出したり，やりたくないと抵抗を起こしたりした場合には，これらが役に立つ。

2. ショートエクササイズのイメージマップ

マインドマップの手法を用いて，ショートエクササイズに使われている理論・技法の関連性を表現すると下図のようになる。

第2章では，これらの中から代表的な12の技法が使われているものを取り上げ，シンプルエクササイズとして提示した。下図はエンカウンターの多様性と広がりを見るために役立つと思う。

3. ショートエクササイズの組み合わせ

ショートエクササイズは，いくつかを組み合わせてロングエクササイズとして実施してもよい。下のマップを活用して，相互の関連性を考えながらつなげていくことをお勧めしたい。

その場合，國分の言うワンネス（oneness），ウイネス（weness），アイネス（Iness）の流れにそってエクササイズを配置するといい。ワンネスとはグループとして一体感を得るもの，ウイネスとはグループ構成員の相互の肯定的依存関係によるもの，アイネスは自己主張できるものである。

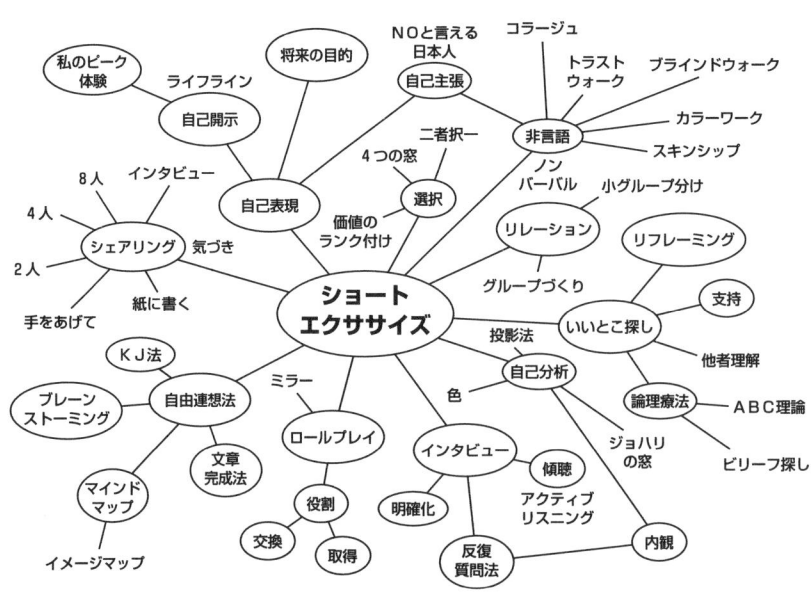

第2章

シンプルエクササイズ集

　シンプルエクササイズとは，ショートエクササイズの中でも理論や技法が単純明快なエクササイズということである。いわば，エンカウンターの基本エクササイズである。
　単純明快だということは使い勝手がいいということである。次のような点で使い勝手がよい。

・エンカウンターになじみの薄い人でもわかりやすい。
・集団の実態にそれほど左右されないので，どの学級でもアレンジして実施できる。
・教科指導や道徳特別活動など日頃の教育活動に取り入れやすい。また，部活動・保護者会にも応用して活用できる技法である。
・本章で取り上げた12のエクササイズの理論や技法は，エンカウンターのねらいを支える核となるものであるので，繰り返し実施することでエンカウンターのねらいを達成できる。
・本章の12のエクササイズは，さまざまなエクササイズに使われている基本パターンであるので，12のエクササイズの実施はエンカウンターの技法のトレーニングにもなる。

〔築瀬のり子〕

この指とまれ
－グループづくりのエクササイズ－

八巻寛治

■このエクササイズの特徴
・共通点をもつ人を見つけたり，人との違いを知ることで，自己理解・他者理解が深まり，リレーションづくりが促進される。
・選択肢が徐々に増えるようテーマを工夫して行うと，小学校低学年からでも取り組みやすい。
・できたグループをもとに，次の活動へつなげるとよい。

時間 15分
場所 オープンスペース
ねらい 自己理解 他者理解

■準備
・テーマをいくつか用意しておく。

■基本的な手順
・示されたテーマについて，自分と同じ好みや考えの人同士でグループをつくる。
・グループごとに，自分がなぜそれを選んだかを伝え合う。
・テーマを変えて何度か行う。
・全体でシェアリングをする。
　<テーマの例>
　「好きな動物」「好きな果物」「気に入っている1～9の数字」「形」「好きな場所」「好きな給食のメニュー」など。

■場面とアレンジ
・初めて実施する場合（A）……初めて行う場合や，慣れていない場合などは，きまった人数でグループをつくる「集合ゲーム」を行うとよい。
・基本形（B）……自分の好みなどをもとに，特に人数を決めずにグループをつくる。徐々にむずかしくなるようテーマを選ぶとよい。
・グループづくりのアレンジ……グループをつくるときに，非言語で行うようにしてもよい。

第2章　シンプルエクササイズ集

教師の指示（●）と子どもの反応・行動（☆）	ポイント

A　初めて実施する場合（集合ゲーム）

- ●今日は，集合ゲームというグループづくりをします。先生の指示に従って，テーマに合ったグループづくりをしましょう。
  - ☆どんなことをするのかな。楽しそう…。ちょっぴり不安だなあ。
- ●初めは，先生が手をたたいた数だけ人を集めて手をつなぎます。そろったらその場にしゃがんでください。うまくグループをつくれなかった人には…，罰ゲームならぬ○ゲームとして，好きなものを2つ教えてもらいます。では，始めます。「パン，パン，パン，集まれ！」
  - ☆3人，3人，…。やった集まった。早く座ろう。セーフ
  - ☆あれ，全員座れた。
- ●全員無事にグループづくりができました。おめでとう（拍手）。
- ●2回目をします。「パン，パン，パン，パン，パン，集まれ！」
  - ☆5人，5人……。セーフ。やった！座ろう。
- ●今回もうまくグループづくりができましたね。3回目は果たして全員がぴったりグループをつくれるでしょうか。──人数を変えて繰り返す。

ポイント：
- ●学級の実態，子どもの雰囲気，年齢などによりテーマを工夫する。
- ●どきどきさせながら，全員がグループになれるようにすると，抵抗なく次に移れる。
- ●徐々に人数を増やしていく。
- ●教師が入ることで全員がグループになれるよう工夫するのもよい。

B　基本形（この指とまれ）

- ●今日は，「この指とまれ」というエクササイズをします。これから言うテーマについて，「自分だったらこれがいい」と思うものを1つ決めてください。次に，同じものを選んだ仲間を探して，集まったら指をつないでその場にしゃがんでください。ひょっとして1人だけの場合もあるかもしれません。その時は，なぜそれを選んだか理由を教えてもらうことにしましょう。質問はありませんか。
  - ☆仲間見つかるかなあ。たくさん集めよう。ちょっと不安だなあ。
- ●テーマ1は好きな動物です。この指とまれ！
  - ☆犬，犬。ねこの人。キリンはぼくです。パンダはいませんか。…。
- ●集まった仲間で，選んだわけを話し合ってください。
  - ☆犬は人に忠実だというよね。でも私は，犬にほえられたことがあるからハムスターにしました。
  - ☆ライオンは百獣の王だから，かっこいいから好きです。
- ●チームごとに確かめます。このチームは何の動物が好きな人たちですか。
- ●同じ仲間になった人のことで，気づいたことや感じたことがある人は，その気持ちを発表してください。
- ●次のテーマです。──いくつかのテーマについて同様に行う。
- ●同じ仲間になった人たちのことで，気づいたことや感じたことがある人は，その気持ちを発表してください。
  - ☆「好きな給食のメニュー」でラーメンのチームでしたが，好みが味噌味と醤油味の人がいることに気づきました。
  - ☆○○さんは「好きな場所」がぼくと同じ教室でしたが，クラスのみんながいるとほっとすると言ってくれたのでうれしかった。

ポイント：
- ●人数を制限せずにグループをつくる。
- ●徐々にむずかしくなるようテーマを工夫する。例えば，好きな季節→好きな教科→好きな動物など，選択肢を増やしていくとよい。
- ●「誕生月」などをテーマに，無言でグループをつくることもできる。
- ●仲間がいなくても，好きなものを自己主張できる雰囲気につなげたい。
- ●自分や友達についての思いがけない気づきや新しい発見などが出るとよい。
- ●「みんな違ってみんないい」の意識を育てたい。

あなたにインタビュー
－反復質問法を使ったエクササイズ－

林 伸一

■このエクササイズの特徴

・質問は「あなたを知りたい」というメッセージであり，リレーションづくりの第1歩である。
・自問自答では空回り，堂々巡りすることも，相手の質問に答えることで明確になりやすい。
・話題が拡散せず，質問に答えていくうちに内容がだんだん深化していく。

時間 10分
場所 教室
ねらい 自己理解 他者理解

■準備

・質問の内容を決めておく。

■基本的な手順

・2人組になる。
・片方が繰り返し同じ質問をする。
・聞かれた人は，質問に繰り返し答える。
・役割を交代して相手に質問する。

■場面とアレンジ

・自己発見の方法として（A）……自分が本当に何をしたいのか，何を求めているかを明確にするために「いまいちばん欲しいものは何ですか」と繰り返し質問してもらう。
・内観法の簡便法として（B）……吉本伊信の提唱した内観法の簡便法として用いることができる。ペアで「いつだれに何をしてもらいましたか」と2分間繰り返し質問し合う。
・将来計画を明確化する方法として……進学，就職などの将来計画について「ねえ，どうして進学（就職）したいの」などの質問に繰り返し答えることで，動機が明確になる（p.136「ねえどうして」参照）。

教師の指示(●)と子どもの反応・行動(☆)	ポイント
A　自己発見の方法として	
●これから本当の自分を発見するためのエクササイズをします。目的は，自分が本当に何をしたいのか，何を求めているかを明確にすることです。 ●ペアをつくって，交互に「いま，いちばん欲しいものは何ですか」と聞いてください。警察で尋問するような口調ではなく，やさしく聞いてください。「いま」は，刻々過ぎ去っていきます。答は1つだけではないはずです。私の場合は「ふさふさの髪の毛」や「時間」が欲しいです。このように目に見える具体的なものでも，目には見えにくい抽象的なものでもかまいません。 ●では，2分間かわりばんこに質問してください。一問一答で，いくつも答えをいっぺんに言う必要はありません。相手の答えと偶然，同じものになってもかまいません。それでは，始めてください。 ●は〜い，時間です。お互いに気づいたこと，感じたことをシェアリングしてください。 　☆言いたかったことが，一気に吹き出るような感じでシェアリングが始まる。	●エクササイズのねらいをしっかりと告げる。 ●3人組，4人組で，順に質問て答えていくチェーン・ドリルの方式で実施してもよい。 ●比較的答えにくい質問の場合は交互に質問したほうがよい。 ●相手と同じ答えで共感したり，予想もしないような答えがでてきて，他者発見のチャンスとなる。
B　内観法の簡便法として	
●これから自分の過去を振り返って今の自分を知るというエクササイズをします。あまり話をしたことがなかった人とペアをつくってください。 　☆「え〜，何で？」という表情で相手をさがす。 ●は〜い，ペアの相手が見つかりましたか。相手のいない人，手あげて。みなさん，相手が見つかりましたね。じゃあ，ジャンケンしてください。 　☆急に，楽しそうな雰囲気になる。 ●ハイ，勝った人，手をあげて。負けた人，手をあげて。勝ったか負けたか，わからない人……いませんね。負けた人がインタビューする人，勝った人がインタビューに答える人です。試合のあとのヒーローインタビューの要領です。　　　　　　　　　　　　☆ざわめきが起こる。 ●インタビューで聞く質問はただ1つです。Aさん，ちょっと立ってください。私に「いつ，だれに何をしてもらいましたか」と聞いてください。 　☆「いつ，だれに何をしてもらいましたか」。 ●「中学生のころ，母にエレキギターを買ってもらいました」。Aさん，もう一度私に同じ質問をしてください。 　☆「いつ，だれに何をしてもらいましたか」 ●「小学生のころ，父にスキーに連れて行ってもらいました」。このように，負けた人が2分間繰り返し質問してください。では始めてください。 ●は〜い，時間です。役割を交代して，2分間質問してください。 ●は〜い，時間です。お互いに気づいたこと感じたことを述べてください。 　☆シェアリングする。	●過去を振り返って現在の自分を知るというねらいを告げる。 ●ジャンケンにより，成人でも一時的に童心に返ることができ，心理的な防衛がゆるむ。 ●「いつ，どこで，だれに何を…」と質問する人がいるが，「どこで」を聞く必要はない。 ●リーダーが自己開示しながら，モデルを示す。 ●問答の内容ではなく，聞いたり聞かれたりしたことに対する感情を述べるようにする。

4つの窓
－選択法を使ったエクササイズ－
八巻寛治

■このエクササイズの特徴
・集団の中に自分と同じ考えの人がいることに気づかせ、リレーションづくりを促進する。
・選ぶのにはいろいろな理由や考え方、とらえ方があることを知り、同じものを選んでも違うものを選んでも、「みんな違ってみんないい」ことに気づかせる。

（イラスト中のセリフ）
- 自分の好きな色の場所に集まりましょう
- そうだね
- 赤がいいよ
- やっぱり燃えてくるね
- 青だ
- 青の人！
- かっこいいよな
- 海の色だ
- 赤
- 青

時間 15分
場所 教室
ねらい 他者理解

■準備
・画用紙（4枚×回数分）　・サインペン

■基本的な手順
・テーマについて、4つの選択肢から自分にぴったり合うものを1つ選ぶ。
・選んだもののコーナーに集まる。
・同じものを選んだ人同士で、理由を伝え合う。
・全体でシェアリングする。

＜テーマ例＞
好きな色　赤・青・黄色・緑など
好きな形　○・△・□・☆など
好きな食べ物　ラーメン・カレーライス・スパゲッティ・グラタンなど

■場面とアレンジ
・基本形（A）……テーマを決め、各テーマごとに4つの選択肢を用意しておく。
・テーマを決める場合（B）…集団の実態に応じて、自分たちでテーマを決定するとよい。自分たちで決めるほうがモチベーションが高まりやすい。
・選択肢を決める場合（C）…教師側から提示するほかに、事前にアンケートをとる、参加者の希望を聞くなどの方法がある。

教師の指示(●)と子どもの反応・行動(☆)	ポイント
A　基本形	
●4つの窓というエクササイズをします。これからあるテーマについて4つの選択肢を言うので，自分にぴったりくるものを1つ選んでください。 ●最初のテーマは色です。赤，黄色，緑，青から，自分がいちばん好きだなと思う色を選んで，その色のコーナーへ移動しましょう。 ●集まったコーナーごとに振り返りをしてみましょう。今，ここでの気持ちをお互いに伝え合いましょう。 　☆青がたくさんいてうれしかった。いつも赤い服を着ている○○さんが青を選んで意外だなあと思った。青は涼しそうでいいよね。 ●次のテーマです。──テーマを変えて繰り返す。 ●同じ仲間になった人たちについて，気づいたことを教えてください。 　☆Aさんが「黒はどっしり落ち着いていて安定した感じ」と言ったのを聞いて，そういう見方があるとわかった。 　☆Bさんとは，4回とも同じだったので，親近感がわいてきた。	●同じコーナーに集まった人同士は親しみがわきやすいが，グループで固まったり，こだわりすぎないよう声をかける。
B　テーマを決める場合	
●みなさんは，いくつかの中から1つだけを選ばなければならない時に迷ったり，悩んだりしたことはありませんか。それはどんな時ですか。 　☆ノートを買う時，洋服を選ぶ時，小遣いでお菓子を買う，ファミコンのゲームを何にしようかなと思った時…。 ●もしここにいるみんなで，4つのものから1つだけを選ぶエクササイズをするとしたら，どんなテーマだと面白いなあと思いますか。 　☆好きな曲，乗り物，給食のメニュー，スポーツ，おやつ，…。 ●では，今日は出されたものの中から希望が多かった4つについてしてみましょう。　　☆やったー　☆残念，○○がよかったなあ。 ●残りのテーマは，次回にやることにしたいと思います。　☆OK！	●どんなテーマに興味があるかを確認する。自分の考えが反映されていると思うと意欲的に取り組むことが多い。 ●ある子の発言により全体が影響されることがある場合は，アンケート用紙を配布して集計する方法もある。
C　選択肢を決める場合	
●後で4つの窓というエクササイズをするために，皆さんが好きな色をインタビューします。1人何回でもいいので，好きな色だなあと思ったら手をあげてください。赤の人，○○人。青の人，△△人。……ほかにどんな色が好きですか。　　☆群青色，青紫，水色，黒，金，…。 ●では今日は，多いもの①赤，黄色，青，緑の組合せと，少ないもの②青紫，白，オレンジ，黄緑の2回に分けて4つの窓をしましょう。残りの色は，また別の機会にやれたらやることにしましょう。 　☆はーい。おしかったなあ…。○○色は何人いるかな。 ●次に，形だったらどんなものが好きかインタビューします。 　☆○，△，□，◎，☆，…。 ●いろいろな形がありますね。では，エクササイズをしてみたい形を聞きますので，いいなあと思うものに手をあげてください。これは，多いもの4つを決めたいと思います。──必要なテーマの分を繰り返す。	●色紙や色鉛筆などを使って確認するとわかりやすい。 ●希望が少ないものでも行うことで，少数意見も大切にするという姿勢を示したい。 ●「色」は選択肢が出やすいので，多いものと少ないものの2回にしたが，時間やグループの雰囲気などにより回数を決めるとよい。

いいとこさがし
－リフレーミングを使ったエクササイズ－

築瀬のり子

■このエクササイズの特徴

・互いに認め合うことは，信頼と好意に満ちたあたたかな学級風土の基本である。学級集団づくりに欠かせないエクササイズであり，繰り返し実施することでより効果が上がる。
・You are OK. のメッセージを級友からたくさんもらうことで自尊感情が高まる。

> ぼくが消しゴムがなくて困っているのに気づいてくれてありがとう
> やさしい人ですね

み〜つけた ＿＿＿＿＿くんさんのいいとこ

こんないいこと（事実）
＿＿＿＿＿＿＿＿＿＿＿＿＿＿＿＿＿＿＿＿
＿＿＿＿＿＿＿＿＿＿＿＿＿＿＿＿＿＿＿＿
＿＿＿＿＿＿＿＿＿＿＿＿＿＿してくれました。
＿＿＿＿＿＿＿＿＿＿＿＿＿＿していました。

わたしの気持ち
＿＿＿＿＿＿＿＿＿＿＿＿＿＿＿＿＿＿＿＿
＿＿＿＿＿＿＿＿＿＿＿＿＿＿＿＿＿＿＿＿
＿＿＿＿＿＿＿＿＿＿＿＿＿＿＿＿＿＿＿＿

[　　　]より

時間 15分
場所 教室
ねらい 他者理解／自己受容

■準備
・記入用紙　　・筆記用具

■基本的な手順
・記入用紙を配る。
・グループのメンバーについて，相手のいいところだと思った「事実」と自分の「感想」を書く。
・用紙を回収して教師が目を通す。
・カードを本人に配る。
・もらったカードを読んで感想を話し合う。

■場面とアレンジ
・学級開きの1週間ほど後に行う場合（A）……親切にしてもらったこと，うれしかったことなどを伝え合う。
・定期的に実施する場合（B）……毎日とか1週間ごととかに行う。形骸化しないよう，いいところを探す観点を明確に示していく。
・生活グループや学習グループの解散時に……「別れの花束」の要領で行うのもよい。
・行事などの後に……振り返って，互いにがんばっていたことを伝え合う。

教師の指示(●)と子どもの反応・行動(☆)	ポイント

A　学級開きの1週間ほど後に行う場合

●このクラスになって1週間が過ぎましたが，みなさんはどれくらい仲よしになれましたか。教室移動の時声をかけてもらった，昼休みの遊びに入れてもらったなど，親切にされてほっとしたり，うれしかったりしたことがあったと思います。また，給食の時たくさん話題を出してくれて仲よくなれたというようなこともあったでしょう。今から，友達が親切にしてくれたことやいいところを探してメッセージカードを贈り合い，心と心の交流を深めたいと思います。

●やり方を説明します。今から『みーつけた　いいとこ』というカードを1人に6枚ずつ配ります。まず，いちばん身近にいるグループのメンバー全員に書きます。次に残ったカードを使って，グループ以外の人で書きたい人に書きます。時間は7分間です。もっと書きたい人がいて時間内に書けるときは，予備のカードをあげます。書く内容は，自分がされた親切や，見ていてその人のいいところだと思った事実と，そのときの自分の気持ちや感謝の言葉です。注意は，ふざけたことや相手を傷つけるようなことは書かないことです。心を込めて書きましょう。何か質問はありませんか。

　　☆見つからないよ。そんなに書けるかな。

●何かを貸してもらったとか，些細なことでいいんですよ。6人書けなくてもいいけれど，少なくてもグループのメンバーには書こうね。

●ではカードを受け取った人から書き始めましょう。——カードを配る。

●はい，やめてください。もっとたくさんの人に書きたい人もいるでしょうが，またやりますので次の機会に書いてください。

●後ろから集めましょう。明日の朝の会で先生が配ります。

●（翌朝）昨日のカードを配ります。　　　☆もらうとすぐに読み出す。

●読み終わりましたか。では，隣の人と2人組になっていま感じていることを語り合いましょう。時間は2分です。

●先生も，昨日全部読ませてもらいました。先生の知らないところでお互いに親切にし合っている様子がよくわかりました。また，先生が気づかなかったみなさんのよいところをたくさん教えてもらいました。ありがとう。人のよいところを素直に認められる心をもった人ばかりでうれしいです。

ポイント：
●カードの準備ができないときは白紙でよい。
●カードの内容を板書するか，模造紙に書いて貼って説明するとわかりやすい。
●事実に基づいて書くことが重要。「やさしい」「面白い」などの抽象的な表現では，形式的なほめ言葉のようでもらっても感動は薄く，自尊感情は高まらない。
●もらったときの相手の気持ちを考えさせる。
●だれにでも書けるような日常的な例をあげる。
●定期的に実施するときは，「これから毎週やります」と伝えておく。
●ふざけが心配されたり，その判断がつかない場合は教師が目を通す。目を通さない場合は，書いたカードを自分で配らせる。
●個人名をあげて話してもよい。

B　定期的に実施する場合

●恒例のいいとこ探しをします。4回目ですから，まだ書いてない人に書くようにしましょう。それから，自分にしてくれた親切ばかりでなく，他の人にしていた親切や，みんなのためになるような行動も見つけてほしいです。

●（さらに数回後）友達のよいところとして，その人がこれまでよりがんばっていることを探してみてもいいでしょう。どんなことでもがんばる姿はかっこいいし，その人のよさだと思うよ。

ポイント：
●定期的に実施する場合は，形骸化しないようによいところを探す観点を与えていく。
●シェアリングは2人組ばかりでなく4人組など変化させていく。

カラーワーク
－非言語で行うエクササイズ－

林 伸一

■このエクササイズの特徴
・言語を使わず色で表現することにより，参加者の防衛機制がゆるむ。
・言語表現や人間関係の苦手な人が自己表現するチャンスとなる。保健室登校の子どもなどにさせておく作業療法的な側面をもっている。
・同じ下絵を使っても，一人一人の内面が表現された作品はみな異なることから，「みんな違ってみんないい」という実感が得られる。

時間 15分
場所 教室
ねらい 自己表現・他者理解

■準備
・下絵　・クレヨン

■基本的な手順
・下絵とクレヨンを配る。
・下絵に色を塗ったり模様を描いたりして，作品を完成させる。
・ペアで作品を交換してシェアリングする（場合によっては，互いの作品をプレゼントとして交換する）。

■場面とアレンジ
・下絵とクレヨンを使う場合（A）……おおざっぱな下絵に色を塗ったり模様を描いて作品にする。
・下絵と色紙などを使う場合……おおざっぱな下絵に色紙や千代紙を切り貼りして作品に仕上げる。
・下絵を用いない場合……色画用紙の中から好きな色を選び，線画を描く。時間があれば，線画に着色して作品にする。

教師の指示(●)と子どもの反応・行動(☆)	ポイント
A　下絵とクレヨンを使う場合 ●これから自分の着るTシャツをデザインしてもらいます。自分が着るTシャツですから，できるだけ自分を表現するようにしてください。ペアの相手と相談しながらデザインしてもいいです。 ●下絵を受け取った人から始めてください。クレヨンは，2人で1箱使ってください。時間は5分です。――下絵を配る。 ●Tシャツは，ただ1色，自分の好きな色を塗るだけでもいいですし，いろいろな色や文字やメッセージを入れてもいいです。ようするに，自分が着て街を歩いてみたいと思うデザインにしてください。 　　☆思い思いに下絵に着色したりデザインしたりする。 　　☆なかなか描き始められない人もいる。 ●は～い，時間です。どうでしたか。思ったとおりのデザインができましたか。気に入ったものになりましたか。 　　☆先生，まだできていません。　☆あと，もうちょっとなんだけど。 ●はい，時間がたりなかった人いますか。　　☆何名か手があがる。 ●では，あと1分だけ時間をあげましょう。その間に仕上げてください。2人ともできたペアは，この作業を通して，気づいたことや感じたことを話し合っていてください。 ●は～い，1分たちました。みなさん，できましたね。それでは，ペアの相手と作品を交換してください。　　　　　　　　　☆ざわめき。 ●自分の作品について，相手に解説してください。また互いに作品について気づいたこと感じたことを伝えてください。 ●作品を全体に発表してもいいというペアはありますか。 　　☆少し恥ずかしいけど発表してもいいというペアが挙手。 ●じゃ，Aさん・Bさんペア立ってください。AさんはBさんの作品を，BさんはAさんの作品をみんなに紹介してください。 　　☆互いに相手の作品を解説しながら，全体に紹介する。 ●ほかに，作品を全体に発表してもいいというペアはありませんか。 　　☆同様に何組かのペアが作品を全体に発表する。 ●最後に，作品についてではなく，この作業と発表を通して気づいたこと感じたことをシェアリングしてください。 　　☆○○さんのTシャツは……がいいね。△△さんは……。 ●いまは作品合評会ではなく，デザインする作業と発表に関しての気づきや感想を述べてください。　　　　　　☆ペアごとにシェアリング。 ●もしよかったら，いろいろとアドバイスやフィードバックをしてくれた相手に，感謝の気持ちを込めて作品をプレゼントしてみてください。どうしても自分でとっておきたいという人は，どうぞ作品を持ち帰ってください。気に入らないからプレゼントもしたくないし，持ち帰りたくもないという人は，私にください。　　　　☆何人かは作品を提出する。 ●感謝の気持ちを込めて，「ありがとうございました」と相手に言って終わりにしましょう。　　　　　　　　☆ありがとうございました。	●左の展開例は2人組で活動する設定。 ●全体の人数が少ない場合は，輪になって全員の顔が見える形で実施すると，グループとしての一体感も得やすい。 ●デザインというと芸術的なものを思い浮かべがちだが，ここではそれが目的ではない。 ●時間を延長する場合は，長めにとらず，小刻みに延長するほうがいい。 ●どうしても続けたい場合は，シェアリング後に行うようにする。 ●切り絵や線画の場合は，時間がかかる人がいるので，あまり時間がかからないようにする工夫が必要。 ●作品の出来ではなく，作業中の気持ちや他の人の発表を聞いて感じたことを伝え合う。 ●自分の作品に自信がない人も，この作業がけっしてむだではなかったという実感をもてるように，教師が作品をもらって大切にするとよい。私の場合は，ファイルしている。

トラストウォーク
－非言語で行うエクササイズ－

飯野哲朗

■このエクササイズの特徴

- 思いやりややさしさ，人に対して自分がどんな接し方をしているのかについて確認するねらいがある。
- 非言語による体を使った活動である。近距離での身体接触があるので，自分と人についての思わぬ発見がある活動である。
- 視覚を使わないことで，さまざまな気づきがある。

（吹き出し）
- けっこうこわいなあ
- ゆっくりゆっくり…
- あっ大丈夫？
- 待って
- ギュッ

時間 15分
場所 教室
ねらい 信頼体験

■準備
- 教室では，机を寄せて通路を広くとるとよい。

■基本的な手順
- 2人組をつくる。
- 片方が目をつぶる。
- 目を開けている1人が，目をつぶっている人を誘導する。
- 誘導した後で，2人で感想を述べ合う。
- 役割を交代して，同様に行う。
- 全体で振り返りを行う。

■場面とアレンジ
- 基本形（A）……どれだけ相手を思って誘導できるか，どれだけ相手に任せて誘導してもらうことができるかを感じる目的で行う。
- 非言語で行う場合……ペアが両者とも口を閉じて，無言で誘導することもよく行われる。
- 誘導する際のアレンジ……誘導の途中で，さわってもらいたいもの（例えば柱や壁など）を目をつぶった人に触れさせてみるのもよい。また一瞬だけ目を開けてもらって，窓の景色や絵画，彫刻などを見てもらうのも面白い。

| 教師の指示(●)と子どもの反応・行動(☆) | ポイント |

A 基本形

教師の指示(●)と子どもの反応・行動(☆)	ポイント
●これからトラストウォークという活動をします。 ●やり方を説明します。まず2人組になります。1人が目をつぶり，口も閉じます。そして目を開けている人が目をつぶっている人を誘導します。目を開けている人は声を出してかまいません。誘導するところは教室と教室の横の廊下にします。3分たったら先生が合図をしますので，それまで誘導してあげてください。　　　　　　☆えー，それだけ？ ●何のためにやるのかを説明します。目を開けている人は，目をつぶっている人が安心して歩いていけるように，やさしくやさしく誘導してあげてください。目を開けている人は，自分がどれだけ人にやさしくできるかを確認してもらいたいのです。　　　　　☆なるほど。ふーん。 ●目をつぶっている人は，誘導してくれる人を信頼して，誘導してくれる人に自分を任せきってみてください。自分がどれだけ人を信頼できるか，またできないかを確認してもらいたいのです。 　　☆面白そう。　　☆少し不安。 ●では，2人組をつくります。 ●役割を決めます。初めに誘導する人，誘導される人を決めてください。役割は，後で交代します。 　　☆ジャンケンで決めたり，話し合いで決めるペアがある。 ●注意してほしいことを言います。決してふざけないでください。目をつぶっている人は周りのことがわかりません。とても不安です。どこかで足や頭をぶつけるかもしれないと思うと歩けなくなります。十分注意して誘導してあげてください。では誘導する姿勢をつくってみましょう。どんなふうになりますか。 ●△△さんと○○さんのグループを見てください。こんな感じで誘導するのもいいですね。みんな，もう少し工夫してみてください。 ●では今から3分間誘導してあげてください。誘導される人は目をつぶってください。では，始めてください。 　　☆2人組になり，目をつむった人をもう1人が誘導する。 ●そこまでにします。廊下の人は教室に入ってください。 　　☆目を開けたとたんに，声があがる。 ●その場で，2人で今感じていることを話し合ってください。 ●□□さんと☆☆さんのグループではどんな感想が出ましたか。 ●では，交替します。 　　☆役割を交替して同様に行う。 ●そこまでにします。席に戻ってください。みんなの前で感想を言えそうな人はいますか。 ●先生はみんなの様子をみながら……と感じました。また，△△さんが……しているのを見て関心しました。今日は自分自身について，人について，みんな，何か感じることがあったようですね。	●具体的な活動を伝える。 ●ペアが両者ともしゃべらずに実施することも，よく行なわれている。 ●活動の目的を具体的な動きに即して説明する。 ●初めは仲のよいもの同士で行うとよい。 ●ふざけてしまいそうな子のいるその場で目をつむり，不安を体験してみる。 ●誘導の姿勢のよいグループを取り上げてモデルを示す。誘導される人に誘導姿勢を考えてもらうのもいい。 ●誘導する人は話してもよいことを確認する ●いくつかのグループに感想を聞く。 ●自分自身についての気づき，誘導してみての気づきをまとめたい。

文章完成法
－連想法を使ったエクササイズ－

八巻寛治

■このエクササイズの特徴
- 「わたしは…」のような未完成な文に続けて文章を自由にたくさん作ることで，ふだんの自分を振り返り，感じていること，考えていること，してみたいことなどを明確にする。
- できた文を紹介し合うことで，他者理解も促進される。

（もしも私が…）
（私は友達から…）

わたしなら○○です。

　　　年　組　名前　　　　　　

次の文章の空いているところにあなたの考えを当てはめて文を完成させましょう。

① 小さいとき，わたしは，　　　　　　
② 今，わたしは，　　　　　　　　　
③ わたしの趣味は，　　　　　　　　
④ わたしの特技は，　　　　　　　　
⑤ わたしは友達から，　　　　　　　
⑥ もしもわたしが，　　　　　　　　
⑦ 家では，　　　　　　　　　　　　
⑧ 学校では，　　　　　　　　　　　
⑨ 家族は，　　　　　　　　　　　　
⑩ これから，わたしは，　　　　　　

時間 15分　場所 教室　ねらい 自己理解

■準備
・ワークシート　・筆記用具

■基本的な手順
- 「わたしは……」のような未完成の文が書かれたワークシートを配る。
- 文の続きを考えて，各自で文章を完成させる。
- ４人組のグループになり，自分のワークシートを読み上げて完成した文章を紹介し合う。
- グループごとにシェアリングをする。
- 全体に感想を発表する。

■場面とアレンジ
- 自己理解を深める場合（Ａ）
- 自己紹介を兼ねる場合（Ｂ）……「わたしは～です」のように，自己紹介に使える文型を工夫する。
- ワークシートを事前に記入させる場合（Ｃ）……国語の時間に書かせたり，宿題にして事前に記入させておくこともできる。
- 課題文のアレンジ……発達段階や集団の実態に応じてさまざまにアレンジできる。同じ文を繰り返し完成させる場合と，何種類かの文を用意する場合がある。

| 教師の指示(●)と子どもの反応・行動(☆) | ポイント |

A　自己理解を深める場合

- ●みなさんは，ふだんからよく自分のことを振り返る機会がありますね。今日はふだんの生活を思い浮かべながら，次のような文の空いているところに言葉を入れて，文章を完成してみましょう。

  > わたしは，＿＿＿＿＿について，＿＿＿＿＿＿＿＿と思う。
  > それは，わたしが＿＿＿＿＿＿＿＿＿＿＿＿＿だからです。

- ●では，プリントに書いてみましょう。
- ●そろそろ時間です。4人組になって，書いた文を紹介し合ってください。どうしても言いにくい文は，とばしたりパスしたりしてもいいです。
  - ☆わたしは<u>勉強のこと</u>について，<u>それなりにがんばっている</u>と思う。それは，わたしが<u>理科と国語で１００点をとれた</u>からです。
- ●今，お互いに発表したことをもとにいろいろなことを感じましたね。お互いの発表を聞いて全体で振り返りをしてみましょう。自分や友達の発表について感想を発表してくれる人はいませんか。
  - ☆○○さんが小さい時に骨折を２回もしたと聞いて驚きました。
  - ☆ぼくが，「家ではわがままだ」と言ったら，みんながそんな風には見えないと言ったので，何となくうれしかった。

ポイント：
- ●学級の実態や子どもたちの雰囲気により，もう少し内面まで深く，自分や友達についての思いがけない気づきや新しい発見などがあるとよいことを伝える。
- ●「みんな違ってみんないい」の意識を育てたい。
- ●自分を振り返らせたい時は，左のような細かい文型が活用できる。

B　自己紹介を兼ねる場合

- ●みなさんは，ふだんから自分のことをどのように思っていますか。今日は，自分のことを友達に紹介するような気持ちで，文の空いているところに，あてはまる言葉を入れて文章を完成してみましょう。

  > わたしは＿＿＿＿＿＿＿＿＿＿＿＿＿＿＿＿＿＿＿＿です。

- ●4人組になって，書いた文を紹介し合ってください。
  - ☆わたしは<u>サッカーをするのが大好き</u>です。
  - ☆わたしは<u>小さい時のいやな思い出は交通事故にあったこと</u>です。
  - ☆わたしは<u>ペットを飼っていて，カメぞうという名前のカメ</u>です。

ポイント：
- ●年齢が低い場合や，リレーションがあまりとれていない集団の場合に向いている。

C　ワークシートを事前に記入させる場合

- ●明日の朝の会で「わたしなら○○です」というエクササイズをします。それまでに，今から渡すプリントを書き込んでおいてください。
  - ☆ええ宿題？　いやだなあ　　☆楽しそうだなあ。
- ●ワークシートの書き方を説明します。「わたしは…」に続く線の上に，あなたのふだんの生活を思い浮かべながら，思ったことなどを自由に書き込んで文章を完成させてください。書く内容は，あなたが思ったことや感じたことを素直に書いてください。答えたものには，正しい答えや悪いはありません。安心して書いてください。
  - ☆はーい。どんなことでもいいのかなあ。　　☆むずかしそうだなあ。
- ●書いたワークシートを使って，明日の朝の会で，生活グループの中でお互いに発表してもらい，感想を伝えてもらうつもりでいます。
  - ☆なんか恥ずかしいなあ。　　☆みんなの知らないことを書こうかな。

ポイント：
- ●直接説明できないので，ワークシートに書く内容や書き方などをしっかりと知らせ，不安がなくなるようにていねい説明する。
- ●ふざけないで書くことを確認する。
- ●友達に自己紹介する程度の気楽なつもりで，書くように声をかける。

他己紹介
－役割交換法を使ったエクササイズ－

飯野哲朗

■このエクササイズの特徴

・ペアの相手になりきって，一人称で相手の自己紹介をする。相手だったらこんな言葉遣い，こんな言い回しをするだろうというように，相手についての理解を具体的な形にする。少し高度なペア紹介の形と言える。
・相手の立場になりきることで他者理解が深まる。いろいろな場面に応用できるエクササイズである。

> 私は田中です えーっと 趣味は自転車で走ること…

> えへへ

> へぇー

> けっこう面白そうだな

パートナーになりきって紹介する

時間 15分
場所 教室
ねらい 他者理解

■準備
・2人組でいくつか活動をしたあと，2つのペアが一緒になって4人組をつくる。

■基本的な手順
・紹介する順番を4人の中で決める。
・新しい2人に，一緒に活動したペアの相手になりきって，一人称で相手の紹介をする。
・紹介してもらった人が，できばえを評価したり，内容を付け加えたりする。
・交代してグループの全員が行う。
・感想を述べ合う。

■場面とアレンジ
・4人組で行う場合（A）……2人組でいくつかの活動をしたあと，4人組をつくって互いのペアの相手を紹介し合う。
・紹介方法のアレンジ……ペアの相手になりきってペア同士で会話しながら，ほかの2人にお互いを紹介するという形も，演劇的で面白い。
・対立場面で……ケンカなどの場面を取り上げ，それぞれの立場を入れ替えて演じる。相手の立場を理解し，自分を客観的に見つめられる。

| 教師の指示(●)と子どもの反応・行動(☆) | ポイント |

A　4人組で行う場合

教師の指示(●)と子どもの反応・行動(☆)	ポイント
●ペアでいくつかの活動をしてもらいました。今度は，2つのペアが一緒になって4人組をつくってください。 ●今から，新しい2人のメンバーに対して，1分でペアの相手を紹介してもらいます。紹介の仕方は後で説明します。 ●まずペアの紹介をする順番を決めてください。 　　☆ジャンケンポン。　　☆うちのグループは時計回りにしよう。 ●やり方を説明します。紹介するときは，ペアの相手になりきってください。相手になったつもりで，「わたしは……」と紹介します。例えばペアが田中さんであれば，「わたしは田中です。わたしの家は○○にあって，学校から歩いて20分かかります。わたしはほんとうはとっても□□な性格なんです。でも，……」という具合になります。 　　☆えー，むずかしい。　　☆恥ずかしいよ。 ●少し時間をとりますので，何を言おうか，どのように言おうかなど，考えてください。 　　☆ペア相手の顔をじっと眺めている子どもなど。 ●できそうですか。 　　☆よしやるぞ，面白そう。　　☆困ったな。 ●では1番目の人お願いします。時間は1分です。始めてください。 　　☆私は○○です。住んでいるところは……。 ●そこまでです。1分たちました。 　　☆声があがる。笑いも聞こえる。 ●うまくできましたか。○○さん，どうでしたか？ ●ペアの人は，今の紹介を見て，よかったら大きなマルをあげてください。また，付け加えたいことがあれば，付け加えてあげてください。 　　☆すごく上手だったよ。マル！　加えたいことはありません。 ●そこまでにします。 ●では，2番目の人，ペア紹介をお願いします。 　　──残りの3人についても同様に繰り返す。 ●全員，紹介が終わりました。今から少し時間をとりますので，ペアになってみた感想を自由に話し合ってください。 　　☆感想を自由に述べ合う。 ●どんな感想があったか。全体に聞かせてもらえますか。 　　☆数人がいろいろな感想を述べる。 ●他の人になるってどんな感じでしたか。自分と人との違いを意識した人もいたのではないですか。人になりきるには，その人のことをよく知ることが必要ですね。この活動から，人を理解すること，そして自分を理解することを学んでほしいと，先生は思っています。	●2人組の活動をいくつか行ったあとに，4人組をつくって行う。 ●順番は適当でよい。 ●リーダーが具体的に演じて，どのような活動なのかを理解させる。 ●全体の様子を見る。時間がほしいようであればもう少し考える時間をとる。 ●1〜2人に感想をインタビューするとよい。 ●2人目からはインタビューは省いてよい。 ●いくつかのグループに感想を聞く。 ●この活動から学んでほしいことを自己開示的に語ってまとめとする。

内観
－自己分析のエクササイズ－

飯野哲朗

■このエクササイズの特徴

・内観の活動では，自分の意志で自分自身の内面と向き合うことになる。活動に入る前にしっかりとした動機づけを行いたい。
・内観中に，メンバーが瞬時に深い洞察に入っていく時がある。リーダーは活動中の観察を十分に行いたい。

（吹き出し左）今日は朝 たかし君が おはようって 声をかけて くれたな 少し落ちこんでたから 元気がでたわ

（吹き出し右）算数の時 ゆきちゃんと 一緒に文章 題を考えて あげたな

「お世話になったこと」「してあげたこと」「迷惑をかけたこと」を思い起こす

時間 15分
場所 教室
ねらい 自己理解

■準備
・メモ用紙を準備するとよい。
「いつ，だれに対する自分について」「どんなことについて」内観したかを毎回記録できるもの。

■基本的な手順
・「いつ」の「だれ」に対する自分について内観をするか，各自で決める。
・内観を行う。「お世話になったこと」「してあげたこと」「迷惑をかけたこと」を時間を追って振り返る。
・2人組になり，自分の内観について語り合う。
・できる人がいれば，全体の前で話してもらう。

■場面とアレンジ
・定期的に実施する場合（A）……帰りの会など，1日を振り返りやすい時間に実施する。
・調べる内容のアレンジ……最初から「だれに対する自分」と決めずに，1日を時間を追って調べていくこともよい。
・振り返りのアレンジ……1人で振り返りを行ってもよい。この時，簡単な記録用紙を利用することもできる。また2人組でインタビュー形式で行う形もある。

教師の指示(●)と子どもの反応・行動(☆)	ポイント
A　定期的に実施する場合 ●今日の内観を始めます。 ●先生は，今日はAさんに対する自分について調べます。今日私は，Aさんに○○のことでお世話になりました。また，Aさんに△△のことで迷惑をかけてしまいました。そして，Aさんに□□のことで少し手助けができたように思います。 ●それでは今日1日のことについて内観を行います。だれに対する自分について調べるか決めてください。 　　☆だれについて調べよう？ 　　☆何について調べたらいいかな？ ●まだ，決まっていない人はいますか？ 　　☆まだです。 　　☆だれにしたらいいかわかりません。 ●もう少し時間の必要な人がいるようです。決まった人はそのまま待っていてください。 ●決まりましたか。 ●それでは，内観を行います。目を閉じてください。今日一日の自分について，ゆっくりと思い出しながら調べてください。 　　☆身動きもせずに調べている雰囲気の子。 　　☆体を動かして集中できないでいる子。 ●（5分後）そこまでにしましょう。目を開けてください。 ●隣の人と2人組になって，今調べたことを振り返ってみてください。 　　☆感想を述べ合っている。 ●だれか，今日の内観の感想を言ってくれる人はいますか？ 　　☆話そうかどうしようかと，もぞもぞしている子もいる。 ●ではCさん，お願いします。　　　　　　　　　　☆私は……。 ●Cさん，ありがとうございました。Cさんは――だったんですね。先生は，今日のみんなが内観している姿を見て――と感じました。2人で話しているのを聞くと，――なような感想をもった人もいたようで，先生は――と思いました。 ●最後に，だれに対する自分について内観したか，どんなことについてか，簡単にメモしておいてください。 　　☆メモ用紙に今日の内観について記入。 ●では，今日の内観を終わりたいと思います。ありがとうございました。	●毎日実施している設定。初回は内観について説明し，1時間かけて実施するとよい。 ●「お世話になったこと」「してあげたこと」「迷惑をかけたこと」の3項目すべてがそろわなくてもよい。お世話になったことは話したい。 ●決まっていない子どもがいるときには，全体に待ってもらう。 ●開始時は，せかさずに，子どもたちが落ち着くのを待つ。 ●今日1日の事実を時間を追って調べる（思い出す）とよい。 ●終了時は，全員が目を開けるまで待つ。 ●話のできそうな人がいれば話してもらう。 ●最後に，教師の率直な感想を述べる。 ●内観の内容は，詳しく書かなくてもよい。

わたしのしたいこと
－自己表現のエクササイズ－

築瀬のり子

■このエクササイズの特徴

・自分の気持ち，願い，考えはわかっているようでわからないものである。言語化することを通してそれらに気づかせたり，はっきりさせたりするのが，このエクササイズのねらいである。
・進路指導，行事の事前指導，学級活動の男女理解の授業など，いろいろな指導・授業の導入に活用できる。

（吹き出し）私のしたいことはプールで思いっきり泳いで涼しい木陰でお昼寝です

（吹き出し）そうですか

わたしのしたいこと	順位

時間 5分
場所 教室
ねらい 自己理解

■準備
・特になし

■基本的な手順
・2人組になる。
・「わたしのしたいことは○○です」と，一方がしたいことを思いつくままに話し，相手は1つ1つに対して，「そうですか」と受ける。
・役割を交代して同様に行う。
・感想を話し合う。

■場面とアレンジ
・基本形（A）
・ワークシートを用いる場合（B）…したいことをより明確にするアレンジ。思いつくままにしたいことを言った後，10個を選んで順番をつける。
・話す内容をアレンジする場合
　①期間や時期……「今したいこと」「次の土日に」「夏休みに」「10年後に」
　②場面……「遠足で」「テスト勉強で」
　③立場……「男（女）だったら」「高校生だったら」「大人だったら」「親だったら」「先生だったら」
　④その他……「ほしいもの」「言いたいこと」

| 教師の指示（●）と子どもの反応・行動（☆） | ポイント |

A　基本形

●毎日の生活で「あれもしよう」「これもしたい」と思いながら，何となく過ぎてしまうということはありませんか。したいことは，わかっているようで全部が全部わかっていない気がします。はっきりわかっていないことのほうが多いのではないでしょうか。そこで，今日は自分が今したいと思っていることを口に出して表現することで，自分のしたいことを確認する作業をしたいと思います。	●指導や授業の導入に行う場合は，内容につながるようなインストラクションを工夫する。
●やり方を説明します。2人組でやります。1人が「わたしのしたいことは○○です」と話します。もう1人は「そうですか」とそれをうなずいて聞きます。したいことを変えながら，これを1分半の間繰り返します。終わったら交代します。先生がやってみますので，だれか相手になってください。　　　　　　　　　　　　　　　☆はい。やりたい。	●2人組は，隣同士，男女ペア，同性同士，好きな人同士など，クラスの実態に応じる。
●（デモンストレーション）こんなふうにポンポン言いましょう。何か質問はありませんか。	●デモの相手は前もって約束しておいてもよい。
●では，隣の人と2人組になりましょう。先に話す人を決めてください。	
●確認します。初めに話す人，手をあげてください。では，スタート。	
●（1分半後）はい，やめ。交代します。スタート。	
●（1分半後）はい，やめ。	
●どうでしたか。気づいたこと，感じたことを今の2人組で話してみましょう。時間は2分間です。	●2つのペアを合わせて4人組でシェアリングしてもよい。
●言葉にしてみると，自分のしたいことがはっきりしたり，「そうそうこれだ」と気づいたりするから不思議ですよね。自分を表現することで自分でも自分がわかっていくんだね。	

B　ワークシートを用いる場合

●（基本形に続けて）交代して2人とも終わりましたね。では今から記入用紙を渡します。用紙を見てください。さきほど自分やペアの人が言ったことの中から，ぜひしたいと思うことを10個選んで書きましょう。次に，その10個に優先順位をつけます。順位の欄に番号を書きましょう。時間は2分間です。何か質問はありませんか。　☆10個ありません。	●ここからの展開に10分程度かかる。
●10個ない人は，書ける分だけ書きましょう。	●「テスト勉強でしたいこと」「高校生だったらしたいこと」など，目的意識をもたせたい指導や授業の導入に関連づけるとよい。
●では，始めてください。	
●はい，そこまでです。	
●2人組になりましょう。これをやってみてどうでしたか。気づいたり，感じたりしていることを2人で話してください。時間は2分です。	
●どんな気づきや感想が出ましたか。みんなに話してくれるところがあるとうれしいな。 　　☆考えずに次々に言ってたけど，そのほうがほんとうに思ってることのように感じました。 　　☆したいことがペアの人とぜんぜん違っていました。聞いているとそっちのほうがいいように思えて，書くときはまねをしました。	
●人のほうがよく見えるものよね。でもみんな違ってそれでいいのよ。	●まとめとして教師も感想を語るとよい。

それはお断り
－自己主張のエクササイズ－

築瀬のり子

■このエクササイズの特徴

・生徒はトラブルをおそれて，自分の気持ちを抑え周りに合わせて生活している。しかし，互いに拒否の自由を認めなければ，依存し合うだけで自分が自分の人生の主人公にはなれない。拒否するトレーニングを通じて，必要ならば拒否をしていいのだと認知させることがこのエクササイズのねらいである。

①
僕の大切なものはこの前買ってもらった時計です

②
あなたの時計を貸してくれませんか
だめです
……

ふりかえり用紙
（　）年（　）組　氏名（　　　　　）
エクササイズ名　**それはお断り**
1．断る役をやったとき，どんな気持ちでしたか？
　　　　　　　　　　（1つだけ○をつける）
・自分の意志を通して断り切れたのでよかった。
・相手に悪い気もしたが，大切なものなので断るのは仕方がない。
・相手に悪い気がして，断るのが難しかった。
・断るのが辛くて，貸してやりたくなった。
・その他（　　　　　　　　　　　）
2．頼む役をやったとき，どんな気持ちでしたか？
　　　　　　　　　　（1つだけ○をつける）
・大切なものを貸せないのは当然なので，断られても仕方がない。
・断られるのは少しいやだったけど，仕方がない。
・断られて悲しかった。
・断る相手がいやになった。
・その他（　　　　　　　　　　　）
3．このエクササイズをやっていま感じていること，気づいたこと，考えたことなど自由に書いてください。

時間 10分
場所 教室
ねらい 自己主張

■準備
・振り返り用紙（必要に応じて）

■基本的な手順
・2人組になる。
・自分が貸したくない大切なものを決める。
・片方がそれを「貸して」と頼む。頼まれた人は断り続ける。
・役割を交代して同様に行う。
・振り返り用紙に記入する。
・感想を話し合う。

■場面とアレンジ
・基本形（A）……場面を設定して，相手からの頼みを断り続ける。
・断る言葉を「NO」に限定する場合……言葉をあれこれ変えて断るよりも緊張が強いので，何度か基本形を実施してからより強い自己主張のエクササイズとして行う。
・頼みの内容をアレンジする場合……例えば「テスト直前の土曜日，自分はテスト勉強したいのだが買い物をつきあうように誘われる」という設定で誘いを断る。

教師の指示(●)と子どもの反応・行動(☆)	ポイント

A　基本形

● みなさんは，はっきり自分の気持ちや考えを言わなかったために，後悔したことはありませんか。例えば，自分がやったことではないのに，「それは私ではありません」と言えなかったばかりに誤解されたままだったこと。そして，ずっと腹が立っていたというようなことです。自分の気持ちや考えを率直に言うことを自己主張といいます。必要な時に自己主張できないと，後々まで悔やんだり，人に合わせてばかりいて八方美人になってしまいます。そこで今日は，自己主張の1つである「断るトレーニング」をします。

● やり方を説明します。2人組でやります。1人が頼む役，もう1人が断る役です。頼む役は，相手の大切にしているものを貸してくれと頼みます。断る役は，それをずっと断り続けてください。ですから，だれにも貸したくない大切にしているものを各自決めてください。まず1人が1分間頼み続け，相手が断り続けます。終わったら役を交代して同じようにやります。質問はありませんか。

● では，隣同士で2人組になってください。各自，人には貸せない大切なものを1つ決めてください。

● 決まりましたか。次に，役を決めてください。

● 先に断る役の人，手をあげてください。その人はペアの相手に，自分の大切なものが何か教えましょう。

● 用意はできましたか。ではスタート。

● はい，やめ。役を交代します。断る役の人は，大切なものが何か相手に教えてください。用意はいいですか。ではスタート。

● はい，やめ。

● 振り返り用紙を配りますので，各自1分程度で記入してください。

● もう少し時間の欲しい人はいますか。　　　　　　　☆手があがる。

● もういいでしょうか。後ろから集めてください。どんな感想があったかは明日お話します。

● では，断るのがつらくなった人，手をあげてください。　☆数人が挙手。

● だれか，どうしてつらくなったのか話してくれるかな。
　　　☆一生懸命頼んでいるのに断るのは悪い気がした。

● でも，それはだれにも貸せないあなたの大事な大事なものなのでしょう。それを途中で貸してしまったら，あなたは後悔しないかな。
　　　☆相手にいやな思いをさせたら，嫌われる気がする。
　　　☆大事なものは貸せない。貸してくれないからと言ってぼくは嫌いにはならないな。だれにも大切なものはあると思う。

● 断ることは相手に悪い気がするけれど，私たちはすべてを受け入れて生きてはいけません。自分にも人にも断る自由，つまり，拒否する自由があるのです。

● 「自己主張」という言葉の定義を教え，日常でも使っていくとよい。

● 子どもたちの仲よし同士での気がねは大きい。「一緒にいて楽しいけど疲れる」状態にあり，自分の気持ちを表現すると悪く思われないか，拒否すると嫌われるのではないかという不安をもっている。

● 初めて実施する時は，とくに仲のいい者同士はさける。

● 「自分にとって大切なもの」を強調し，選ばせる。

● ふざけたり，険悪になったりしていないか観察する。その場合は介入してやめさせる。

● 翌日，振り返り用紙の内容をフィードバックしてまとめの話をする。振り返り用紙の記入は省略してもよい。

● 全体シェアリングの時間を5分程度とる。

● これまでに全体シェアリングができているクラスで実施する。

● 「ノー」と言うのに罪悪感をもつ必要はない。自分の人生の主人公は自分である。「必要な時には自分を打ち出す」という観点で話す。

2人組・4人組
—シェアリング—

林 伸一

■シェアリングの特徴

・体験を共有したもの同士の共感的理解の場である。授業などの後でも実施できる。
・統一見解を出したりまとめたりする必要はない。ねらいと違った発言や否定的な発言が出ても、自分と同じように他者が気づいたり感じたりするとは限らないという現実への気づきになる。

（吹き出し）
- エクササイズの時のあなたの言葉を聞いて自分も同じように感じていたことがあったと思い出しました
- そうですか一緒ですねあなたの場合はそれを今どう感じているんですか
- これまでを振り返って気づいたこと感じたことを自由に話し合います

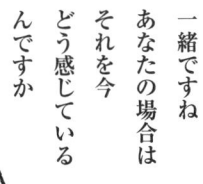

時間 15分
場所 教室
ねらい 自己理解 他者理解

■準備
・特になし

■基本的な手順
・2人組（4人組）になる。
・実施した活動、エクササイズを通して気づいたこと、感じたことを互いに述べる。
・話し合った内容を全体に紹介する。

■場面とアレンジ
・2人組で（A）……一緒に活動したペアで感想を話し合う。または近くの人とペアを組んで行う。
・4人組で（B）……2つのペアで4人組をつくり感想を話し合う。
・全体で……参加者全員が輪になって座り、個々の気づきを自由に発表し合う。一つの輪になって全員の顔が見える形、二重、三重の輪になって中心を向く形、二重の輪になって向かい合う形などがある。

教師の指示（●）と子どもの反応・行動（☆）	ポイント
A　2人組で ●これまでを振り返って，気づいたこと，感じたことを自由に話します。一緒に活動したペアの相手と2分間で話し合ってください。無理にどちらかの人の意見にまとめたり，統一見解を出す必要はありません。は～い，始めてください。　　　　　　　　　　☆2人組で話し合う。 ●は～い，時間です。どうでしたか。いろいろな気づきや感想が出たかと思います。そこのAさんとBさんのペアはずいぶん盛り上がっていたようですが，もしよかったら，みんなに話してくれませんか。 　　☆2人だけの秘密ですから，ちょっと話しにくいです。 ●それは失礼しました。どうやら2人だけの世界ができていたようです。プライバシーの問題もありますから，無理に話さなくてもいいですよ。じゃあ，そこのCさんとDさんのペアは，どうですか。ずいぶん笑い声が聞こえましたが，何か面白い気づきや感想がありましたか，もしよかったら，みんなにおすそ分けしてくれませんか。 　　☆私たちは……。 ●それは，よかったですね。どうもありがとう。 ●ほかに，全体に発表してもいいというペアはありませんか。 　　☆相手の人ばかりしゃべって，私が話す時間がなくなって，残念でした。私も言いたいことがたくさんあったのに……。 ●それは，残念でしたね。2分間というのはちょっと短かすぎたかもしれませんね。でも，考えてみてください。人生は有限です。無限に生きていけるわけではありません。限られた時間を独占することは，ほかの人の時間を奪うことになってしまいます。今度からは，お互いのことを思いあって，シェアリングしてください。	●展開例は子どもが2人組でエクササイズをした後のシェアリングという設定。授業や活動の後に行ってもよい。 ●2人の間で自己開示できても，全体には開示したくないという場合には強制しない。 ●否定的な感情が出される場合もある。それも大切に扱い，リーダーなりの見解や感情を述べるようにする。 ●全体に発表するのがむずかしい場合は2人組のシェアリングだけで終わらせてもよい。
B　4人組で ●エクササイズを振り返って，気づいたこと，感じたことを話します。2つのペアが一緒になって，4人組をつくってください。 ●4人の統一見解を出す必要はありません。4人ですから，1人1分ずつ全体で4分間のシェアリングです。は～い，始めてください。 　　☆4人組で話し合う。 ●は～い，時間です。どうでしたか。いろいろな気づきや感想が出たかと思います。グループごとに，だれかが代表して，どんな気づきや感想が出たのかみんなに話してください。 　　☆だれが代表になるか，即決したり譲り合ったりしている。 ●だれが代表になるか決まりましたね。それでは，グループの代表者は，今話し合った内容を1分の範囲で発表してください。 　　☆グループの代表者がそれぞれ発表する。 ●すべてのグループが終わりましたね。互いに気づいたこと，感じたことを共有することができましたか。	●グループが熟すほど大人数で実施しやすい。6人組や8人組で行ってもよい。 ●グループの中で距離を置いて座っている場合には，互いに近づくよう指示する。 ●「だれだれが……と言った」とすべて伝えようとする場合は，内容だけを簡潔にまとめて話すように指導する。

column

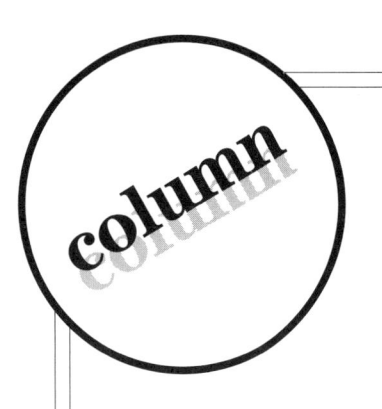

ツールボックスを作ろう

簗瀬のり子

エクササイズをアレンジする時の重要ポイントの1つが，
グループをつくる際の人数，メンバー，そのつくり方である。
そんな時に活用できる便利な小物を紹介しよう。

★絵合わせカード

日常生活の一部分として行う学校でのエンカウンターでは，同じペアや同じグループにさせたい生徒，逆にさせたくない生徒がいて，配慮する必要が出てくる。その時に役立つのが絵合わせカードである。

これは，絵柄のカードを2人組をつくるなら2分割，4人組なら4分割して生徒に配り，同じ絵柄どうしで1つのグループをつくる方法である。座席表を見ながら，組ませたい生徒たちのところへは合致するカードがいくように，組ませたくない時は合致しないカードがいくように順番に並べ，座席順どおりに配る。こうすれば，生徒たちに気づかれずに，意図的なペアやグループがつくれる。オープンスペースなど教室以外でやる場合も，まず教室の席順に並ばせてカードを配ればよい。組み合わせに配慮する必要がない時は，カードをランダムに配れる。

全員に配り終わるまでウラにしておき，いっせいにオモテにして絵柄の一致する相手を捜す。そんな風にこれ自体にもゲーム性があって，楽しくグループ分けができる点もお勧めである。

☆2人組用カードの例
　異なる絵柄のカードを必要な
　数だけ用意し，2つに切る
　3人組ができてしまうときは
　同じ絵柄をもう1枚用意する

☆4人組用カードの例
　3人組のときに1枚除いたり
　5人組のときには1枚足したり
　できる

★割り箸くじ

　サイコロをふって出た目の話題について話すエクササイズがサイコロトーキング。その応用であるくじ引きトーキング用に作った割り箸を、グルーピングにも使ってみよう。

　まずくじ引きトーキング用に、話すテーマの数だけ緑で番号を書く。もう片側には、黒で男子の人数分の番号を、赤で女子の人数分の番号を書いておく。男女のペアをつくる時は、男女別々に配って同じ番号同士でペアをつくる。同性同士のペアをつくる時は、やはり男女別々に配って偶数・奇数でペアをつくる。

　さらに、数字カードと組み合わせると多様なグループがつくれる。黒と赤で書いた男女別の数字カードに、マグネットを付けておく。例えば男女混合の6人グループをつくるなら、ランダムに黒、赤の数字を各3枚ずつ組み合わせて黒板に貼り、その番号を引いた者同士でグループをつくるのである。数字カードを生徒に貼らせるのも楽しいグループづくりのコツである。

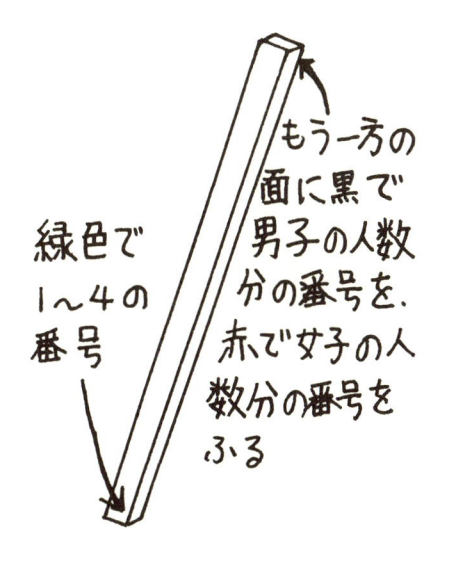

緑色で1〜4の番号

もう一方の面に黒で男子の人数分の番号を、赤で女子の人数分の番号をふる

　その他、トランプの数字や柄を使うなど、クラスの子どもの状況に応じてさまざまな工夫をして、グループづくりをより効果的に、かつ楽しめるものにしたい。

第3章

あなたを大切に

　本章は，すぐ隣にいるあなたを大切にするためのエクササイズを集めている。〈あなた〉と〈わたし〉のやりとりの場合，どうしても1対1の形が多くなる。それは反復質問法など，言語的なかかわり合いだけでなく，カラーワークやトラスト・パッティングなど非言語的なかかわり合いもコミュニケーションの基本となる。それは，カウンセリングの基本が1対1の面接を基本にしているのと同様である。もちろん1対1を固定する必要はなく，4人組，8人組へと発展していける。

　本書のパート1の『ショートエクササイズ集』においては，「先生となかよく」「あなたとなかよく」「みんなとなかよく」「わたしとなかよく」という4章構成になっていたが，本書ではそれぞれ「なかよく」の部分を，「大切に」に改めた。ただ単に，なかよくするだけでなく，仲間と自分を大切にすることがエンカウンターのめざすところだという想いが込められている。ゲームでもなかよくなれるが，エンカウンターでは，友達と自分にやさしく，友達と自分を大切にする心を育てることが期待できると思ったからである。

　本書のパート1では，「先生となかよく」があったが，本書では「先生を大切に」は，あえて章立てしなかった。それは，エクササイズを展開する過程で教師の自己開示が可能で，生徒とのリレーションを高め，互いに尊重し合う関係がつくれると考えたからである。各エクササイズの手順を説明する際の例示として教師の実話・実体験を入れ，シェアリングで教師の本音を語ることが十分可能だと判断したからである。〔林　伸一〕

青い糸

塘内正義 ともうちまさよし
熊本県芦北町立大野小学校教諭

■ねらい

初対面のような緊張感の高い集団においては，ゲーム性を取り入れたパートナー決めを行うことで，その緊張感を少しでも緩和してあげたい。その後，自分が興味や関心のあることなどを相手にわかりやすく伝えていきながら，人間関係づくりを進めていきたい。

■背景となる理論・技法

自己開示・ソーシャルスキル

1. ナンバーカードをひく

2. 同じ数字どうしで自己紹介

時間：15分
場所：教室
ねらい：他者理解

■準備

- 通し番号を打ったナンバーカード2組（番号は参加人数の半分まで）
- 番号を大きく書いた画用紙1組
- ストップウォッチ

■内容

- ナンバーカードを引いて自分の番号を確認する。
- カードと同じ番号が大きく書いてある画用紙の場所に移動する。
- 2人がそろったら握手をして座る。
- ジャンケンをして勝った方から自己紹介し始める。話し終わったら交代する。
- 時間がきたら握手をして別れ2セット目を行う。

■実施できる時間

- 学活……新しい学年がスタートする1学期などに，子どもたち同士の交流を図り，クラス内の人間関係を深めていきたい時期に実施する。
- 国語……「伝え合う力」を高めるための言語活動として，授業の導入時に行う。
- 全校集会（学校行事）……体育館等に集まり，異年齢集団で何か行事に取り組む時のリレーションづくりに活用する。

■展開例　青い糸 「学活での実施」

教師の指示（●）と子どもの反応・行動（☆）	ポイント
●今日は，『青い糸』というエクササイズをやります。『赤い糸』というのは聞いたことがありますか。そうですね，結婚相手の大切な人とは，赤い糸で結ばれているといわれますよね。青い糸はね，これからもっと仲よくなる人とつながっているんですよ。今日のみんなは，だれとつながっているかな。　　　　　　　　　　　　☆だれとだろう。　☆ドキドキするね。	●『青い糸』の由来を雰囲気づくりもかねて説明する。
●それでは，今から青い糸で結ばれている相手を見つけますよ。ここにカードが置いてありますね。裏には数字が書いてあります。好きなカードを引いたら，何番か覚えて番号が見えるようにその場に置いてきてください。そして，番号と同じ画用紙の所に移動しましょう。そこに現れた人が青い糸の相手です。やってみましょう。	●ペアをつくるので，人数が合わない場合は，教師が入ったりする。
●「よろしくお願いします」と気持ちを込めて握手をしたあと，ジャンケンをしてください。勝った人，手をあげてください。　　　　　☆挙手。	●ナンバーカードは，子どもたちが自己紹介などをしている間に2セット目のために並び替えておく。体育館などで，異年齢集団に実施する場合は，他の先生方にヘルパーをお願いしておくと助かる。
●ハイ，その人から自己紹介を始めます。時間は，2分間です。スタート。	
●（2分後）時間です。次は，ジャンケンで負けた人が自己紹介をします。	
●（2分後）時間です。どうですか，うまく自己紹介ができましたか。そして，相手のことがよくわかりましたか。2分間は，長く感じましたか。それでは，もう1セットやります。「ありがとうございました」と言って握手をして別れた後，カードを引いて移動してください。　　　☆繰り返す。	●自己紹介は，原稿を用意しておいてもよい。子どもたちの実態に合わせて実施する。
●以上で，今日のエクササイズ『青い糸』を終わります。自分が考えていたような自己紹介ができましたか。そして，青い糸でつながっていた2人の友達と，以前より仲よくなれたような気がしますか。これからも，自分のことを積極的に話して，多くの人と仲よくなるきっかけにしましょうね。	●自己紹介の後，相手からの質問を受けつけると交流が深まる。

小学生　低　中　高
中学生
高校生
大人

うまく自己紹介できない

何か質問してあげると楽しく盛り上がるよ

■前後のつなぎと子どもの変化

○男子と女子，5年生と6年生，A学校とB学校など2つの集団を仲よくさせるために交流する時は，前もって2つのチームに分けておいて，カードも会場の前後か左右に分けて実施する。
○子どもたちが実際に交流し合う内容については，初歩的な自己紹介から「将来の夢」などのテーマを実態に応じて与えることが考えられる。アドジャンなどを組み込んでもよい。
○慣れてきたら校長先生や専科の先生など担任以外の先生にも入ってもらう。
　☆緊張したけど，○○先生が私と同じ□□が好きだとわかってうれしかったです。

■エクササイズの由来

・塘内正義『ビープロの森』自費出版

心と心の握手

宮本幸彦 みやもとゆきひこ
東京都世田谷区立玉川中学校教諭

■ねらい
相手と考えを一致させることを通して，集団内の緊張を解き，リラックスした雰囲気をつくる。他者へのあたたかな関心を高める。

■背景となる理論・技法
自己開示，傾聴，無条件の好意の念

（吹き出し）合うかな／2 1／3だ！
ギュッ

握手をして，心に思った数だけ強く握りしめる
相手と同じ数になるか，相手の心に注目する

時間 5分
場所 教室
ねらい 他者理解

■準備
・なし

■内容
・自由に歩き回り，出会った人と手を握って顔を見つめ合う。
・心の中で，1か2か3のいずれかの数を考え，『せーの！』と呼吸を合わせて，お互いに自分の考えた数だけ握りしめる。
・握る回数が一致するまで繰り返す。
・一致したらお互いに肩をたたき合って喜ぶ。
・以上をできるだけ多くの人と行う。

■実施できる時間
・行事……お別れ会や宿泊を伴う行事などで，明るく楽しい雰囲気を早くつくる目的で実施する。
・学活……学級開きで，人間関係をつくりたい時や，緊張を和らげたい時に実施する。
・保護者会……年度当初の人間関係をつくりたい時や，緊張をほぐし，話しやすい雰囲気をつくりたい時に実施する。

■展開例　心と心の握手　「学活での実施」

教師の指示(●)と子どもの反応・行動(☆)	ポイント
●気づかないかもしれませんが，みなさんは毎日，相手を思いやったり，衝突したりしながら，あたたかな心を成長させています。先生はやわらかい春の日差しを見るように感じています。今日はみんなにも，そんな心の成長を感じ合ってほしいと思います。 ●やり方を説明します。教室の中を自由に歩き回り，出会った人と手を握って顔を見つめ合ってください。心の中で，1か2か3のいずれかの数を考え，「せーの！」と言いながら，お互いに自分の考えた数だけ黙って強く握りしめてください。例えば，3を考えた人は3回，強く相手の手を握りしめてください。それを，握る回数が一致するまで繰り返してください。相手をよく見ながら，相手と数が合うように，心の中で決めていた数を手を握りながら途中で変えてもいいです。一致したら，お互いに肩をたたき合って喜んでください。これをできるだけ多くの人とやってください。 ●それでは立ってください。はい，始めてください。 ●そろそろ，ほとんど全員の人とやり終わったようですね。それでは，自分の席に戻ってください。 ●このエクササイズをやってみて，どんなことを感じたり，気がついたりしましたか。だれか今の気持ちを皆に紹介してくれますか。 　☆こんなにたくさんの人と目を合わせたのは初めてでした。 ●みなさん，相手の考えていることを目やからだ全体で感じ取ろうとしていましたね。素直に相手を見たり自分を伝えようとする姿を見て私は，このクラスが相手も大切にするし，自分も大切にするクラスになるだろうと思いました。	●教師も生徒と一緒に行うとよい。 ●できるだけ多くの人と行わせる。できれば，全員とやらせたい。 ●ゲーム的な要素を取り入れることで，特に異性間の身体接触をためらう傾向にある思春期の生徒の抵抗を和らげることができる。 ●他人と言葉を使わずに相手の考えていることを知ろうとすることはむずかしい。それを頭での理解から，身体での理解に深化させることができる。 ●恥ずかしがっている生徒には個別に援助する。

小学生　低　中　高
中学生
高校生
大人

異性との握手をためらう

「ふだんあまり機会がないよね　この機会を大切にしてはどうかな」

■前後のつなぎと子どもの変化

○プログラムの最初にウォーミングアップとして行うと，緊張感や固い雰囲気を和らげ，リラックスした楽しい雰囲気ができる。
○男女の交流を深めたいときは，身体接触のないエクササイズから始め，これより身体接触が少ないエクササイズをもう1つ入れてから行う。
　☆ゲームみたいで面白かった。
　☆相手の目を見るだけで，考えている数を読みとろうとするのがむずかしいということを，あらためて感じた。

■エクササイズの由来

・薗田碩哉『みんなの協調ゲーム』ベースボールマガジン社をもとにした。

つながりカップル

中村洋子 なかむらようこ
山口県萩国際大学助手

■ねらい
初顔合わせでの緊張緩和やリレーションづくりを促す。意外なつながりを発見することで，場の雰囲気が和む。自己紹介とペアづくりをセットにできる。

■背景となる理論・技法
自己開示，言語的コミュニケーション

時間 **8分**

場所 **体育館**

ねらい **他者理解**

■準備
・特になし

■内容
・リーダーの合図で2人組のカップルをつくる。
・ただし，それぞれの姓名に何か共通点や関連があることをきっかけに2人組をつくる。
・全員の前で，自分の名前と見つけた「つながり」を発表する。

■実施できる時間
・学活……学級開きの直後に。
・PTAの会合
・初対面のグループならいつでも。

第3章 あなたを大切に

■展開例 つながりカップル 「体操教室の自己紹介での実施」

教師の指示(●)と子どもの反応・行動(☆)	ポイント
●みなさんはじめまして。体を動かす前に，みなさんの顔と名前をお互いに知ってもらうために，自己紹介をしてもらいます。 ●この後はペアで体を動かしてもらいますので，その前に，一緒に活動する相手を自己紹介しながら見つけてほしいのです。　☆どうやって？ ●ペアづくりには条件があります。それぞれの姓名に『同じ川がつく』『市と町』など2人に何らかの関係があることが必要になります。 　☆周りをきょろきょろ。 ●「はじめまして，○○です」と自己紹介しながらお互いの共通点を探しましょう。相手を探す時間は1分です。 ●見つかりましたか？　まだ相手が見つからない人はいますか？　その人は手をあげてください。ペアができたところはお互いの名前の印象を語り合ったり，名前以外の『隠れ○○つながり』を見つけてみましょう。 ●はい，時間です。それでは順番に自己紹介をしましょう。何つながりかも教えてくださいね。 　☆『えー，私の名前は秋山和夫といいます』『私は夏木修といいます』『2人は季節つながりです。よろしくお願いします』。 ●いろいろな組み合わせがあって面白かったですね。それでは体操を始めましょう。	●エクササイズに入る前にリーダーの指示で軽く背伸びや首回しなど体を動かすとよい。よし，やるぞ！という気分になる。 ●見つからない人に挙手を求め周りに見やすくする。 ●なかなかペアができない時も『隠れ○○つながり』として，兄弟や子どもの名前に関連性を探したり，血液型や誕生月が同じなどもよし，とするとがぜん盛り上がる。

小学生　低／中／高
中学生
高校生
大人

つながり探しがむずかしい

橋本さんだね
川がつく人や
島など
橋のかかるところ
を考えてごらん

■前後のつなぎと子どもの変化

○初顔合わせのグループ内でペアが必要な時や男女ペアをつくる時にも有効である。
○エクササイズ後はペアで行う体操や作業に移行するとよい。
　☆普段は話さない人とペアになるのはむずかしいのですが，関連があると思うと急に親近感がわきました。
○2人組に限らず，数名のグループをつくるのもスリルがあって楽しい。

■エクササイズの由来

・藤本祐次郎『グループゲーム』世界書院をもとにした。

61

おはよう，昨日ねぇ！

佐藤 隆 さとうたかし
茨城大学教育学部附属中学校教諭

■ねらい
友達に声をかけて自分を語り，友達に声をかけられ返答する体験を通して，自分が受け入れられる喜び，自分の存在を認められる喜びを味わう。あいさつの声をかけ合う意欲をもつ。

■背景となる理論・技法
自己開示，ソーシャルスキルトレーニング

時間 15分
場所 教室
ねらい 他者理解

1．「おはよう」と声をかける
（おっはよう！／おはよう）

2．「昨日ね」に続けて話しかける
（昨日ね部活で初めて試合に出たんだ緊張したよ／そうだったんだ）

■準備
・話ができた友達の名前や感想を記録するカード

■内容
・2人組のペアをつくる。
・1人が「おはよう！」と声をかけ，前日にあったことを話す。その話題について，自由に語り合う。
・声をかける側とかけられる側の立場を交代する。
・他の友達とペアチェンジをして同様に行う。

■実施できる時間
・朝の会……1日の生活のスタートにあたって和やかであたたかい雰囲気づくりをするために実施する。
・学活……話し合いやスキルトレーニングの前段のウォーミングアップとして実施する。
・学級編成直後……新しい仲間に自分から入っていこう，新しい仲間を受け入れようとするきっかけづくりのために実施する。
・その他のアレンジ……場に応じて時間を柔軟に設定する。

第3章 あなたを大切に

■展開例　おはよう，昨日ねぇ！「学活での実施」

教師の指示(●)と子どもの反応・行動(☆)	ポイント
●元気に「おはよう」というあいさつで1日が始まると気持ちがいいですね。先生もみなさんからあいさつの声をかけてもらうととてもうれしいです。逆にあいさつをしても，相手からあいさつの声が返ってこないと大変さびしい気持ちがします。でもね，友達に声をかけようという気持ちはあっても，なかなか勇気が出なくてあいさつができないことはありませんか。友達に声をかけられてもうまく返せなかったことのない人はいないでしょう。そこで今日は，心を開いてあいさつを交わす体験を通して，声をかけてもらう喜び，相手が快く自分を受け入れてくれる喜びを味わいましょう。 ●まず，自分のとなりの人とペアを組みましょう。先に1人が「おはよう！」と声をかけ，もう1人の人は「おはよう！」とあいさつを返してください。先に声をかけた人は「昨日ねぇ」に続けて，昨日あったこと，考えたことなどを相手に伝えましょう。そして話す方と聞く方をチェンジして同様にお話しましょう。　　　　　　　　　　　　☆何を話そうか考える。 ●聞く方は「ああそうだったんですか」など相づちを打って聞いてください。では，始め。　☆向かい合って片方の生徒が声をかけ，話し合いをする。 ●次にこの学級になってからまだ一度も話をしたことがない人を探してペアをつくり，同じようにやりましょう。 　　☆パートナー探しを行い，ペアができたところから声かけを始める。 ●記録カードに今日お話ができた友達の名前を書きましょう。またこのエクササイズをやってみて感じたことを記入しましょう。 ●エクササイズをやってみて感じたことをだれか発表してください。 ●相手への気持ちが込められたあいさつがあちこちから聞こえてきました。それをきっかけにして気持ちよい会話があふれましたね。明日の朝が楽しみになりました。	●和やかな雰囲気づくりをする。 ●話を聞くときは相手の目を見て，相づちを打ちながら聞くように助言する。 ●会話が一方通行で終わるのではなく，話しかけられたことを復唱したり，話題をふくらませたりして，自由に語り合うようにする。 ●ペアを2つ組み合わせて4人組をつくり，自分のペアを他の2人に紹介し合うと，さらに仲間の輪が広がる。 ●短学活等を利用して，短時間で何日間か継続して行う場合，中間日や最終日にまとめてシェアリングをしてもよい。

小学生　低／中／高
中学生
高校生
大人

話が続かない

それで？
それから？
どうして？
と聞いてみるといいよ

■前後のつなぎと子どもの変化

○だれとペアを組んだか継続的に記録しておき，まだ一度も組んだことのない友達とペアを組むようにするとよい。
○年度の始めには，1週間ほど朝の会において毎日実施すると，友達関係を広げるのに効果的である。
　☆自分は人に声をかけるのが苦手だったんだけど，気軽に声をかけられるようになった。
　☆この活動のあと，互いに「おはよう」とあいさつする習慣が身についた。

言葉のプレゼント

渡部孝子 わたなべたかこ
群馬大学留学生センター専任講師

■ねらい
自分のよいところに気づき，もっとよいところを伸ばそうとする自己肯定感を強める。さらに，言葉のプレゼントを交換し合うことにより，あたたかいリレーションをつくる。

■背景となる理論・技法
ジョハリの窓，ポジティブフィードバック

> 山田さんて やさしいね だって子ネコにえさをやってたから

> ありがとう うちにも小さいネコがいるからほおっておけなかったの

時間 **15分**

場所 **教室**

ねらい **自己理解 他者理解**

■準備
・黒板に肯定的なイメージを含んだ「人の性格や性質を表す言葉」を書いたマップを板書
・短冊，鉛筆

■内容
・ペアをつくる。
・黒板に書かれている人の性格や性質を表す言葉から，相手のイメージにあてはまるものを1つ選ぶ。
・選んだ言葉に具体的な理由をつけて短冊に書く。
・短冊を読み上げてプレゼントし合う。
・やってみて感じたことを話し合う。

■実施できる時間
・帰りの会……朝の会から帰りの会までに友達のよいところを探し，それを伝え合う。
・学活……時間をかけてなるべく多くの子どもたちが言葉をプレゼントし合えるようにする。
・行事の後に，実行委員や援助者に活動を通して，感謝したり，楽しかった気持ちを伝える。

第3章 あなたを大切に

■展開例　言葉のプレゼント　「学活での実施」

教師の指示（●）と子どもの反応・行動（☆）	ポイント
●先生はこのあいだ友達から「立派だね。いつも変なことばっかり言ってるけど，自分の目標をしっかり持ってるからね」と言われました。恥ずかしかったけど，うれしかったですよ。自分では立派だなんて思っていないけど，そういうふうに見てくれる人がいるとわかってうれしかったですね。みなさんも自分ではわからないけれど，いいところはたくさんあると思います。そこで今日は自分のいいところを友達から教えてもらいましょう。	●あらかじめ黒板に人の性格や性質を表わす言葉を書いたマップを板書しておく。時間的な余裕があれば，子どもたちとマップを作成してもよい。
●まずペアの人と顔を見合ってください。それから相手の人にどんないいところがあるのかをよく考えてください。　　☆ペア同士が見合う。	
●それから，黒板に書いてある言葉の中から，相手の人にぴったりと合う言葉を選んでください。もし，ぴったりと合う言葉がなかったら，いちばん近い言葉を選んでください。　☆黒板のマップを見ながら言葉を選ぶ。	●肯定的なイメージの言葉のみ注意深く選んでおく。
例：やさしい，親切，楽しい，明るい，元気，けじめがある，うそをつかない，など。
●選びましたか？　選んだらいまから配る短冊にその言葉を書いてください。その時，その言葉を選んだ理由も書いてみましょう。例えば「やさしい（選んだ形容詞）。それは，○○さんは飼育係でうさぎの世話をよくするから」「まじめ。漢字の宿題はいつもいちばんたくさんしてくるから」です。その言葉はペアの人に見えないように書いてくださいね。　☆短冊に書く。	
●では「○○さんって△△だね。だって□□だから」と言葉のプレゼントをしてみましょう。その時にどうしてその言葉を選んだのか，説明してあげましょう。それから短冊を手渡してください。もらった人は，「ありがとう」などお礼を言いましょう。そうしたら交代です。今度は相手の人に言葉のプレゼントをしましょう。　　　☆プレゼントを交換する。	●形だけでなく，心を込めて言うように，モデルを示す。
●友達から言葉のプレゼントをもらってみて，どんなことを感じたり，思ったりしましたか？　　　　　　　　　　☆数人が感想を発表する。	●恥ずかしがって話せないペアには個別に援助する。
●みなさんのいいところは1つだけではないと思います。また今度このエクササイズをした時には別のプレゼントがもらえるといいですね。	●時間があればペアを替えて実施する。

小学生　低／中／高
中学生
高校生
大人

黒板に書くマップの例

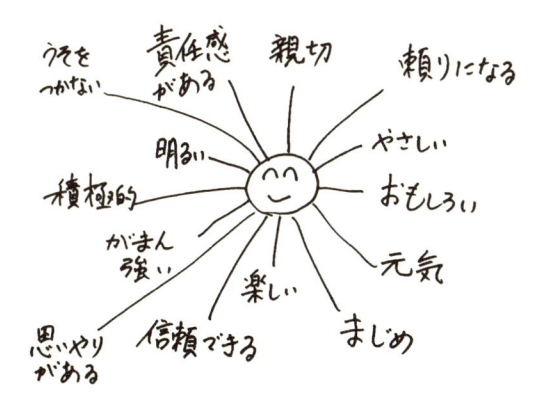

（マップ例：親切, 頼りになる, やさしい, おもしろい, 元気, まじめ, 信頼できる, 楽しい, 思いやりがある, がまん強い, 積極的, 明るい, 責任感がある, うそをつかない）

■前後のつなぎと子どもの変化

○わざとふだんあまり話さない者同士のペアの組み合わせをして，お互いのことがもっと知りたいという動機づけに実施することもできる。
　☆ペアの相手の人とあまり話したことがなかったけど，相手の人も自分も同じ言葉「積極的」を選んだのが面白かった。
　☆いいことを言ってもらってうれしいけど，恥ずかしかった。

■エクササイズの参考文献

・國分康孝監修『エンカウンターで学級が変わるショートエクササイズ集』図書文化

一番おかしい失敗談

橋元慶男 はしもとけいお
三重大学教育学部附属
教育実践総合センター客員教授

■ねらい

失敗談を語り合い一緒に笑うことで，親しい関係づくりを行う。失敗への見方を変えることで，失敗を乗り越える方法を知る。笑いやユーモアの効用に気づく。

■背景となる理論・技法

自己開示，カタルシス，リラクゼーション，フィードバック，受容

（イラスト内のセリフ）
- 部活の帰りジュースを飲みながら歩いてたんだ
- そしたら急に景色がなくなったんだ
- マンホールのふたが開いていて落ちたんだ
- ホント？大丈夫だったの？

時間：20分
場所：教室
ねらい：他者理解，自己受容

■準備
・特になし

■内容
・教師が自分の失敗談を語る。
・ペアを組み，ジャンケンして順番を決める。
・1人2分ずつ「今までで一番おかしい自分の失敗談」を相手に話す。
・2人とも話し終わったら，話したり聞いたりして感じたことを語り合う。
・話し合ったことや今，感じていることを全員に伝えたい人が何人でも発表する。

■実施できる時間
・学活……行事の後に実施して，笑いの有用性を共有する。
・学活や道徳の時間，総合的な学習の時間を利用して，ストレスマネジメント教育の一環に活用する。

■展開例 一番おかしい失敗談「学活での実施」

教師の指示(●)と子どもの反応・行動(☆)	ポイント
●失敗はないに越したことはありませんが，失敗のない人間はいませんね。失敗談を聞いたからといっても馬鹿にする人は少なく，その人に親しみを覚えるものです。私はオッチョコチョイですから，失敗談はたくさんあります。ある駅のトイレに入ったときのことです。用を済ませて立ち上がった瞬間，上に取り付けてあった水洗用のタンクで頭をゴツン。自分の不注意はよそに腹立たしい思いがしました。外に出ようとしたら，ドアのノブの上に何か書てあるんです。何だろうと思って読んでみたら「痛かったでしょう！」。思わず素直にうなずいていましたよ。落書きはいけませんが，腹立たしさはどこかにふっ飛んでいました。だれでも失敗はするものだと考えて書いた人のおかげで，私も癒されたのです。 ●人に言いたくない失敗もありますが，一緒に笑えることも多いですね。今日はお互いに失敗談を語り，お互いの人間らしさを感じ合いましょう。 ●ジャンケンをして先行を決めてください。時間は2分です。時間がきたら合図しますから交代してください。いまは失敗談が見つからない人，言いたくない人は，身近な人や聞いたおかしい失敗談でも結構です。では始めてください。　　☆和気あいあいの雰囲気。明るい表情に一変。 ●ハイ終わりです。これから2分間お互いに感想を話し合ってください。 ●感じたことや気づいたことなどをみんなに伝えたい人は教えてください。 ●思いがけない話を聞けて明るい気持ちになりました。私は，ユーモアや笑いがいっそう好きになりました。みんなとの心の距離も縮まったような気がします。ありがとう。	●職員研修で行う場合はペンネームをつける。 ●教師自身の滑稽な失敗談を披露する。 ●からかいの材料としないように留意する。 ●自分の最近の気分や表情に気づかせる。 ●発言を受けて，笑いの有用性や笑いのない生活の弊害，ストレスやユーモアや笑顔の必要性などを取り入れてコメントする。 ●失敗談を語ることは人間関係を親密にする。 ●ユーモア探しはストレス回避の手段でもある。

小学生 低 中 高
中学生
高校生
大人

■前後のつなぎと子どもの変化

○「笑いによって救われること」「笑いによって救われたこと」などをブレーンストーミングすることで，笑いの有効性を味わうこともできる。
○グループで「面白い人，または特定な面白い芸能人」を出し合って，なぜその人が面白いのか，その理由や特徴を話し合って，後でグループ代表が発表する。
○エクササイズの前に「トラストパッティング」（本書）や「肩もみエンカウンター」（本書パート1）を行ってもよい。

■エクササイズの参考文献

・國分康孝監修『エンカウンターで学級が変わるショートエクササイズ集』図書文化からヒントを得た。

トラスト パッティング

中村洋子 なかむらようこ
山口県萩国際大学助手

■ねらい
『ちょっと息抜き』の時間を利用し，積極的に体を動かすことで疲労を軽減する。他者をいたわることで相手を大切にする気持ちや相手の立場に立って考えることができ，その後のリレーションづくりにも役に立つ。

■背景となる理論・技法
リラクゼーション，ニューカウンセリング

イタキモチイイ

ポンポンポン

1人でパッティング！

いい感じです

強さはどうですか

ポンポン

2人でパッティング

時間 10分
場所 教室
ねらい 感受性

■準備
・特になし

■内容
・いすに座り，くるぶしから上半身にかけて，リズミカルに体をパッティング（軽くたたく）する。
・あたたまった手のひらをこする。
・ペアになり交互に背中をパッティングする。

■実施できる時間
・緊張感の続く会議の息抜きに。
・体育……整理体操の1つに入れるのもよい。

第3章 あなたを大切に

■展開例　トラストパッティング「保護者会の休憩時間での実施」

教師の指示(●)と保護者の反応・行動(☆)	ポイント
●ずっと同じ姿勢を続けると体も心も疲れてきますよね。リフレッシュするために少し体をほぐしましょう。　　　　　　　　　　　☆ほっとした表情	
●座ったままで足のくるぶしからお尻まで，パッパと手のひらで軽く叩いて体を刺激し元気にする『パッティング』をします。叩く強さはイタキモチイイが目安です。続いて足の内側を足首から股まで叩きます。今度は腕です。指先から肩まで，腕の内側も指先からわきの下まで軽やかに。お腹周りはやさしく叩きます。	●少し痛いけれど気持ちよい強さをイタキモチイイという。感覚を意識させるためにこの言葉は効果的である。
●手があたたかくなりました。今度はシャンプーするように頭をマッサージしましょう。	
●指先まであたたかくなってきましたね。手をこすってください。	
●(さすりながら)さて，まだパッティングしていない所がありますがどこでしょう？　　　　　　　　　　　　　　　　　　　☆はて？という表情。	
●背中です。ここは自分1人ではできません。ペアをつくってお互いにパッティングしましょう。今日まだ話をしていない人とペアになってください。	
●ペアの1人は力を抜いて体を前に倒してください。パートナーはそのあたたかい手で『お疲れさま』の気持ちをこめてパッティングしてください。どのぐらいの強さ加減がよいか，どの辺りをしたらよいか相手に『ご注文』を聞いてくださいね。	●立って体を前に倒すのがきつい人にはいすに座ることをすすめる。
●それでは時間です。してもらった人は自分のおへそを見ながらゆっくり身体を起こしてください。では交代しましょう。　　　　　☆同様に行う。	●急に頭をあげるとめまいを起こすことがあるので，交代はゆっくりと。
●時間です。体の疲れもさることながら心もほっくりとあたたかくなった気がします。私もみなさんとの距離がぐんと縮まったような気がしてうれしく思います。みなさんはどうですか？お互いに印象を話してみましょう。	
●これでリフレッシュタイムは終了です。さあ，続きをしましょう！	

小学生
低
中
高

中学生

高校生

大人

指先よりも手の平でたたくほうがあたたかさも伝わりますよ

■前後のつなぎと保護者の変化

○背中以外は自分一人でも簡単にできるので，気分転換に最適。
　☆背中をていねいにふれてもらうことはめずらしい，新鮮な気持ちになる。
○グループ内で親近感がなかなかわかない時やマンネリ化したグループに新鮮な空気を入れるのにも有効である。
○新しいメンバーでグループをつくりたい時にこのエクササイズを行うとスムーズに移行できる。

■エクササイズの由来

・伊東博「ボディ・パッティング(Body Patting)」『ニュー・カウンセリング』誠信書房をもとにした。

そんなあなたが好き好き！

森 洋介 もりようすけ
山口短期大学専任講師

■ねらい
自分の嫌なところを勇気を出して開示し，それを含めて受容されることで自己肯定感を深める。

■背景となる理論・技法
自己開示，積極的傾聴，繰り返し，受容，リフレーミング

そんなあなたが好き好き！

A 私は，○○です。そんな自分が嫌なんですが，そんな私でも好きになってくれますか？
B あなたは，○○なのですね。そんな自分が嫌なのですね。そんなあなただけども好きになってほしいのですね。
A そうです。
B あなたの○○（否定的側面・嫌なところ）というのは，△△（肯定的側面・よいところ）ということでもあると思います。私は，そんなあなたが好きです。
A うれしいです。

（吹き出し）
- やりたくないなぁと思うこともつい引きうけてしまう…
- タケシさんはやりたくないなぁと思うことをつい引きうけてしまうんですね
- 私はそんなタロウさんがすきです
- 自分の嫌なところを言うのは勇気のいることです　その勇気に敬意を払いていねいに話し合ってください

時間 15分
場所 教室
ねらい 自己受容

■準備
・会話の型を書いた画用紙か模造紙

■内容
・ペアになり，ジャンケンしてAとBを決める。
・Aは自分の嫌だと思っているところを相手に伝え，「それでも好きになってくれませんか？」と言う。
・Bは内容を繰り返したあと，Aが嫌だと思っていることのよい面をとらえて言う。そのうえで「好きです」と伝える。

■実施できる時間
・ボランティアの研修で……ボランティアが支えあいの態度や発想を体験的に学習するための導入として。
・保護者対象の進路セミナーなどで……わが子を肯定的に受けとめる態度や発想を育むきっかけとして。
・福祉の授業……介護場面などでのお年よりを肯定的に受けとめる態度や発想を学習するために。

■展開例 そんなあなたが好き好き！「ボランティアの研修会での実施」

リーダーの指示（●）と参加者の反応・行動（☆）	ポイント
●みなさんはボランティアとして，目の前の人のありのままを大切にできる人でいてほしいと思います。お互い協力してチャレンジしてみよう。2人ペアになってジャンケンをして勝った人がA，負けた人がBになります。 ●見本として。私，森はAの役。山田さんはBの役をお願いします。 （A）「僕は，ボランティアで不登校の子どもの家に訪問する時，今日は勉強を教えようと思ってもつい一緒にテレビゲームをやってしまう。人の行動に左右されやすい。そんな自分が嫌なんです。そんな僕でも好きになってくれますか？」（B）「森さんは，人の行動に左右されやすいのですね。そんな自分が嫌なんですね。そんな森さんだけど好きになってほしいんですね」。（A）「そうです」。（B）「人の行動に左右されやすいというのは，相手の気持ちにしっかりと寄り添おうとしているということでもあります。私はそんな森さんが好きです」。（A）「うれしいです」。 ●以上が例です。こんなふうに言われると，「こんな僕でも子どもの役に立ってるかもしれないなあ」と，元気が湧いてきます。山田さんありがとうございました！　　　　　　　　　　　　☆参加者から拍手。 ●ではみなさん，深呼吸をして……。どうぞ，お始めください。 ●（1分程度で）はい。今度は，AさんとBさんの役割を交替して同じようにしてみてください。　　　　　　☆役割を交替し，同様に。 ●（さらに1分後）はい。では話を終えて，2人で握手をします。 ●今の気持ちをペアで自由に話してみよう。　☆ペアでシェアリング。 ●自分を嫌なところを話す勇気，それを受けとめる真摯な態度，あたたかい心が伝わってきて，今僕自身とてもあたたかい気持ちです。ありがとう。	●「会話の型」を確認できる大きな画用紙か模造紙（イラスト参照）などを提示しながら説明する。 ●デモンストレーションに協力してもらう参加者（左の例では山田さん）には，事前に内容を説明しておく。 ●「自分の嫌なところ」とは，例としてあげたように，自分の性格や行動についてである。 ●デモンストレーションでは，このエクササイズで元気がわいてくることを示し，参加意欲を高める。 ●ワンペアで2分程度。あまり長いと，考え込んでしまう。

関係のない話になっている

「ボランティアの会長さんが頼りなくって…」

「今は会話の型にそって話をしてください」

■前後のつなぎと参加者の変化

○可能なら定期的に何度も実施するとさまざまなリフレーミングを体験することができる。
○リレーションづくりのエクササイズなどで安心して自己を語れる雰囲気をつくっておく。
　☆この悩みをもっているのは私だけじゃないんだと思って勇気がわいた。
　☆自分の嫌なところを変えようと思っていたけど，逆に私は私でいいんだという気持ちになった。

■エクササイズの由来

・伊勢達郎著「好き好きゲームパートⅡ」『ヒーリングレクリエーションのすすめ』日本レクリエーション協会をもとにした。

カラーで相手をさがそう

梅本美和子 うめもとみわこ
山口県日本語クラブ宇部

■ねらい

活動の単位となるペアをつくるためのエクササイズである。あまり親しくない人とでも，自然にリレーションづくりができる。大きい声を出すことでリラックスする効果もある。

■背景となる理論・技法

傾聴，自己開示

くじの作り方
折ってはりつける
のりつき付せん紙

「あかです」「きんいろです」「ぎんいろです」
私の持っている色は

声をよく聞いて同じ色の人をさがす

時間 10分
場所 教室
ねらい 他者理解

■準備

・付せんののりが着いている面に色の名前を書き，見えないように半分に折ってくっつける。同じ色のものが2つずつできるようにする。
・24色の色鉛筆などを参考にし，「あか」「あかむらさき」「むらさき」など部分的に重なる色や，「ぎんいろ」「きんいろ」のようにまぎらわしい音の色が入っていると面白い。

■内容

・1人1枚クジを選び，自分の色を知る。
・合図に合わせて，「私の持っている色は○○です」と全員が大きな声で言う。
・自分と同じ色の相手を探して，ペアになる。
・ペアの相手とその色が好きか嫌いか，またなぜそう思うのかなどを話し合う。

■実施できる時間

・さまざまな活動の中で，ペアをつくりたい時。

■展開例　カラーで相手をさがそう「学活での実施」

教師の指示(●)と子どもの反応・行動(☆)	ポイント
●クジを1人1枚ずつ取ってもらいます。はがすと内側に色の名前が書いてあります。他の人に見せないで，そして声に出さずに覚えてくださいね。 　☆順番にカードをひき，書いてある色を覚える。 ●色を覚えましたね。この中にもう1人，同じ色のカードを持った人がいます。これからその人をさがします。「1，2，3，はい」の合図に合わせて，みんな一緒に大きな声で「私の持っている色は○○です」と言います。よーく聞いて，自分と同じ色の人はだれなのか探しましょう。　☆ザワザワ。 ●1，2，3，はい！「私の持っている色は○○です」。 　☆自分の色を入れていっせいに言う。他の人の声にも耳を傾ける。 ●同じ色の人の声が聞こえましたか。見つかったら，その人のところに行ってカードを見せ合ってください。同じ色だったら，一緒に座ってください。わからなかった人は，もう一度やりますから，待っていてくださいね。 　☆見当のついた人は，カードを見せ合って確認する。 　☆合っていればペアになって座る。 ●では，相手が見つからなかった人だけで，また同じようにやりますよ。ペアが見つかった人たちも聞いていてくださいね。いいですか。1，2，3，はい！「私の持っている色は○○です」。 ●今度はどうですか？　　　　　　　　☆ペアの相手を探す。 ●みんな同じ色の相手が見つかりましたね。よかった。 ●では，相手の人とその色が好きか嫌いか，なぜそう思うのか話し合ってみましょう。	●奇数の場合は教師も加わる。 ●いっせいに言う文を板書しておく。 ●人数が多くて声が聞き取りにくいときは，人数を半分ずつにして，発声してもよい。 ●大きい声が出せる雰囲気づくりに注意する。 ●大きい声が出せない子にはやさしく声をかける。 ●相手が見つかるまで，繰り返す。たいていは5回程度で全員見つかる。

小学生　低／中／高
中学生
高校生
大人

■前後のつなぎと子どもの変化

○静かなクラスに活気を出したい時や，発言する子が何人かに限られているクラスで，全員が大きな声を出すチャンスをつくりたい時に有効である。
　☆久しぶりに大きな声を出してすっきりした。
　☆なかなか相手が見つからなくてドキドキしたけど，Aちゃんが声をかけてくれてほっとした。
　☆Bくんとこんなに話したのは初めてだ。
○さらに時間のある時は，「聖徳太子ゲーム」（エンカウンターで学級が変わる・小学校編パート1所収）の活動につなげることができる。

■エクササイズの由来

・林伸一，斉木ゆかり「グループで学ぶ日本語4」『月刊日本語』1994年7月号アルク

時間半分トーク

山見智子 やまみともこ
山口県宇部短期大学非常勤講師

■ねらい
自分の話をよく聞いてもらう体験を通して，自分が受け入れられる感覚を味わう。話し手に集中して聞く体験を通して，あたたかい話の聞き方を身につける。

■背景となる理論・技法
自己開示，傾聴，受容，明確化

（吹き出し）
- 半分にするには聞きながらまとめなきゃむずかしいな
- あなたは昨日学校の帰り道で……
- よく聞いてくれてたんだ
- ウンウン

相手のした話を半分の時間でまとめて話す

時間：10分
場所：教室
ねらい：他者理解，自己受容

■準備
・タイマー（キッチンタイマーでよい）

■内容
・この1週間の出来事を思い出す。
・2人組になり，ジャンケンをして順番を決める。
・1人が「今週の出来事」について2分間話す。
・もう1人は相づちをうちながら静かに聞く。
・話を聞いたほうの人が，聞いたことを要約して1分間で話す。
・交代して繰り返す。
・感じたことを話し合う。

■実施できる時間
・朝の会，帰りの会
・学活……学期の初め，学期の終了時，行事等の終了後
・その他のアレンジ……社会や理科などでペアの相手が読んだ違う資料のことを聞きまとめる。

■展開例　時間半分トーク「学活での実施」

教師の指示（●）と子どもの反応・行動（☆）	ポイント
●今週はどんな1週間でしたか。ちょっと思い出してみてください。これから，あなたにとってどんな1週間だったか他の人に話してみましょう。また，他の人の話を聞いてみましょう。 ●では，ペアになって，向かい合って座ってください。それから，ジャンケンをしてください。 ●ジャンケンに勝った人は手をあげてください。　　　　　　　☆挙手 ●勝った人は，「今週の出来事」について相手の人に2分間話してください。何でもいいですよ。1つのことを詳しく話してもいいし，いろいろなことを話してもいいですよ。負けた人は，勝った人の話をよく聞いてあげてください。質問はしないでよく聞いてください。 　☆2分間話しきれず沈黙してしまうペア。☆2人で会話してしまうペア。 ●はーい，時間です。たくさん話をしましたか。　　☆はい。うーん。 ●じゃんけんに負けた人は，今，聞いた話を半分の1分にまとめて，相手の人に話してください。全部覚えているかどうかのテストではありません。相手の人の話を聞いてわかったことをあなたの話し方でいいですから，話してください。 ●時間です。どうでしたか。　　　　　☆大変だった。面白かった。 ●では，最初に話した人は，相手の人がまとめてくれたあなたの話について何か言いたいことがあれば言ってください。 ●役割を交代してやってみましょう。 ●では，最後に今日のこの活動をやって気づいたことや思ったことを2人で話し合ってください。	●できれば，ふだんあまり話したことのない相手とペアを組ませる。 ●相手の話を無表情に聞くのではなく，相づちなどを例を示して積極的にさせる。 ●話し手が沈黙してしまったペアには聞き手が質問をして話を促すようにしてもいい。 ●気づきや感想は各自にワークシートに書かせてもいい。 ●話すテーマを変えれば，何度でもできる。慣れてきたら，最初の話を3分，4分と長くして，それを半分の時間で要約させる。

小学生　低　中　高
中学生
高校生
大人

時間をオーバーしてしまう

「まず大切なことを先に言おう」
「あれ？」

■前後のつなぎと子どもの変化
○出会いの時期の人間関係づくり，行事等の後の反省会などさまざまな場面で行うことができる。向かい合って，相手の話を相づちなどで反応しながら聞くことで人間関係が円滑になる。
○同じ経験について話しても，感じ方や話の視点が違うことに気づくことから，互いに認め合い，また，自己を再確認することができる。
○半分に要約した話を4人1組になって，相手のペアに紹介したり，全体のシェアリングをするなどペア活動からグループ活動へと発展させることができる。

■エクササイズの由来
・林伸一ほか「グループで学ぶ日本語〜 4/3/2/1 トーク」『月刊日本語』1995年9月号アルク

うちの子マップ

小原寿美 こはらひさみ
山口県日本語クラブ宇部

■ねらい
年度始めの保護者会などでは，面識のない者同士が話し合いをもつことになる。そこで相互理解を助け，互いの子どもについての理解を深める。

■背景となる理論・技法
マインドマップ，自己開示，傾聴

時間 10分
場所 教室
ねらい 自己理解・他者理解

■準備
- 筆記用具
- 白い紙（A4またはB5）

■内容
- 白い紙の中心に楕円を書く。
- 楕円の中に自分の子どもの名前を書き，その子どもについて連想される言葉（または文章）を思いつくだけ周りに書く。
- ペアで紙を交換し，紹介し合う。また，気づきや感想を話し合う。

■実施できる時間
- 学級懇談会……特に年度始めや役員交代時などに行う。
- 保護者から相談があった時に，子どもの理解の助けとして実施することも考えられる。
- その他のアレンジ……親についてなど，マップをつくる対象を変えて行うことができる。

第3章 あなたを大切に

■展開例 うちの子マップ 「保護者の学級懇談会での実施」

教師の指示(●)と保護者の反応・行動(☆)	ポイント
●今日はご自分のお子さんについて、「うちの子マップ」を使って表現して紹介し合うとともに、ご自分のお子さんについても理解を深めるというエクササイズをしたいと思います。始めに2人1組でペアになってください。 ●白い紙を回しますので1枚ずつとってください。 ●紙の真ん中に楕円を書いてください。そしてその楕円の中に自分のお子さんの名前を書いてください。このクラスのお子さんの名前です。 ●例えば私の場合です。うちの花子はにんじんが嫌いですが、チョコレートは大好きです。それから妹と仲よし、かけっこが得意です。このように、思いつくまま書き込んでいってください。そしてこのように真ん中の楕円と線で結んでいってください。 ●みなさんのお子さんはどんな子どもですか？ 思いつくままできるだけたくさん書いてくださいね。時間は2分間です。では、どうぞ。 ●（2分後）はい、時間でーす。どんなことが書けましたか？ マップをお互いに見せ合いながら、お子さんを紹介し合ってください。 ☆ざわめき。 ●（2分後）そして気づいたこと感じたことなどをペアで自由に話し合ってみてください。時間は2分です。では、始めてください。 ●（2分後）時間でーす。いかがでしたか？ お隣の方との共通点、あるいは違うところに気づいたり、ふだん見過ごしがちなお子さんのいいところに気づかれた方が多かったようですね。	●「うちの子マップ」を手に持って説明する。 ●なるべく初対面の人とペアになってもらう。 ●教師がデモンストレーションをする（うちの子マップに例を書き込んでみせる）。 ●プラスイメージのものを必ず1つは入れる。 ●教師がデモンストレーションをする。多少マップに書かれていないことをつけ加えてもよいことにする。 ●時間があればに全体でシェアリングする。

小学生 低／中／高
中学生
高校生
大人

何を書けばよいかわからない

「元気よくあいさつができる」というような小さなことでいいんですよ

■前後のつなぎと保護者の変化

☆他のお母さんの考えを聞いてよかった。子どもを見る見方はいろいろあるのだということがわかった。
☆ほとんど初対面の人ばかりだったので緊張したが、少しほぐれた気がする。

■エクササイズの参考文献

・國分康孝『エンカウンター』誠信書房
・石田孝子「マインドマップづくり」『エンカウンターで学級が変わる ショートエクササイズ集』図書文化をヒントにした。

素朴なコロンブス

斉木ゆかり さいきゆかり
神奈川県東海大学
留学生教育センター助教授

■ねらい
小さいが，みんなが気づかない何かを発見したと思う時，だれかとそれを分かち合いたいと感じる。そんな素朴な発見を披露することによって自己開示し，共感を得，他者理解する。

■背景となる理論・技法
自己開示，共感，他者理解

おもしろい発見（例）子犬の口臭はインスタントコーヒーに似ている
うれしい発見（例）変なスカートも組み合わせるセーターで素敵になる
おいしい発見（例）冷たい牛乳をあつあつのご飯にかけて食べるとおいしい

（吹き出し）体育館のそばにある水道が冷たくておいしいんだ
（吹き出し）ほんと！行ってみるよ

自分が見つけた小さな発見を語る

時間 15分
場所 教室
ねらい 他者理解

■準備
・コロンブスシート

■内容
・コロンブスシートを配布する。
・例を示しながら，面白い発見，うれしい発見，おいしい発見を紙に書かせる。
・2人組になって，1人ずつ発見を発表する。
・発表後に，全体で自分の発表中と発表後にどんなことを感じたか，他の人の発表を聞いてどう思ったかを話し合う。

■実施できる時間
・学活
・帰りの会
・国語……作文やスピーチの題材探し

第3章　あなたを大切に

■展開例　素朴なコロンブス 「スピーチのアイデア探しでの実施」

教師の指示（●）と子どもの反応・行動（☆）	ポイント
●みなさんはコロンブスがアメリカ大陸を発見した人だと知っているでしょう。でも，発見はそんな大きなことでなくても私たちの身の周りにたくさんあります。でも自分の発見を他の人に話すのはちょっと恥ずかしい気持ちもします。私も最近すごい発見をしたと思ったのですが，それを話すのは抵抗がありました。でも実際に話してみたら，みんなも「へえ！」と言って喜んでくれました。うれしかったです。今日は小さな素朴な発見でいいからみんなでコロンブスになって身近な発見をしてみましょう。 　　☆ざわめく	●「面白い」の意味は馬鹿にしたり，笑い者にする意味ではないことを伝える。
●これからコロンブスシートを配ります。そこに面白い発見とうれしい発見，そしておいしい発見を書いてください。　　　　　☆ざわめく	●時間に余裕のない時は拡大したコロンブスシートを黒板に貼って実施してもよい。
●例えば，私の面白い発見は，飼っている子犬のマックスの吐く息がなにかに似ていると思いました。それはコーヒーの匂いでした。　☆笑う。 また，うれしい発見は，「絶対にはかない」と思っていた変なスカートが，上に着るセーターですてきになることでした。それから，おいしい発見は，あったかいごはんにつめたい牛乳をかけて食べたらとてもおいしかったことです。　　　　　　　　　　　　　　　　　　　　　　☆笑う。	●例を通して教師の日常性を開示する。
●では，みなさんも自分の身の回りの素朴な発見を紙に書いてみましょう。	
●書き終わったら，隣の人とペアになってその発見を紹介し合ってください。 　　☆紙に書いた後，友達と楽しそうに発見を交換する。	●時間のある時は4人組で発表させてもよい。
●このエクササイズをやってみて，どんなことを感じたか，どんなことに気がついたか，何でもいいですから，今の気持ちを発表してください。	

小学生　低・中・高
中学生
高校生
大人

コロンブスシート

名前＿＿＿＿＿＿＿＿

おもしろい発見	
うれしい発見	
おいしい発見	

■前後のつなぎと子どもの変化

○身の回りの小さなことにも注意を向け，発見の喜びを実感できるようになる。
　☆つまらない生活にも実はたくさん幸せがある。
　☆自分が面白いと思うことを他の人は面白いと思わないことが面白い。
　☆おいしい発見はぜひやってみたい。

■エクササイズの由来

・斉木ゆかりのオリジナルエクササイズ

忘れられない経験

森泉朋子 もりいずみともこ
東京工業大学
留学生センター非常勤講師

■ねらい

忘れられない記憶には，その人の個性が反映されている。自分にとって大切な記憶を振り返り，人と共有することで，お互いをもっと深く理解し合う。

■背景となる理論・技法

自己開示，傾聴

「私はドイツに留学した時のことが忘れられません」

「友達とハイキングに行って道に迷っちゃったんだドキドキしちゃって…」

教師自身の忘れられない体験とその時の気持ちを語る

3分ずつ忘れられない経験を語り合う

時間 15分

場所 教室

ねらい 他者理解

■準備
・タイマー（キッチンタイマーでよい）

■内容
・2人組をつくり，どちらが先に話し手になるか，決める。
・過去の忘れられない経験を1分間で思い出す。
・話し手が自分の経験を話す。聞き手は話を聞きながら，質問したり，感想を述べたりする。
・話し手と聞き手の役割を交代して，また同じことを行う。

■実施できる時間
・朝の会，帰りの会
・学活
・人間関係づくりの研修会

第3章 あなたを大切に

■展開例 忘れられない経験 「学活での実践」

教師の指示(●)と子どもの反応・行動(☆)	ポイント
●今までみなさんはいろいろな経験をしてきたと思います。面白い経験，めずらしい経験，うれしい経験……。その中で，いちばん強く印象に残っている経験，忘れられない経験は何ですか。今日はその時のことを2人で話し合ってみましょう。	
●私の場合は，ドイツに留学した時のことです。ドイツに着いて最初の2週間，住むところが見つかりませんでした。ユースホステルに泊まり，慣れない土地で毎日毎日アパートを捜し歩き，大学入学の手続きをしたり，試験を受けたりして，本当にくたくたになってしまいました。ある日，大学の紹介でようやく住むところが見つかりました。後ろは森，目の前は牧場の広がる本当にすてきなところでした。重い荷物をひきずって鍵をもらい，部屋に入って荷をほどくことができた時には，もううれしくてうれしくて大声で叫びだしたいくらいでした。この時の気持ちは今でも忘れられません。	●教師も3分程度の話をしてモデルを示す。
●では，となりの人とペアになり，ジャンケンをしてください。勝った人が話す役，負けた人が聞き役になります。	●ペアのつくり方は臨機応変にする。ふだんあまり話をしない人と組ませてもよい。
●まず，いまから1分間で過去の忘れられない経験を思い出してください。	
●何について話すか決めましたか。ではジャンケンに勝った人が3分間話してください。聞く人は途中で質問したり感想を言ったりしながら聞いてください。終わったら交代します。では始めてください。　☆交代して行う。	●なかなか思い出せない，何を話せばいいかわからず困っている様子の生徒には，声をかけてアドバイスする。
●時間です。気づいたこと感じたことを3分間で話し合ってください。いろいろな面白い経験やめずらしい経験が聞けましたか。友達の話を聞いて自分もやってみたいなんて思うことや，今まで知らなかった友達の一面を知ることができたのではないでしょうか。	●教師はタイムキーパー役になる。

小学生 低/中/高
中学生
高校生
大人

何を話していいかとまどう

「特別なことじゃなくていいんだよ 今までうれしかったことはどんなかな」

■前後のつなぎと子どもの変化

○生徒は思いもかけないような経験をしているものである。互いにめずらしい経験を聞くことで，友達に対して新たな発見をすることができる。また，自分がやってみたいと思っていたことを，友達がすでに経験していることがわかれば，有益な情報を求めたり，今後の参考にすることもできる。話し手は自分の経験談を相手に聞いてもらうことで，受容されているという満足感を得ることができる。

■エクササイズの由来

・森泉朋子，斉木ゆかり，林伸一「グループで学ぶ日本語7」『月刊日本語』1994年10月号アルクをヒントにした。

この色なーんだ！

家根橋伸子 やねはしのぶこ
山口大学非常勤講師

■ねらい
リラックスして自由な発想を楽しむ。その中で，自分でも意識しなかった自分の発想を発見する。自分とは異なる他者の発想を聞き，他者認識を深める。

■背景となる理論・技法
自由連想法，自己開示，傾聴技法，論理療法，カラーワーク

（吹き出し）
- どれがいいかな
- あっこれがいい
- 赤は夕日の色なんだ 夕日を見ながら地球って丸いんだって思ったよ
- へーえ

1. 自分の好きな色を色紙から選ぶ
2. 選んだ色から連想することを話す

時間 15分
場所 教室
ねらい 自己理解・他者理解

■準備
・いろいろな色の入っている色紙，人数×3枚（同じ色が数枚入っているようにする）
・タイマー

■内容
・前の机に色紙を置いておく。
・各自，好きな色紙を3枚選ぶ。
・ペアをつくり，各ペアで机を前に並べて座る。
・1人が，自分の持っている色紙から1枚を机の上に出し，その色紙の色から連想することを話す。次に相手も同じ色から連想することを話す。
・交互に色紙を出し，繰り返す。（3分間）
・ペアのまま，この活動を通して感じたことなどを話す。
・全体で，ペアで話したことなどのシェアリングを行う。

■実施できる時間
・朝の会・帰りの会
・学活
・図工……導入として

第3章 あなたを大切に

■展開例 この色なーんだ！「学活での実施」

教師の指示(●)と子どもの反応・行動(☆)	ポイント
●（青の色紙を見せて）「青」を見ると何を思い浮かべますか。 ☆海，空，水	●例示はどの色でもよい。
●先生は，青といえば「ラジオ体操！」。この色を見ると，夏休みの朝，輝くような青空の中で毎朝やったラジオ体操が思い浮かぶんです。	●青＝空といった固定観念的でない例を示す。
●同じ色を見ても思い浮かべるものは人によって違うでしょうね。もちろんピッタリ同じ人もいるかも知れませんね。連想することに正解や不正解はありませんよね。今日は，頭や心を楽にして，リラックスして，色を見て思い浮かぶものやことを自由に話してみましょう。	●ここでは連想した理由を述べているが，実際の活動の中では理由説明は行わない。
●前の机の上に，色紙を用意しました。各自好きな色の色紙を3枚選んで，席についてください。 ☆全員前に集まり，色紙を選んできて着席する。	
●できるだけふだんあまり話したことのない人同士でペアになって，机を前にして並んで座ってください。 ☆ペアを組む。	
●どちらか1人が自分の色紙から1枚出して机の上に置き，その色を見て連想することを話します。次に相手の人もその色から思い浮かぶことを話します。「青といえば……」で話し始めましょう。交互に色紙を出して，繰り返します。制限時間は3分ですが多くをこなす競争ではありません。ゆっくり連想を楽しんでくださいね。では，どうぞ。	●みんなで「青といえば」のセリフをいっせいに言う練習をしてみるとよい。
●ハ〜イ，時間でーす。どうでしたか。では，今の活動で感じたこと，気づいたことなどをペアで話してみましょう。 ☆ペアでのシェアリング開始。	●メンバーによっては，シェアリングの手順や話し方聞き方を十分にレクチャーしたほうがよい。
●ハ〜イ，時間でーす。どうでしたか。終わりに，今，ペアで話したことを，今度は何組か，みんなに話してください。	

小学生 低 中 高

中学生

高校生

大人

色から思いつかない

「正解やまちがいはないよ 今あなたが感じていることを言ってくれればいいよ」

■前後のつなぎと子どもの変化

○このような活動の中で，精神的にリラックスし，自己の自由な発想を語り，また相手の発想に耳を傾けることができる。
○教科授業の合間に，あるいは自己を深めていくエクササイズの中継ぎ等で，リラクゼーション的な効果も期待できる。
☆エクササイズを通して，とてもリラックスすることができた。

■エクササイズの参考文献

・アルバート・エリス著 國分康孝ほか訳『どんなことがあっても自分をみじめにしないためには論理療法のすすめ』川島書店

2人で描こう

竹下なおみ たけしたなおみ
東京都世田谷区立
九品仏小学校教諭

■ねらい
共同作業を通してお互いの理解を深め，協力し合う人間関係を築く。言葉を使わないコミュニケーションの面白さに気づく。

■背景となる理論・技法
カラーワーク，非言語コミュニケーション

（吹き出し左）それじゃあぼくも木をかこうかな

（吹き出し右）わたしがかきたいものをわかってくれたみたい

言葉を交わさずに相手の心を読みとって1つの絵をかく

時間 20分
場所 教室
ねらい 他者理解

■準備
・画用紙（八切り程度）・クレヨン

■内容
・2人に1枚ずつ画用紙を配る。
・それぞれ好きな色のクレヨンを選ぶ。
・2人で協力しながら画用紙に絵を描く。その際に声を出さない。
・完成した絵を見ながら，話し合う。最後に2人で絵に題名をつける。

■実施できる時間
・学活……席替え直後に実施するとよい。
・道徳……他者とのかかわりに関する授業で。
・図工……導入段階。線遊びとして。
・総合的な学習の時間……リレーションづくりに。
・その他のアレンジ……クレヨンの代わりにカラーペンや色鉛筆でもよい（大人がやる場合はクレヨンがより効果的）。色の制限をつけずに実施することもできる。

第3章 あなたを大切に

■展開例 2人で描こう「学活での実施」

教師の指示(●)と子どもの反応・行動(☆)	ポイント
●今日は隣の人ともっと仲よくなるために、2人で共同作業に取り組んでもらいます。と言っても、けっしてむずしいことではありませんから、安心してください。これから2人に1枚ずつ画用紙を配ります。	●不安や抵抗感を取り除くようにする。
●次にクレヨンの中からそれぞれ好きな色を1本取り出しましょう。残りのクレヨンは使いませんから、ケースのふたを閉めてしまいましょう。	
●2人でやる共同作業とは、そのクレヨンを使って2人で協力しながら1枚の絵を描くことです。画用紙は縦に置いても横に置いてもかまいません。2人が隣同士になるように座って描いてください。	●向かい合って座ると、互いの天地が逆になり、相手にじゃまされたという印象が残りやすいので注意する。
●ただ、1つだけ条件があります。絵を描いている間はしゃべってはいけません。身振りや手振りはいいですが、声を出せません。言葉を使わないで相手に気持ちを伝えるようにしながら、2人で1枚の絵を仕上げましょう。 ☆「えー、そんな」「しゃべっちゃいけないの」とざわめきの声が上がる。	●声を出さないという点をしっかりと押さえる。
●質問があったら、どうぞ。 ☆途中で色を替えてもいいですか。テレパシーは使ってもいいのかな。	●質問には十分に答える。
●色は途中でかえずに、初めに選んだものを使いましょう。心と心で通じ合うテレパシーはどんどん使いましょう。	●作業の間は教師も声を出さずに、カードによるメモを使用して無言で指示する。
●時間は8分間です。2人で力を合わせてやってみましょう。では、始め。	
●時間になりました。絵を描くのをやめて、クレヨンを置きましょう。お互いの気持ちを伝え合いながら絵を描けたでしょうか。	●作品の出来ではなく、描いている時にどんな気持ちだったか、完成した絵を見てどう思うかを話し合う。
●完成した絵を見てどう思いますか。描いている時はどんな気持ちでしたか。今度は思いっきり2人で話をしていいですよ。	
●最後に2人で話し合って、絵に題名をつけましょう。	

対象：小学生（低・中・高）／中学生／高校生／大人

絵をかき終わった後の2人の意見が食い違っている

「気持ちが伝わらなかった」
「こんなつもりじゃなかったのに…」
「お互いにどんな絵をかきたかったのか どんなことに気をつければよかったのか よく話し合ってみましょう」

■前後のつなぎと子どもの変化

○このエクササイズの後に全員で絵を見せ合って十分にシェアリングを行うと気づきが深まる。
☆「早くわかって！」と思って描いていた。
☆何か気持ちが伝わったのでうれしくなった。
☆しゃべれなかったので、なかなか気持ちが伝わらなかった。でも楽しかった。

○まとまった時間を取っていくつかのカラーワーク・エクササイズを実施したり、数日後に同じエクササイズをやったりするのも効果的である。

■エクササイズの由来

・山口大学学生相談所年報№10・11合併号
・「共同絵画」『エンカウンターで学級が変わる 小学校編1』図書文化

イメージトリップ

安野陽子 やすのようこ
山口県カラーワーク研究所
カラーコミュニケーター

■ねらい
自分が行きたいところ，行きたかったところをイメージすることで，自分の奥にあるものや無意識の世界に気づく。友達の自由なイメージを聞くことで，幅広く相手を理解する。

■背景となる理論・技法
リラクゼーション，自由連想法

今あなたは旅をしています
じっくり観察してみてください
あなたはそこで何をしていますか

時間 20分

場所 教室

ねらい 自己理解 他者理解

■準備
・ヒーリングミュージックのような静かな音楽テープまたはCD。

■内容
・ペアをつくって座る。
・目をつぶり，行ってみたいところを自由に旅行している姿をイメージする。
・ペアの相手とイメージした旅について話し，シェアリングする。

■実施できる時間
・朝の会・帰りの会
・学活
・道徳
・修学旅行の準備時間に導入として行うこともできる。

第3章 あなたを大切に

■展開例　イメージトリップ「学活での実践」

教師の指示(●)と子どもの反応・行動(☆)	ポイント
●目を閉じてください。深呼吸をしてリラックスしましょう。 　☆目を閉じてゆっくりと呼吸を落ち着ける。 ●自分が行きたいところ，したいことをイメージすることで，今またはこれからさき自分がどこへ行きたいか，何をしたいかを発見するエクササイズをします。 ●自分が行きたいと思っているところ，かつて行きたかったところに旅ができたら楽しいでしょうね。これから想像の世界で自由に旅をしてみます。 ●まぶたの裏にスクリーンが見えます。いま，あなたは以前行きたかったところ，これから行きたいと思っているところへ旅をしています。そこで何をしたいですか。じっくり観察してみてください。そこは日本ですか。それとも外国ですか。行ってみたい国はどこですか。都会かな？　それとも自然のたくさんある田舎かな？　それともはるか宇宙かな？　遠い所でなくても近くでもいいですよ。例えば，きれいな海に行って思いっきり泳ぎたいとか……。あなたはそこで何をしていますか。1人で旅をしていますか。それともだれかそばにいますか。それはだれですか。そこにいると，どんな気持ちがしますか。 ●見えてきたら，目をつぶったまま数分間旅を楽しんでください。 ●はーい。では，目を開けてください。みなさんが今旅をしてきたところをペアの人に紹介しましょう。どこにいるのか，そこで何をしているのか，どんな気分がしたかなどを話してあげてください。　☆シェアリングする。 ●今どんな気持ちか，みなさんに紹介してください。 　☆シェアリングした内容などを発表する。	●音楽をかける（あまり大きくならないように）。 ●言葉かけの内容は，クラスの雰囲気によって，アレンジしてもよい。 ●修学旅行に行く前のクラスでは，修学旅行のイメージを描くように設定してもよい。 ●嫌な人には無理に発表させない。

小学生　低
中
中学生
高校生
大人

■前後のつなぎと子どもの変化
○国内外の旅行のパンフレットやガイドブックを用意しておいて事前にイメージをふくらませるなどの工夫をするとよい場合もある。

■エクササイズの由来
・「幻想旅行（イメージトリップ）」國分康孝監修『教師と生徒の人間づくり』瀝々社をヒントにアレンジを加えた。

「これは長年の夢だったの」
「そうなんだ」

あなたの印象

安野陽子 やすのようこ
山口県カラーワーク研究所
カラーコミュニケーター

■ねらい
作品づくりを通して，友達へのあたたかい関心を高める。作品を通して，相手が自分にどのようなイメージをもっているかを知る。自分でも気づかなかった自己イメージを知る。

■背景となる理論・技法
自己開示，受容，支持，カラーワーク

時間 **20分**

場所 **教室**

ねらい **他者理解**

■準備
・人物の下絵　　・クレヨン
・ヒーリング音楽のような静かな音楽のテープまたはCD。
・机をあらかじめ，円形またはコの字型にしておいてもよい。

■内容
・ペアをつくって座る。
・下絵をもとに，ペア同士で会話しながら，クレヨンや色紙を使って相手のイメージの作品を作る。
・ペアごとにできた作品について話す。
・作品をペアの相手にプレゼントする。

■実施できる時間
・学級開き
・学活

■展開例　あなたの印象「学活での実施」

教師の指示(●)と子どもの反応・行動(☆)	ポイント
●2人組をつくりましょう。今まであまり話をしたことのない人同士でペアをつくって座ってください。はい，どうぞ。 　☆ペアをつくり，座る。	●全員の人と握手をするところから入ってもよい。
●お友達が自分に対してもっているイメージを知ると，自分では気づかなかった一面を見つけることがあります。今日は，今目の前にいる友達から感じる印象を，色や形に表現して伝え合ってみましょう。お友達の作品を作ることで，知らなかった相手の一面に気づいてあげることができるかもしれません。	
●これから相手の印象を作品にしてみましょう。例えば，折り紙，クレヨンなどを使って，服やまわりの空白をその人の印象の色で表現してみましょう。　　　　　　　　　　　　　　　　　☆作品をつくる。	●相手の似顔絵を描く必要はない。相手のイメージが色や模様などで表現されていればよい。
●イメージがわかない人は，相手の何か好きなもの，例えばその人の好きな色や花，食べ物などを聞いてみましょう。また，ペアになった人はふだんどんな人ですか。思い出してみましょう。時間は10分間です。どうぞ。	
●はーい，時間です。今作った作品をお互い見せ合いましょう。そしてどういうイメージで作ったかを話してください。聞いた人はそれを聞いてどう思ったかなどを相手に伝えてください。1人が話し終わったら交代します。 　☆シェアリングする。	●作品の上手，下手を批評し合う場ではない。素直に感想を述べ合うような雰囲気をつくる。
●話し合ったこと，今感じていることをだれかみんなに発表してください。	
●ではせっかくの作品を相手にプレゼントしましょう。　☆作品を交換する。	

小学生　低／中／高
中学生
高校生
大人

■前後のつなぎと子どもの変化

○時間があれば，ペアをかえて行ってもよい。その時，下絵を使わず，自分のイメージで描く。イメージがわかない場合は花や，色彩のみの表現でもよい。
○時間の余裕があればプレゼントする前に，グループ全員に見せてどういうイメージで描いたかコメントをつけて発表してもよい。

ふりかえり用紙

月　　日

（　　）年（　　）組　氏名（　　　　　　　　　）

今日のテーマ　[　　　　　　　　　　　　　　　　　]

1．今日のテーマは楽しかったですか。

|──────────|──────────|──────────|──────────|──────────|
とても楽しかった　　少し楽しかった　　　　ふつう　　　　あまり　　　　楽しくなかった
　　　　　　　　　　　　　　　　　　　　　　　　楽しくなかった

2．相手の人と協力してできましたか。

|──────────|──────────|──────────|──────────|──────────|
とても協力できた　　少し協力できた　　　　ふつう　　　　あまり　　　　協力できなかった
　　　　　　　　　　　　　　　　　　　　　　　　協力できなかった

3．相手の人について何か新しい発見がありましたか。

|─────────────────|─────────────────|─────────────────|
とても発見があった　　　　少し発見があった　　　　特に発見はなかった

4．相手の人に伝えたいこと（伝え忘れたこと）を書きましょう。

_____
_____
_____
_____
_____

5．今日のテーマを通して，今感じていること，気づいたこと，考えたことなどを自由に書きましょう。

_____
_____
_____
_____
_____

第4章

みんなを大切に

　この章は、班やグループ、学級やクラス、学年、クラブ活動や部活動、委員会活動など、さまざまな「集団としての枠」を利用（集団体験）して、自己理解や他者理解、信頼体験や感受性訓練など、リレーションづくりをねらった22個のエクササイズを集めている。

　「みんなを大切に」での体験は、参加者相互の自己開示と、傾聴し合うことを通して、他者をどうみるか、自分自身をどのように受け止めるか、これからの人生をどう考えるかなど、いわば「人の振り見てわが振りなおす」のように、自分のイメージに影響を与えると考えられている。

　また、他者からの肯定的な評価は、他者にやさしくされるという実感をもち、自分像が変容したり、新たなよさを発見したりするなど、自己肯定感が高まることで、自分を好きになると考えられている。

　つまり、自分には短所や欠点もあるけれど、けっこういいところもあり、結果的に自己受容（I am OK）が高まり、それに伴って他者受容（You are OK）も促進されることになる。

　メンバーの間に共感的理解（ワンネス）が進むと、それに対して好意の念が強まり、相互のキャパシティ（許容量）が自然に増えるという効果を表し、個が集団の中で生き生き活動できる「みんなちがってみんないい」という素地が確立できることにつながる。　　〔八巻寛治〕

われら○○族

宮本幸彦 みやもとゆきひこ
東京都世田谷区立玉川中学校教諭

■ねらい
メンバーの共通点を探す作業を通して，自然な自己開示を促し，リレーションづくりをする。初対面の緊張をほぐし，和やかな雰囲気をつくる。

■背景となる理論・技法
自己開示，支持

吹き出し：
- みんな緑色が好きなんだね
- へえ 滝本さんてこんな本読むんだ 一緒だよ
- じゃ どんな名前にしようか
- 性格も似てるぞ

メンバーの共通点をみつけてグループ名をつける

時間 15分
場所 教室
ねらい 他者理解

■準備
・ヒントカード

■内容
・4人組をつくってその場に座る。
・ヒントカードに各自で記入する。
・ヒントカードをもとに，メンバーの共通点や特徴から「われら○○族」とグループ名をつける。
・各グループの名前を発表する。
・感想を話し合う。

■実施できる時間
・学活……年度始めの自己紹介として。また班活動を実施する前に，チームワークを高めることをねらいとして。
・道徳……どのようなメンバーの集団でも，仲間であるという認識をもち，いじめのない学級をつくる目的で。
・保護者会……保護者の悩みや関心事，話題などを発見し，話し合うきっかけをつかむ目的で。

第4章 みんなを大切に

■展開例　われら○○族 「学活での実施」

教師の指示(●)と子どもの反応・行動(☆)	ポイント
●新しいクラスになって1か月がすぎました。少しずつ慣れて笑顔で生活するみなさんの姿が見られて先生もうれしいです。今日は，もっとみなさんがお互いを知り合い仲よくなれるよう，一味違った自己紹介をします。	
●今から4人グループをすばやくつくって，その場に手をつないでしゃがんでください。　　　　　　　　☆ざわめきながら相手を探し始める。	●近くの人と4人組をつくる。
●それでは，この偶然集まったグループがいったいどんな共通点や特徴をもっているのか考え，名前を付けてもらいます。「われら○○族」の○○に自分たちにぴったりの言葉を入れましょう。ヒントカードを用意したので，まずそれに記入してください。　　　　　　　☆各自で記入する。	●ヒントカードを配る。
●書き終わりましたか。では互いに見せ合って，共通点や特徴を見つけてください。ほかのメンバーから見ても「なるほど」と感心できる名前になるよう十分に話し合ってください。時間は○分です。	●自分を積極的に紹介するほど早く共通点が見つかることを伝える。
●決まったようなので，発表してもらいましょう。 　　☆このグループの名前は「われらひょうきん族」です。4人とも人を笑わせるのが得意で……	●話し合いに参加できない子を援助する。
●このエクササイズをやってみて，どんなことを感じたり気がついたりしましたか。だれでもいいですから，今の気持ちを紹介してください。	
●なかなかぴったりの言葉が見つからなくて苦労したグループもあったようですが，そのおかげでみんなの好きなものなどいろいろ知ることができたのではないでしょうか。クラスのみんながそれぞれの人となりを知って認め合い，ますます仲よしのクラスになっていってほしいと思います。	●時間があれば，新しく4人組をつくって繰り返す。

共通点探しヒントカード

好きな色は？＿＿＿＿＿＿＿＿＿
好きな食べ物は？＿＿＿＿＿＿＿
好きなテレビ番組は？＿＿＿＿＿
好きな芸能人は？＿＿＿＿＿＿＿
好きな本は？＿＿＿＿＿＿＿＿＿
好きなスポーツは？＿＿＿＿＿＿
好きな言葉は？＿＿＿＿＿＿＿＿
好きな花は？＿＿＿＿＿＿＿＿＿
好きな季節は？＿＿＿＿＿＿＿＿

趣味（これをしている時が楽しい！）
＿＿＿＿＿＿＿＿＿＿＿＿＿＿＿

性格（例：おしゃべり，おとなしい，明るい，もの静か…）
＿＿＿＿＿＿＿＿＿＿＿＿＿＿＿

■前後のつなぎと子どもの変化

○2人組から始め，4人組，8人組とグループサイズを大きくしてもよい。
○ゲーム的な要素の強い2人組のエクササイズの次に実施すると，変化がもてて退屈しないし，緊張が解けて自己開示しやすくなる。
　☆あまり話したことがない人の意外な一面を知ることができて，親しみがわいた。
　☆私とはぜんぜん違う性格だと思っていたのに，あの人も同じことを考えているんだなあ。

■エクササイズの由来

・薗田碩哉『みんなの協調ゲーム』ベースボール・マガジン社をもとにした。

（小学生 低／中／高，中学生，高校生，大人）

みんなでミラー

伊澤　裕 いざわゆたか
栃木県宇都宮市立簗瀬小学校教諭

■ねらい
お互いによく見たり見られたりする受容体験を通して，楽しみながら自己表現できる雰囲気をつくる。

■背景となる理論・技法
ミラーリング

1. 2人組になり，片方の人の動きをまねする

2. 4人組になり，音楽に合わせ1人の動きを他の3人がまねする

時間 15分

場所 オープンスペース

ねらい 自己受容

■準備
・CDラジカセ
・リズミカルな音楽のCDまたはテープ

■内容
・2人組になる。
・片方の動きを，もう片方が鏡役になってまねする。
・4人組になる。
・音楽に合わせた1人の動きを他の3人がまねする。順番に全員の動きをまねする。

■実施できる時間
・学活……学期始めのリレーションづくりに。また1人当たりの時間を長くし，動く役がリーダーシップを発揮する目的でも実施できる。
・音楽……リズム学習として。
・体育……準備運動として。ストレッチとしてできるだけゆっくりした動きをする。

第4章 みんなを大切に

■展開例　みんなでミラー「学活での実施」

教師の指示(●)と子どもの反応・行動(☆)	ポイント
●今から先生がジェスチャーします。よーく見て、何をしているところか当ててください。　　　　　　　　　　　☆歯を磨いているところだ！	●日常の動作を取り上げ、教師が実際に演じる。
●正解です。今度は、ジェスチャーではなくミラーというのをやります。鏡になったつもりで相手の動きをそっくりまねして動きます。先生の動きをよく見てやってみましょう。人の動きをよく見るトレーニングです。	●テーマ（朝起きてから出かけるまで、スポーツの動き、ストレッチ等）を与えたほうが動きやすい。
●隣の人とジャンケンします。勝った人が動く役、負けた人がミラー役です。	
●役割は確認できましたか。動く役の人は手をあげてください。反対に鏡の役になる人は手をあげてください。動く役の人は、朝起きてから出かけるまでにすることを考え、自由に動いてください。始める前に、1つルールがあります。動く役の人は、あまりにも速く動かないで、ゆっくり動いてください。鏡役の人が動きについていけなくなる可能性があります。	●相手を困らせて喜ぶことがないよう注意する。
●1分たったら役割を交代します。では、始め。――1分たったら合図。	
●終了です。今度はミラーを増やします。2つのペアがくっついて4人組になりましょう。1人が動く役、3人がミラー役です。	●1つのグループを使って例示する。
●順番は決まりましたか。1番目の人から手をあげてください（順番に挙手）。時間は1人30秒です。動く役の人は、3人を順番によく見て、ちゃんと同じ動きになっているかをチェックしてください。今度は音楽に合わせて自由に動きます。では、始め。――30秒ごとに合図する。	●動く役は、3人がついてこられるようにスピード等を調節する。●音楽をかける。
●終了です。ミラーをやってみて感じたことを発表してください。　　　　☆むずかしかったけど、4人の動きがぴたっと合うとうれしかった。	●どんな動きでも、他の人を批判することがないようにする。
●きっと動きと一緒に気持ちも一つになれたんだと思うよ。目は相手の気持ちを読みとるチャンネルなんだね。	

小学生　低　中　高
中学生
高校生
大人

4人組でうまくいかない

「あのグループを見て。あんな感じでこのグループでもやってみる？」

■前後のつなぎと子どもの変化

○体育の準備運動をかねて行う場合、そのままグループ活動に移れるようにするとよい。
　☆体で表現することは、言葉よりもその時の状況がよくわかった。
○時間があったら、2人組→4人組→8人組→16人組と増やしていってもよい。

■エクササイズの参考文献

・伊東博『ニュー・カウンセリング』誠信書房
・高久啓吾『楽しみながら信頼関係を築くゲーム集』学事出版

どうやって そうなったの？

武藤榮一 むとうえいいち
群馬県前橋保健福祉事務所
児童相談部係長代理

■ねらい

困ったことを乗り越えた体験とその解決法を伝え合うことで、勇気とヒントを与え合う。だれもが困難を乗り越えながら生きていることを知り、他者を大切に思う気持ちをもつ。

■背景となる理論・技法

ブリーフセラピー、ピアカウンセリング

> ものすごく腹が立った時 その気持ちを詩にして歌ったらすっきりした

> 親とけんかして気まずくなった時 手紙を書いて玄関に置いておいたらまた仲よくなれたよ

> そんな方法があるんだ

時間 20分

場所 教室

ねらい 自己理解 他者理解

■準備
・メモ用紙　　・筆記用具

■内容
・メモ用紙を配る。
・苦しかったこと、つらかったこと、とても困ったことなどの「出来事」と、どんな「方法」でうまく切り抜けたかを各自でメモ用紙に書く。
・4人組になり、メモ用紙をもとに発表し合う。
・自分にも役立ちそうなこと、発表を聞いて感じたことを伝え合う。

■実施できる時間
・学活……子どもから相談があった場合の支援として。いろいろな解決法にふれさせることでヒントを与える。また「係活動で困っていること」など話題を絞って実施することもできる。
・行事……困っている班などの支援として。行事のことに話題を絞り、解決のヒントを得させる。
・その他のアレンジ……テーマをさまざまに設定して実施できる。

第4章 みんなを大切に

■展開例 どうやってそうなったの？「学活での実施」

教師の指示(●)と子どもの反応・行動(☆)	ポイント
●小学生の時，いやなあだ名を付けられたり仲間はずれにされていたAさんは，中学校入学を機に友達をたくさんつくろうと決心しました。自分からみんなに挨拶する，親切にすると決めて毎日努力しました。初めのころは小学校のあだ名を言いふらされていやなこともたくさんありましたが，それでも決めたことを続けました。3か月もするとあだ名を言われなくなり，みんなと仲よくなりました。2，3年生になると，周りからも後輩からも頼りにされる存在になりました。Aさんとは，実は先生のことです。	●きちんとした話をする雰囲気をつくる。 ●教師の体験を自己開示する。
●苦しくて嫌になってしまう体験，涙を流してしまうようなつらい体験もあったかも知れません。でも，今，みんながここに座っているということは，それを乗り越えてきたということです。これは本当にすごいことです。今日は，困ったことをみんながいったいどうやって乗り越えてきたのか教え合うことで，勇気とヒントをもらい合いたいと思います。	●つらい体験を乗り越えてきたことはすごいことだと認める。 ●教えてほしいという気持ちで話す。
●まず話すためのメモを書きます。どんなことがあって，どんな方法でやったらうまくいったかをメモしてください。書けるだけ書いてください。	●書いているところを見て回り「そんなこともあったんだ」「すごいねえ」と称賛する。
●では生活班の4人組で発表し合いましょう。メモに書いたとおり話してもいいし，付け加えながら発表してもかまいませんよ。1人2分です。	●発表が終わるごとに拍手する。
●グループの人の発表を聞いて感じたこと，気づいたことは何ですか。だれか今の気持ちを教えてください。 　☆自分だけが悩んでいるわけではなくて，ちょっとほっとした。	●役立ちそうなことだけでなく，その時の気持ちや素直な気づきも含めて発表させる。
●悩むのはつらいけど，とても重要なことなんだとみんなの話を聞いてわかりました。友達の発表を聞いて，自分に役立ちそうなこともたくさんあったと思います。心にしっかりと記録しておいてくださいね。	

小学生 低 中 高
中学生
高校生
大人

発表したくない

「今無理に発表しなくていいよ」
「できれば今どんな気持ちがしているか話してくれない？」
「……」

■前後のつなぎと子どもの変化

○自己理解を深めるエクササイズと関連させると効果的である。
○卒業や進級間際の不安を抱える時期にすると，不安を和らげ，積極的にさせる効果がある。
　☆みんないろんなことで悩んでいるけど，いろいろがんばっているんだ。
　☆自分の今の悩みの解決のヒントが得られた。

それから

古田信宏 ふるたのぶひろ
岐阜県関市立田原小学校教諭

■ねらい
小人数のグループで会話する時の基礎技能を身につけ，慣れる。聞き手・話し手どちらの立場でも，相手を気づかいながら会話することの大切さに気づく。

■背景となる理論・技法
傾聴訓練，ロールプレイング

時間 20分
場所 教室
ねらい 他者理解

3人組の会話
- 話し手 ・両方を見る ・両方に話しかける
- 聞き手 ・話し手を見る ・うなずく ・質問をする

〔話し手役〕「この前の日曜日近くの川に魚つりに行ったんだ」
〔聞き役〕「それから」
〔聞き役〕「そう」

■準備
・特になし（話題を決めておくとよい）

■内容
・3人で会話をするためのコツを考える。
・3人1組になる。
・話し役A，聴き役BとCを決める。
・話題について2分間Aが話す。聞き役の両方を見て，平等に話しかけるように心がける。
・聴き役BとCは，「そう」「なるほど」「それから」と相づちを打ちながら聞く。
・役割を交代して繰り返す。
・感想を話し合う。

■実施できる時間
・学活……聴き方・話し方の訓練として。
・朝の会，帰りの会……発表の形式として。「当番の話」「今日の出来事」などを，発表者と聞き手の会話の形式で実施する。
・その他のアレンジ……2人1組の傾聴訓練として実施する。相づちを「それから」と「なるほど」に限定するとよい。

■展開例 それから 「学活での実施」

教師の指示(●)と子どもの反応・行動(☆)	ポイント
●「私たちはいつでもどこでも3人組。けど，なんだか私は独りぼっち」。これは14歳の女の子が書いた作品です。3人の関係ってむずかしいよね。先生も会議で3人がけのテーブルに座った時，2人で話し込まれちゃうと無視されているようでつらいんだ。今日は私たちの学校生活でこんな思いをしないですむように，3人の会話のトレーニングをしたいと思います。	●会話のトレーニングであることを明示する。
●さて，ここで考えてください。3人組の会話で話し手が気をつけることは何でしょう。 ☆「両方に話しかける」「両方を見る」。	●あまり親しくない者で3人組をつくる。教師が指示してもよい。
●では聞き手が気をつけることは何でしょう。 ☆「話し手を見る」「うなずいたり相づちをうつ」「一生懸命聞く」。	
●では整理します。話し手はこれから出す話題について2分間自由に話します。ポイントは聞き手の2人を見て，同じくらい平等に話しかけることです。聞き手は，「そう」「なるほど」「それから」など，相手が話しやすくなるようにうなずいたり相づちを打ったりしましょう。2人重なってもかまいません。ただし，話す役をとってしまってしゃべるのはやめましょう。	●相づちの口調を教師が演じてみせる。 ●日常的なことやだれにでも話せそうなことを話題にする。共通の体験がある場合は，それが最適。
●では役と順番を決めてください。役は後で交代します。	
●話題は「日曜日の計画」です。最初の人は手をあげてください。では始め。	
●2分たちました。交代してください。 ☆同様に全員が行う。	●会話が続かない組には，個別に援助する。
●2分たちました。終了です。やってみて，1人だけはずれているような孤独を感じてしまった人がいたら手をあげてください。	●疎外感を感じた人がいたら，気持ちを聞いてシェアリングする。
●今の気持ちはどんな感じですか。3人で話してください。	
●全体に感想を発表してくれる人はいますか。	
●それぞれがちょっと気配りすると，3人という半端な人数でもさびしい思いをしないですむね。今日のトレーニングを生かして，みんなが楽しい思いをできるような聞き方・話し方を心がけていこう。	●時間がない場合は，3日間に分けて役割交代することもできる。

小学生 低／中／**高**
中学生 **●**
高校生 **●**
大人 ○

話が続けられない

トレーニングだから短くてもつまらなくてもどんなことでもいいんだよ

■前後のつなぎと子どもの変化
○「さいころトーキング」や「聴き方さいころ」と組み合わせることが可能。
○傾聴訓練を目的に実施する場合は，聞き手Bが「それから」，Cが「なるほど」と相づちを交互に繰り返す。話し手Aからできるだけたくさんの話を聞き出すようにする。この活動を継続的に行うと，先生や仲間の話に途中で口をはさむ子が少なくなる。

■エクササイズの由来と参考文献
・2人1組の傾聴訓練の応用型
・福井県丸岡町編『日本一短い手紙 友へ』角川文庫より展開例に引用。

つもり運動

大塚美佐子 おおつかみさこ
千葉県野田市立岩名中学校教諭

■ねらい
見えないものやそこにないものを共に見ようとする共通体験を通して，心をかよわせ合いリレーションを深める。

■背景となる理論・技法
ロールプレイ，ダンスセラピー

なわとびのつもり

バレーボールのつもり

（ふきだし：あっ小っちゃいよ 前に行っちゃった／アタック出すよとれる？／みんなうまいね／山田君にパス）

時間 **10分**

場所 **体育館**

ねらい **自己理解**

■準備
・特になし

■内容
・首をまわすなどしてリラックスする。
・2人組になる。片方がなわを持ったつもりで2人なわとびをする。まわす役ととぶ役を交代する。
・4人組になる。バレーボールがあるつもりで円陣パスをする。
・感想を発表する。

■実施できる時間
・体育……準備運動や体ほぐしとして。グループ競技のチームワークづくりにも役立つ。
・行事……校外学習や寒い時季の屋外活動で，緊張をほぐし，身体を暖める目的で。
・その他のアレンジ……種目を変えていろいろに実施できる。

■展開例 つもり運動 「体育での実施」

教師の指示(●)と子どもの反応・行動(☆)	ポイント
●ゆっくり首をまわしましょう。目を閉じてまわした人はいますか？ 口を開けてまわした人はいませんか？ 緊張が少しほぐれましたね。 ●では鏡を持っているつもりで，ヘアスタイルを整えてみましょう。 ●さて，今日はつもり運動をやります。　　　☆変なの。何それ？ ●それは，なわがあるつもりで2人なわとび，ボールがあるつもりでバレーボールをやるのです。何のためやるのか。なわとびやバレーの練習ではありません。心を一つにするための練習なのです。なわやボールがないから，心を一つにして気持ちを合わせないと上手にできません。☆むずかしそう。 ●大丈夫。やれば意外とうまくいくし，できると楽しいからね。 ●では最初に2人組になってください。 ●片方がまわす役になって1分間2人とびします。次に交代してもう1分やります。用意はいいですか？　はい始め。──1分後に合図。 ●では，隣のペアと4人組になりましょう。 ●今度はボールがあるつもりで円陣パスをします。「○○さんにパス！」とどんどん声をかけ合うのがうまくいく秘訣です。だれのところにもボールがいくようにしましょう。時間は3分です。では始め。 ●おしまいです。今度はバスケット，つり，スキー…なども面白そうですね。 ●つもり運動で，どんなことを感じたり，気がついたりしましたか。発表してください。──数名を指名。 ●息が合うと本当にバレーボールをやっているみたいで楽しいね。息が合うのは心が合うこと。これはつもり運動だけじゃないね。どんなことでも，心が合うと楽しく過ごせるよね。	●首まわしは大きくゆっくりと。 ●片手に鏡を持っているつもりで，片手で髪をなでる感じ。 ●学級の実体に応じて，自由に組ませたり，意図的・機械的にする。 ●うまいねえとほめながら，教師も動きをまねしたり，一緒にやる。 ●ドリブルシュートしてみたり，つりざおを投げてみたりする。

小学生 低 中 高
中学生
高校生
大人

「私がいつもボールをこわがってるのを知っているからそっと渡してくれてうれしかった」

「エヘヘ」

■前後のつなぎと子どもの変化

○興味のあるスポーツ，最近したスポーツをあらかじめ聞いておいても効果的である。
○男女のペアにするなど，ペアリングを工夫すると動きが激しくなり，盛り上がる。
　☆ふだんできない動きができて，うれしかった。
　☆本当のバレーボールはこわいけど，だんだんできそうな気がしてきた。
　☆身体がポカポカしてきた。

■エクササイズの由来と参考文献

・創作ダンスをヒントにした。
・伊東博『身心一如のニュー・カウンセリング』誠信書房

カードトーキング

岡 和弘 おかかずひろ
岡山市立財田小学校教諭

■ねらい
友達に聞いてみたいことや話題にしてみたいことを書いた手づくりのカードを使って，楽しみながら互いを知り合う。他者理解の経験から，自己開示のよさを味わう。

■背景となる理論・技法
自己開示，質問

1．友達への質問をカードに書く

2．山にしたカードを引き，質問に答える

時間 20分
場所 教室
ねらい 他者理解

■準備
・画用紙を切ったカード（1人数枚）

■内容
・カードを1人に数枚ずつ配る。
・カードに「友達に聞いてみたいこと」「話題にしてみたいこと」を書く。
・グループで，カードを集めて中央に置く。
・順番にカードを引いて，書かれている質問に答える。答えにくい質問の場合は，カードをいちばん下に戻してもう一度引く。

■実施できる時間
・朝の会，帰りの会……「ニュースの時間」や「1日の振り返り」などで。
・学活，道徳など……話し合いを活性化させるため，教師が質問をつくっておいたり，テーマを限定したりして実施する。
・その他のアレンジ……カードを山にしないで1枚ずつふせて置いて自由に引いたり，1枚のカードで何人かが連続して答えるようにする。

第4章 みんなを大切に

■展開例　カードトーキング「学活での実施」

教師の指示（●）と子どもの反応・行動（☆）	ポイント
●自己紹介にもいろいろありますが、今日は自分が知りたいことや話してほしいことが聞ける自己紹介をしたいと思います。友達の新しいところを発見して、ますます仲よくなっていきましょう。　☆どんな自己紹介なの？ ●それはカードを使う自己紹介です。みんなにはカードに質問や話題を書いてもらいます。「好きな食べ物は何ですか」とか、「最近、大笑いしたことを教えてください」などという具合です。　☆どんな質問を書こうかな。 ●書いたカードは集めます。それを順番に引いて、書かれている内容について話していくのです。だれがどのカードになるかわかりません。答えにくい内容や、聞いていて嫌になるようなことは書かないで、みんなが楽しくなる質問を書きましょう。では、カードに書いてください。 　　☆こんなこと聞きたいな。この質問なら答えてくれるかな。 ●書けたカードをグループごとに集め、よくきってください。 ●順番にカードを1枚引いて、書かれていることについて話してください。他の人はしっかり話を聞きましょう。答えられない質問の時は、「パスします」と言ってカードをいちばん下に戻して引き直してください。自分が書いたカードなら答えられると思うので、それを引くようがんばりましょう。時間は10分間です。始めてください。　☆どんな質問を引くかな。 ●はい、時間がきました。今話している人が最後です。 ●この自己紹介はどうでしたか。質問を書く時、話す時、聞いてる時に感じたことを今のグループで話してみてください。 ●自分の書いたカードのことを一生懸命話してもらえるってうれしいですね。友達の意外な面も発見できたのではないでしょうか。	●時間やグループの人数を考えて、1人当たりに配布するカードの枚数を決める。 ●「なぜその食べ物が好きなのですか」と理由まで尋ねると話が弾んで盛り上がることを付け加えてもよい。 ●早く書けた子にはカードの色をぬらせたり、カードをたくさん書かせたりする。 ●4～6人程度のグループをつくる。 ●それでも答えられない場合は、他の人が代わりに答えたり、教師が介入して、答えられるカードを探すなど援助する。

小学生　低／中／高
中学生
高校生
大人

答えられない
…
カードをもどしてもう一度引いてみて

■前後のつなぎと子どもの変化

○学級開きの自己紹介として実施するとリレーションづくりに効果的である。
○クラスによっては、質問を書く時間と答えていく時間を別々に設け、教師が質問に目を通す。
　☆自分の質問にみんなが真剣に答えてくれてうれしかった。
　☆質問に答えたら、みんなが拍手してくれたり、「なるほど、そうなのか」などと言ってくれたりしたのがうれしかった。

■エクササイズの由来

・「スゴロクトーキング」『エンカウンターで学級が変わる　ショートエクササイズ集』図書文化
・「サイコロトーキング」『エンカウンターで学級が変わる　小学校編1』図書文化

ポジティブしりとり

南方真治 みなかたしんじ
和歌山県立和歌山工業高等学校教諭

■ねらい
自分のポジティブなことがらを紹介し，受け入れられる体験を通して自己肯定感を高める。

■背景となる理論・技法
自己開示

時間 15分

場所 教室

ねらい 自己理解 他者理解

（吹き出し）
- てつぼう！僕は鉄棒が得意だからです
- うちゅうひこうし！僕は宇宙飛行士になりたいからです
- し、し、し…
- 田中君はハンバーグが好きだったね
- パチパチパチ

■準備
・筆記用具

■内容
・3～5人のグループをつくる。
・好きなものや長所など，自分のポジティブな面と関係する言葉を使ってしりとりをする。
・順番に，前の人に続く言葉とその理由を発表する。聞いていた人は拍手する。詰まったら周りの人が助けてもよい。
・発表の内容はメモしておき，各グループがどのくらい続いたかを競う。
・気づいたことや感想を自由に話し合う。

■実施できる時間
・学活……学級開きの人間関係促進として。
・その他のアレンジ……しりとりの順番を決めずに行ったり，文章でしりとりしたり，友達のポジティブな面について発表するようにもできる。

■展開例　ポジティブしりとり「学活での実施」

教師の指示(●)と子どもの反応・行動(☆)	ポイント
●グループごとに輪になって座ってください。 ●今日はちょっとかわったしりとりをします。これはグループで助け合って続けるしりとりです。使ってよい言葉は自分に関するもの。例えば自分のよいところ，得意なスポーツや得意なこと，将来なりたいもの。それから，好きな食べ物，家で飼っている大切なペットの名前もいいですね。だれも知らないものなら，なおよいです。そしてその理由もつけ加えてください。もしも詰まってしまったら，グループの人が助けてあげてもOKです。 ●例えば先生なら，「リンゴ。椎名林檎の歌が好きだから」「ごろ寝。1番幸せなときだから」「ねばり強い。私のいいところ」という具合です。 ●それでは，少し考えてみてください。自分のよいところ，得意なこと，好きなもの……，どんなものがあるでしょう。　☆いいところなんてないよ。 ●はい。それでは始めますが，もう一度ルールを説明しますよ。前の人に続く言葉で，自分のよいところ，得意なもの，好きな物などに関係したものを言います。そのとき理由も言ってください。他の人はしっかり聞いて，終わったら拍手をしてあげてください。しりとりがたくさん続いたチームが勝ちです。数がわからなくならないように，これから配るシートにメモをとってください。時間は3分です。いいですか。 ●それでは，グループで黒板にいちばん近い人から始めます。はい，スタート。 ●はい終了です。感想や気づいたことをグループで話し合ってください。 ●どうでしたか。自分の得意なものを友達に紹介したり，友達の今まで知らなかったことを知ったりすることができたのではないでしょうか。	●3～5人グループが適当。孤立しやすい生徒が入れるよう配慮する。 ●ルールはしっかりと伝え，徹底を図る。教師が例を示すとよい。 ●慣れてきたら順番を決めずに行ってもよい。 ●いいところを考える時間をもったり，用紙に書かせるとよい。 ●「なるほど」「わかったよ」と支持，共感を表す拍手を促す。 ●スタート時につまずいているグループはないかを注意する。 ●話し合ったことや，友達についての新しい発見を，全体に紹介してもよい。

小学生　低　中　高
中学生
高校生
大人

ポジティブしりとり　合計(　　　)		
ことば	名前	理由
↓		
↓		
↓		
↓		
↓		

■前後のつなぎと子どもの変化

○年間を通して，いつでも実施できる。
○グループごとの発表メモを黒板に貼り，全体シェアリングにつなげてもよい。
○本エクササイズのあと，他のグループと他者紹介をしたり，ポジティブフィードバックにつなげるとよい。
　☆楽しみながら友達のいいところがわかった。
　☆友達の意外なところがわかってよかった
　☆言葉が出てこなくて，自分のことがわかっていないと思った。

■エクササイズの参考文献

・「わたしはわたしが好きです。なぜならば」『エンカウンターで学級が変わる　中学校編1』図書文化

キラキラ生きる

米田 薫 よねだかおる
大阪府箕面市教育センター指導主事
大阪教育大学非常勤講師

■ねらい
支持したり支持されたりする体験から自己肯定感を高め，自分らしく生きるための勇気を得る。

■背景となる理論・技法
自己主張訓練，支持

1 キラキラ生きる あなたの命

2 まばたきしては みんなを照らす／イラスト上手／スポーツ得意だね／勉強がんばってるね

3 かけがえのない あなたの命

4 ありがとう／まんが家になれるようにがんばります

時間：20分
場所：オープンスペース
ねらい：自己受容

■準備
・歌詞を板書したり掲示しておく

■内容
・6人以上のグループをつくる。
・祝福される人を1人決め，「自分が今言ってもらいたい言葉」を3つ尋ねる。
・祝福される人を中心にして，残りのメンバーが手をつないで輪になる。
・「キラキラ星」の替え歌を振りつきで歌う。歌の途中，3つの言葉で中心の人をほめる。
・歌の終了後，祝福された人が「ありがとう，私は今から～していきたいです」と決意を語る。
・交代して全員が祝福してもらう。

■実施できる時間
・学活……全員を対象に，節目の時期に実施する。
・朝の会・帰りの会……誕生日を迎える子どもを対象に実施する。係活動として「キラキラチーム」を結成しても楽しい。
・行事……宿泊行事や体育祭等の最後に実施する。
・職員研修や保護者会

第4章 みんなを大切に

■展開例　キラキラ生きる 「高学年の学活での実施」

教師の指示(●)と子どもの反応・行動(☆)	ポイント
●今日は、ちょっと恥ずかしいけれど、とってもうれしい気持ちになれて、しかも元気がわいてくるエクササイズを体験してもらいます。 ●人からこれを言ってもらうと心がウキウキするっていう言葉があるよね。私なら「すばらしい先生」とか「愛してる」とか「スマート」とかね。 ●今日は、自分の言ってほしい言葉3つを周りの人に思いっきり言ってもらって、その時に感じた気持ちとこれからの決意を語ってもらいます。 ●各班で、だれが一番に言ってもらえる役をするか、決めてください。 ●それから、祝福したい・されたい気持ちを高めるために、「キラキラ星」の替え歌を振りつきで歌います。タイトルは「キラキラ生きる」です。 ●では1班にモデルをやってもらいます。最初に祝福されるのはAさんだね。じゃ、Aさんを中心に、残りのメンバーは輪になってください。 ●Aさん、「今言ってもらいたい言葉」を3つ教えてください。 　☆勉強がんばってるね！　イラスト上手！　スポーツ得意だね！ ●他の人は3つの言葉、覚えたかな。では、みんなで手をつないでください。初めは時計回りです。歌詞は黒板を見て、振りつけは私が言うからね。 　☆振りをつけながら替え歌を歌う。途中3つの言葉でAをほめる。 ●今の気持ちと、これからのがんばりたいことを聞かせてくれるかな？ 　☆ありがとう、漫画家になれるようにがんばりたいです。 ●ではやってみましょう。　☆グループに分かれ、いっせいに歌い踊る。 ●祝福された時の気持ち・した時の気持ちを発表してください。 ●ちょっと照れながらも、みんなの顔がニコニコしていました。みんなが見てくれています。勇気をもって自分らしく、キラキラ生きていこうね。	●明るい中にも厳粛な雰囲気を大切にする。 ●低学年の場合は、ほめてほしい言葉の例を、いくつか板書しておく。 ●生活班で実施する。4人以上で、時間に応じて人数を調整する。 ●あらかじめ歌詞は板書し、隠しておくとよい。 ●決意の話型は、「ありがとう、私は今から○○していきたいです」。 ●決意は具体的で小さなもの、すぐにでも実行可能なものがよいことを伝え、具体例を示す。 ●感想が祝福された気持ちに偏る場合は、「ほめ言葉を言ってあげる時にどんな気持ちになったか」問いかける。

小学生 低／中／高
中学生
高校生
大人

■歌詞と振り付け

♪キラキラ生きる　あなたの命♪
♪まばたきしては　みんなを照らす♪
　手をつないで時計回りに回る。2フレーズまで歌ったら手を離してひざまずき、中央の人に向けて両手をヒラヒラさせながら3つのほめ言葉を大きな声で言う。ほめ言葉をかけ終わったら、立ち上がって再び手をつなぐ。

♪かけがいのないあなたの命♪
　再び時計回りし、歌が終わったら両手で中央の人を捧げるようにする。

※人数が多く輪が大きい場合は、ほめ言葉を言う際に中央の人に近づくようにする。

■前後のつなぎと子どもの変化

○自己理解・他者理解が深まるエクササイズに続いて実施すると、祝福する側も祝福される側も実感がこもって効果的である。
○信頼体験のエクササイズの後にもよい。
○学期末や学年末に実施して、「今学期（今年度）のことでほめてもらいたいこと」を祝福し、「来学期（年度）に向けての決意」と構成することもできる。
☆思いっきりほめてもらえてうれしかった。

■エクササイズの由来

・石崎洋一他『きらきらゲーム』善文社をもとにした。

私の3大ニュース

藤原ひとみ ふじはらひとみ
大阪府摂津市立千里丘小学校
養護教諭

■ねらい
自分のよいところや一生懸命取組んできたことを意識化することで、自己肯定感をより高める。友達の経験や取組みを知ることで、共に学び成長してきたことを喜び合う。

■背景となる理論・技法
自己開示

> 水泳大会
> リレーのアンカー
> 緊張したけど
> よくがんばったなあ

私の3大ニュース
年　組　名前（　　　　）

1年間の自分の出来事で、思い出にのこっていること、よくがんばったと思うこと、だれもしていないような経験など、『私の3大ニュース』を選びましょう。

① ＿＿＿＿＿＿＿＿＿＿＿＿＿＿＿＿
② ＿＿＿＿＿＿＿＿＿＿＿＿＿＿＿＿
③ ＿＿＿＿＿＿＿＿＿＿＿＿＿＿＿＿

時間 20分
場所 教室
ねらい 他者理解

■準備
・「私の3大ニュース」シート
・回答シート……全員分の氏名を印刷しておく。
・筆記用具

■内容
・1年間で一生懸命取組んだこと、珍しい体験、思い出に残っていることなど、自分の「3大ニュース」をワークシートに記入する。
・ワークシートを回収する。
・教師がシートを読み上げる。
・だれのかを予想して回答シートに名前を書く。
・正解を発表する。
・全員分について行う。
・感想を話し合う。

■実施できる時間
・帰りの会、学活、道徳の時間など……学期末や学年末、行事後などに、振り返りを目的として。

第4章 みんなを大切に

■展開例 私の3大ニュース 「学年末の振り返りでの実施」

教師の指示（●）と子どもの反応・行動（☆）	ポイント
●（前日）これから配るプリントに，1年間で一生懸命取組んだことや，だれもしていないような珍しい体験，思い出に残っていることを書いてください。明日から先生が1枚ずつ読み上げ，だれのかを当てていってもらいます。1日で全員はできないので，4日間かけて帰りの会でやっていきます。いつ自分のが出るかドキドキだね。──書き終えたシートを回収する。	●宿題にして記入させてもよい。プリントを人に見せないようにする。
●（翌日）回答シートを配ります。今日は10人分のプリントを先生が読み上げるので，だれのかを予想してください。びっくりするようなことや面白いことがあると思います。すばらしいと感じたことや感動したことは，素直に表現してあげましょう。反対に，読まれている人がいやな気持ちになるような表現はやめましょう。自分が読まれている時には，できるだけ他の人に気づかれないようにしましょう。回答シートを配る。	●人に知られたくないことを記入する必要はないことを伝えておく。●ヒントになるよう，具体的に書くように指示する。
●では始めます。私の3大ニュース！①修学旅行の夜，同じ部屋の人と朝までしゃべっていました。②児童会役員，大変だったけど運動会の児童会種目をやったことが思い出です。③かわいがっていたハムスターが10月に死んでとても悲しいです。この人は，児童会役員を一生懸命やったんだね。ハムスター，かわいがっていたのに残念だね。　☆各自で答えを書く。	●読み上げている時に，さまざまな反応がある。不快にさせる表現は，前もって注意しておく。●読み上げる時，その子に対するポジティブな教師のコメントも入れるとよい。
●書けましたか？　それでは，正解の名前を言います。──人数分繰り返す。　☆名前を言うたびに，わ〜という歓声や，え〜という驚きなどがおこる。	●残り少なくなってきたら，最後にまとめて正解を言うようにする。
●自分が読まれている時にはどんな気持ちがしましたか？　友達の3大ニュースを聞いてどんな気持ちになりましたか？　今の気持ちを発表してください。	
●自分は友達のことをどれくらいわかっていたでしょうか。修学旅行や運動会のことなど，みんなの思い出に残っていることもあれば，みんなの知らないところで努力していた人もいましたね。明日も続きが楽しみですね。	●発表しにくい場合は，振り返りカードを用意して記入させる。

小学生　低／中／高
中学生
高校生
大人

私の3大ニュース回答編
先生が読み上げる人が，だれなのか，予想を書こう！

出席番号	氏名		答え
1		14	
2		15	
3		16	
4		17	
5		18	
6		19	
7		20	
8		21	
9		22	
10		23	
11		24	
12		25	
13		26	

■前後のつなぎと子どもの変化

○学期末や学年末など，節目をとらえて実施する。自分が気づかなかった，お互いのよいところやがんばっていたことを知ることで，友達へのあたたかな感情がかよい合う。

☆自分のを読まれる時は，どきどきしたけど，なんとなくうれしかった。

☆知っているようでも，みんなに知らないところがたくさんあってびっくりした。

☆みんなもがんばっていたけど，自分も結構がんばったんだなぁと思った。

■エクササイズの由来

・「私はわたしよ」『エンカウンターで学級が変わる小学校編1』図書文化をもとにした。

何が伝わった？

上村知子 うえむらともこ
千葉市立鶴沢小学校教諭

■ねらい
身振り手振り・顔の表情を使った表現を通して，ふだん見せることのない自分の一面を見せ合い，互いを受け止め，リレーションを深める。身体表現が多くのことを伝えていることに気づく。

■背景となる理論・技法
ノンバーバルコミュニケーション

心に残っている出来事とその時の気持ちをジェスチャーで伝える

時間 20分

場所 教室

ねらい 他者理解

■準備
・特になし

■内容
・日常生活の中の身振り手振りや表情にはどんなものがあるかを考える。
・4人組になる。うれしかった，悲しかったなど，最近強く感情が残ったことを各自思い浮かべる。
・1人が出来事とその時の感情をジェスチャーや表情で表現する。他の人は2分以内であてる。
・見ていた人が1人ずつ，伝わってきたことを話す。最後に，ジェスチャーをした人が伝えたかったことを説明する。
・順番に全員が行う。

■実施できる時間
・学活……他者理解を目的として。
・国語……身体を使った自己表現力を高める目的で。手話の学習の導入として。
・その他のアレンジ……授業などの感想をジェスチャーで伝え合う。

■展開例 何が伝わった？ 「学活での実施」

教師の指示(●)と子どもの反応・行動(☆)	ポイント
●みんなはどんな時に身振り手振りを使って気持ちを伝えますか？ 　☆「こっちへおいで！」は手招き。「静かに！」は口に指を当てる。	●日常の中の，身振り手振りや表情を取り上げ実際にやってみる。
●じゃあ，顔の表情はどうでしょう。怒っている時はどんな顔？　そうだね。悲しい時は？　うれしい時は？　頭が痛くてつらい時は？　顔の表情からもうれしい気持ちや辛い気持ちが伝わるんだね。	
●今日は体全体を使って，言葉を使わずにみんなで会話をします。　☆えー。	●気持ちを表す言葉を黒板に例示する。
●最近の出来事で，うれしかった，悲しかった，ムカムカした，イライラしたというように，気持ちが強く残っていることを思い出してください。その時の出来事と気持ちをジェスチャーや表情で伝えてみましょう。	●テーマが見つからない場合は例を示す。「朝起きた時の気持ち」などと限定してもよい。
●まず先生がやってみるので，どんな出来事があってどんな気持ちになったかあててみてください。　☆犬のふんを踏んだんだ！　☆悲しかった！	
●では生活班の4人組になってください。まずはシンキングタイム！	●テーマが似てしまう場合は「みんながわからない問題も出そう」と促す。
●順番を決めてください。時間は1人最高2分間，先生が合図します。見ている人はどんどんわかったことを伝えてください。質問はありますか。 　☆早くわかってしまったらどうすればいいですか。	●自分が知っている限りの手法を使ってよい。
●見ていた人が1人ずつ，伝わってきたことを話してください。最後に，ジェスチャーをした人が出来事とその時の気持ちを話してください。あとは静かに待っていてください。2分たってしまった場合も同じです。	
●やってみてどんなことを感じたりわかったりしましたか。 　☆出来事を当てるのはむずかしかったけど，気持ちはすぐわかった。	●グループやテーマを変えて再度行ってもよい。
●ジェスチャーや表情では，素直に自分の気持ちを表せるように感じました。言葉の他に，仕草や表情でも気持ちを伝え合っていきましょう。	●必要に応じて振り返りカードを書く。

小学生 低 中 高
中学生
高校生
大人

いつも仲よしの子が同じグループになった

「相手の知らないことをジェスチャーでやってみよう」

■前後のつなぎと子どもの変化

○「あの子はこうだから嫌だ」「何を考えているかわからない」等，決めつけるような言動が目立ったとき，他者理解を目的に実施する。
　☆Aちゃんのことはよく知っているから，何を伝えようとしているかすぐにわかったよ。
　☆あの子はいつも無口だからわからなかったけれど，いろいろなことを考えていたんだな。
○「手話」や「動作化」の手法を取り入れながら表情豊かに身体表現をすることで，よりダイナミックな自己表現が期待できる。

■エクササイズの参考文献

・野村雅一「みぶりでつたえる」国語教科書小学1年　教育出版

何考えてるかあててみて！

原田ゆき子 はらだゆきこ
宮城県仙台市立小松島小学校 教諭

■ねらい
一人一人が順に全員から注目される経験を通して，クラスでの心の居場所づくりをする。また，友達の意外な面を発見して，人間関係を深めるきっかけにする。

■背景となる理論・技法
質問，傾聴技法，支持

（吹き出し）えーっと 好きな食べものは…

（吹き出し）みんなも好きなものですか ／ はい！

1. 今考えていることを書いてふせておく

2. 質問をしてあてる

時間 15分
場所 教室
ねらい 他者理解

■準備
・画用紙，サインペン，掲示用自己紹介カード

■内容
[事前に]
・自己紹介カードを書き，掲示したり，発表したりしておく。

[本時]
・クラスの1人が前に出て，自己紹介カードの内容から今自分にとって興味深いこと，いちばんの関心事を画用紙に書き，ふせる。

・その人が書いたキーワードをあてるため，5人が1つずつ質問し，イエスかノーで答える。
・その人のふだんの様子や質問したこと等から，思い浮かべたキーワードをあてる。
・何人について同様に行う。

■実施できる時間
・朝の会，帰りの会……毎回5名程度ずつで交代して実施する。
・学活……出会いの時期やお互いのリレーションを促進したい時期

第4章 みんなを大切に

■展開例 何考えてるかあててみて！ 「学活での実施」

教師の指示（●）と子どもの反応・行動（☆）	ポイント
●みなさんがお互いのことを知るために，自己紹介カードを書いてもらいます。書いたものは，掲示コーナーに貼っておきますので，見ておいてください。来週の朝の会で，毎回何人かずつ「何考えてるかあててみて」というエクササイズをします。しっかり見ておきましょう。 　☆どんなエクササイズかな。たくさん覚えなければ……。	●自己紹介する項目は，10項目程度とし，ワークシートに印刷したものを配布しておくとわかりやすい。慣れてきたら自由記述でも可能である。
●さあ，今日から1週間，朝の会と帰りの会に「何考えてるかあててみて」というエクササイズをします。毎回，出席番号の順に5人ずつを選び，その人の興味のあることや関心があることの中から，何を思い浮かべたかをあてるものです。書くキーワードは，先日書いた自己紹介カードの中から選んだもの1つを画用紙に書いてください。 　☆ええー，むずかしそう。わかるわけないよ。あてられるわけないよ。	●事前に掲示しておいたり，発表などをしておくと，質問や答えが出しやすい。
●ヒントとして，1人の人に対して5つ質問していいことにします。答える人はイエスかノーで答えてください。	●今自分にとっての一番の関心事を記入するように声がけする。
●それでは，1人目の人は前に出てください。 ①キーワードを画用紙に書き，紙をふせる。②5人の人が1つずつ質問する。③イエスかノーで答える。④「何考えてるかあててみて」と全員がコールして，わかった人は挙手をして答える。⑤正解だったら拍手をする。⑥なぜそのキーワードにしたかを言う。	●左の手順①～⑥で進め，1回り終わったら2人目以降も同様に行う。
●今日の5人の人のことで気づいたことがある人は，感想を言ってください。 　☆○○君が，ピアノを弾けると聞いて驚いた。今度聴かせてほしい。 ●帰りの会でも次の5人がしますのでお楽しみに。	●毎回シェアリングし，全員終わった時点で全体シェアリングする。

小学生 低／中／高
中学生
高校生
大人

■質問の例

●自己紹介カードの質問例
・何人兄弟ですか。
・好きな教科は何ですか。
・苦手な教科は何ですか。
・好きな食べ物は何ですか。
・苦手な食べ物は何ですか。
・習っているものは何ですか。

●5つの質問例
・それは趣味ですか。
・みんながよく知っていることですか。
・あなたにとってうれしいことですか。
・それは学校に関係ありますか。
・それを食べたことがありますか。

■前後のつなぎと子どもの変化

○お互いのことをよく知った状態（ある程度一緒に過ごしている）であれば，事前に自己紹介カードでの活動がなくても，取り組むことができる。
○アレンジとして，グループごとに実施してから，全体で行うとスムーズに取り組むことができる。
○「いいとこさがし」「質問ジャンケン」などの前に実施したり，組み合わせて行うと，友達に対する新しい発見などがある。

■エクササイズの由来

・「印象ゲーム」『エンカウンターで学級が変わる 小学校編』を参考にした。

はらはら親子紹介

三池勝広 みいけかつひろ
長崎県時津町立時津東小学校教諭

■ねらい
学年始めや出会いの時期に，保護者同士，子ども同士，保護者と子どもの間に親密感をもたせる。親子理解を深める。

■背景となる理論・技法
自己開示，ポジティブフィードバック

（吹き出し）あっ早く

（吹き出し）お母さんのいいところは料理が上手なところです

1. はちまきを首に巻いて1回結び手をたたいてから次の人へ回す

2. 音楽が止まった時にはちまきを持っている人が家族のいいところを言う

時間 20分
場所 体育館
ねらい 他者理解

■準備
・はちまき
・軽快な音楽のCD，ラジカセ，マイク

■内容
・保護者と子どもが混ざり合って円になる。
・音楽に合わせてはちまきを回す。はちまきが回ってきたら，首の周りで1回結び，手をたたいてから左側の人に回す。
・音楽がやんだ時，はちまきを持っていた人とその家族（保護者または子ども）が立つ。
・立った親子は，互いの名前といいところをみんなに紹介する。
・やってみて感じたことを話し合う。

■実施できる時間
・学活……学年始めに，子どもや保護者の交流を図りたい時。
・保護者懇談会……懇談会の前などに，緊張をほぐし雰囲気を和らげる目的で。

第4章 みんなを大切に

■展開例 はらはら親子紹介 「授業参観での実践」

教師の指示(●)と参加者の反応・行動(☆)	ポイント
●大きな円をつくって座りましょう。　☆保護者と一緒に円になって座る。 ●今日は，おうちの人といいところを紹介し合うゲームをします。友達やおうちの方のことをたくさん知るきっかけにしてほしいと思います。 ●やり方を説明します。これからはちまきを回します。回ってきたら首にかけて，1回ゆるく結んでください。結べたら手を1回たたいて左の人に回します。音楽がかかっている間に急いで回してください。音楽が止まった時ははちまきを持っていた人はその場で立ちます。その時，家族の人も一緒に立ってください。互いのいいところを紹介してもらいたいと思います。例えばこんな具合です。先生の息子は○○といいます。○○に聞いたお父さんのいいところは，ときどきお小遣いをくれるところだそうです。○○のいいところは，元気いっぱい健康なところです。 ●残念ながらおうちの方が来ていない場合は，先生がいいところを言うので安心してください。音楽が鳴ったらスタートです。　☆はちまきを回す。 ●（音楽を止める）今はちまきを持っている人は立ってください。 ●では○○さんとお母さん。互いの名前といいところを紹介してください。 　☆（子）お母さんの名前は△△です。お母さんのいいところは，料理がとても上手なところです。 　☆（保護者）○○の母です。○○のいいところは，私が疲れていると，そっと後ろから肩をもんでくれるやさしいところです。 ●2人ともありがとう。じゃあ2回目スタートです。──時間まで繰り返す。 ●時間です。「はらはら親子紹介」をやって，どんなことを感じたり，気づいたりしましたか。今の気持ちを発表してくれる人はいませんか。	●活動を予告し，いいところをいくつか考えてくるようにする。 ●人数が多い時は，はちまきの数を増やす。 ●保護者が来ていない場合は教師が代役をする。子どもが保護者のいいところを言った後，担任が子どものいいところを言う。 ●2度あたった場合は，違うことを言う。多くの人にあてたい場合は，1度あたったら，1歩下がって見ているルールにしてもよい。 ●最後に時間をとって，あたらなかった人にインタビューする。

小学生 低 中 高

中学生

高校生

大人

お母さんのいいところが言えない

お母さんのお名前をみんなに教えてくれるかな

■前後のつなぎと子どもの変化

○「いろいろ握手」（パート1参照）などをウォーミングアップとして行い，緊張をほぐすと話がしやすい。
　☆みんなの前でお母さんからいいところを言われるのはうれしかった。
　☆いつ，自分が紹介する番になるかとはらはらしたけど楽しかった。

■エクササイズの由来

・バスの中で行われるゲームやレクリエーション

3つの発見

原田友毛子 はらだともこ
埼玉県所沢市立北小学校教諭

■ねらい
1日をポジティブに振り返ることで，自己肯定感を高める。互いのよさを認め合うことで他者理解を促進する。

■背景となる理論・技法
自己開示，ポジティブフィードバック

1. 毎日「自分」「友達」「何でも」について発見したことを書く

2. 最終日には書きためたものを読み合う

時間 7分

場所 教室

ねらい 自己受容 他者理解

■準備
- 3つの発見カード（ワークシート）
- 筆記用具

■内容
- 1日を振り返り，①友達，②自分，③何でもについての発見をカードに記入する。
- 書き終わった人から教師に提出する。
- 4日目まで，同様に繰り返す。
- 5日目はカードを持ち寄って円になって座る。互いのカードを回し読みをする。
- 気づいたことや感想を発表する

■実施できる時間
- 帰りの会……1日を振り返る目的で。
- 行事の後……1年生を迎える会，音楽朝会，体育朝会，児童朝会，学年朝会，遠足，運動会，音楽会など，子どもの活動が多く行われた時，教室に戻ってすぐに実施する。

第4章 みんなを大切に

■展開例 3つの発見「帰りの会での実施」

教師の指示(●)と子どもの反応・行動(☆)	ポイント
●今日から帰りの会で「3つの発見」をしてもらいます。ふだんの生活ではあまり気づくことのない次の3つを振り返り，その日の発見をカードに書いていきましょう。自分の目と耳と心をしっかりはたらかせていると，すぐに発見できます。むずかしいことはありませんよ。☆何を発見するの？	●3つの項目を模造紙に書き，黒板に貼る。 ●カード裏にも記名する。
●発見1，クラスの人のこんないいところ見つけたよ！ 　発見2，自分は今日こんなことがんばったよ！ 　発見3，よかった，楽しかった，すばらしかったこと見つけたよ！	
●朝から今までのことをよく思い出して，自分の心をしっかりはたらかせて書いてみましょう。朝自習や朝会，授業，休み時間，給食，掃除など，どの場面のことでもいいですよ。時間は5分間です。──カードを配布。	●おもに発見2を見て，そうだったね等のコメントを小声で伝える。
●終わった人は，裏側にして静かに先生のところに持ってきてください。	●全員のカードにコメントを書いておく。
●時間になりました。途中の人はさよならした後，先生が相談にのるから心配しないでね。　　　　☆みんなが帰った後ゆっくり話し合う。	●2日以降はカードを裏返しに配布する。
<2～4回目> ●3つの発見をします。発見1は，昨日と別の友達のことを書きましょう。	
<5回目> ●自分のカードを持って円になって座りましょう。	●状況によって円の人数を調整する。
●「いっせーのせ」で右側の人にカードを渡します。読んだらまた右側の人に回します。自分のカードが戻ってきたらおしまいです。	●5回目のシェアリングが大事なので，時間のゆとりがある学活などで実施するとよい。
●カードを読んでみて，感じたことや気づいたことがありますね。だれからでもいいですから，発表してください。　☆友達に認められてうれしい。	
●ではカードの一番下の欄に，今の自分の気持ちを書いてみましょう。	

小学生 低 中 高

中学生

高校生（ ）

大人（ ）

3つの発見カード（　年　組　　　　　）	月 日	友　達	
		自　分	
		何でも	
	月 日	友　達	
		自　分	
		何でも	
	月 日	友　達	
		自　分	
		何でも	
	月 日	友　達	
		自　分	
		何でも	
	感じたこと・気づいたこと		

■前後のつなぎと子どもの変化

○学校行事や朝会など活動が多いチャンスをとらえて書かせておくとよい。

○互いのよさを認め合うような主題の道徳の授業に結びつけると効果的である。
　☆思ってもみなかった人が私のことを発見カードに書いてくれたので，うれしくなりました。
　☆自分のよいところを書くのは照れるけど，みんなで書くから平気になった。
　☆カードを回して，友達のを読む時は，何だかわくわくしました。

■エクササイズの由来

・「いいとこさがし」『エンカウンターで学級が変わる　ショートエクササイズ集』図書文化
・簗瀬のり子の実践をアレンジした。

体ぜんぶで自己紹介！

森 洋介 もりようすけ
山口短期大学専任講師

■ねらい
体を動かしながら互いにニックネームを呼び合うことで，親近感を深める。自分をまねてもらうことで集団に受け入れられる実感を得る。

■背景となる理論・技法
自己開示，受容，共感，支持

呼んでほしいニックネームとポーズをやってみせる。みんなはそれをまねする

時間 20分

場所 オープンスペース

ねらい 他者理解

■準備
・なし

■内容
・全員で輪になって内側を向く。
・呼んでほしいニックネームを本人が発表し，それに続いて全員がコールする。順に1周する。
・2周目はニックネームに自由にポーズをつける。1周目と同様に行う。
・感想を話し合う。

■実施できる時間
・学活……学年始めに自己紹介を兼ねて行う。
・宿泊行事……ロングエクササイズへの導入，リレーションづくりとして。

■展開例 体ぜんぶで自己紹介！「学活での実施」

教師の指示(●)と子どもの反応・行動(☆)	ポイント
●今日はちょっと面白い自己紹介をします。みんな，輪になって。 ●この時間は，自分が呼んでもらいたいニックネームで呼ばれる時間にします。あなたは，みんなにどう呼んでもらいたい？　ぜひ紹介してください。みんなはこの時間，そのニックネームで呼んであげよう！ ●じゃ，まずは先生からいくよ。先生は「ようすけさん」って呼んでね。先生の後に続いてください。ようすけさん！　　☆ようすけさん！ ●じゃ，今度は先生のとなりの○○君から順番にまわしていくよ。みんなも後に続いて大きな声で呼んであげよう。スタート！ 　☆子ども「マー君！」　☆その他全員「マー君！」 　☆子ども「あゆ！」　☆その他全員「あゆ！」 ●みんな素敵なニックネームだね。次はニックネームを言う時に，自由にポーズかジェスチャーをつけてみよう。みんなは，本人に続けて動きも真似てみよう！　また順番にまわしていくよ！　今度は反対回りです。 ●じゃ，まずは先生から。ようすけさん！――頭の上で輪をつくる。 　☆「ようすけさん！」と言いながら同じポーズ 　☆バスケットのシュートのポーズ，クルリと一回転など。 ●さあ，全員まわりました。今どんな気分ですか？ 　☆声を出して体を動かしたらすっきりした。 　☆みんなに呼んでまねしてもらって，なんだか照れくさかった。 ●ほんとにみんな，いい味を出しているね。楽しい仲間になりそうですね。 ●ではおしまいです。これからは，いつもの名前で呼んでくださいね。	●ニックネームを名札に書いてもよい。 ●教師は自分を呼んでもらったらうれしそうなジェスチャーをする。 ●考える時間はあまりとらずに，リズミカルに，テンポよく進める。 ●ポーズの控えめな子どもを十分肯定し支持する。 ●教師への呼びかけ方などを確認しておく。 ●深呼吸し，体を落ち着かせて終わるとよい。

小学生 低 中 高
中学生
高校生
大人

周りの子がけしかける

「おまえ○○って言えよ」
「自分が呼んでほしいことが大切だよ」

■前後のつなぎと子どもの変化
○リレーションづくりとして最適。
○事前に自分のニックネームを書いた名札をぶら下げるとやりやすい。
○最後に「このニックネームはこの時間だけ。ふだんはやっぱり○○と呼んでね」とみんなに呼びかける時間をもったほうがよい場合がある。特にこの時間が終わってからの子どもたちから教師への呼びかけ方などは確認したほうがよい。

■エクササイズの由来
・六浦基による「こころの旅のグループワーク」でのワークをもとにした。
・「はい，ポーズ！」「鏡よかがみ」『エンカウンターで学級が変わる　ショートエクササイズ集』図書文化も参考にした。

自己紹介トス

中里 寛 なかざとゆたか
宮城県柴田町立船迫中学校教諭

■ねらい
ふかふかのクッションのトスと，あたたかい受け答えで，短時間での自己受容や他者理解を促す。

■背景となる理論・技法
自己開示，支持

（吹き出し）
- ギターが得意な高橋君！看護婦になりたい川田です
- ありがとう 看護婦になりたい川田さん

時間 10分

場所 体育館

ねらい 自己受容 他者理解

■準備
・クッションや柔らかいボールをグループの数だけ

■内容
・5～7人のグループをつくる。
・1人ずつ「○○な××です」と自己紹介する。
・各グループにクッションを1つ配る。
・クッションを持った人が，「○○な××さん」「△△な□□です」と言ってトスする。
・トスされた人は「ありがとう，△△な□□さん」と言って受け取り，同様に次の人へトスする。

■実施できる時間
・学活……学級開き直後や学期始め，グループ替えをした後など，他者理解を図る目的で。
・教科……グループ学習前に，緊張をほぐし，学習活動を円滑にするために。
・その他のアレンジ……自己紹介の部分を「自分の長所」「学習の目標」などに変えて行う。また，ぬいぐるみをグループ内の発言権を表す道具として使うこともできる。

第4章 みんなを大切に

■展開例　自己紹介トス「学活での実施」

教師の指示(●)と子どもの反応・行動(☆)	ポイント
●新しいグループになって，みんなちょっとかたくなっているね。今日は，かわいいふかふかのクッションの力を借りて，お互いに仲よくなれるような自己紹介をしましょう。生活班ごとに円になって座ってください。 ●では，1人ずつ順番に「○○な□□です」という形で自己紹介していきましょう。例えば先生の場合，チョコレートが大好きです。ですから「チョコレートが好きな中里」となります。好きなものだけでなく，「3人兄弟の末っ子の中里」「きのう山登りをしてきた中里」など，自由に自己紹介してください。　　　　　　　　　　☆順番に自己紹介を始める。 ●みんな，お互いの自己紹介を覚えましたか？――クッションを渡す。 ●では，クッションを持っている人は，だれかにやさしくトスしてください。その時，「○○な□□さん」と相手がした自己紹介のとおりに呼びかけ，さらに「△△な※※です」と自分も自己紹介をします。もらった人は，くれた人に「ありがとう，△△な※※さん」とお礼を言い，同じやりかたで別の人に渡します。やってみてください。 ●もしも途中でメンバーの名前や自己紹介の内容を忘れてしまったらどうしたらいいでしょうか。その時は相手の目を見て，トスしたいのだけれどできないことを表情と身振りで伝えてください。そうされた人は「○○な□□です」と，教えてあげてください。これで続けられますね。 ●慣れてきましたね。どんどんスピードを上げていきましょう。でも，クッションはやさしく扱ってくださいね。　　　　　☆大騒ぎでトスし合う。 ●やってみてどんなことを感じましたか。今の気持ちを教えてください。 ●和気あいあいとできましたね。これからのグループ活動が楽しみですね。	●5〜7人の生活班ごとに，いすだけを丸く並べる。ホールなどで床に丸く座るのもよい。 ●例を示す。長所を言わせるのもよい。否定的な表現は避けるようにさせる。 ●ハート形などのクッションや丸みのあるぬいぐるみを用意する。 ●相手への呼びかけ→自己紹介→お礼の順で進むことをおさえる。 ●相手を他己紹介してトスするアレンジもある。 ●グループ学習前の人間関係づくりに行い「自分の意見をしっかり言いたい○○です」などと，めあてを言うことも可能。

小学生　低／中／高
中学生
高校生
大人

否定的な内容の自己紹介をする子

（はずかしがり屋な…）
（みんなはキミのことをそう思ってないよ　こう言いかえたら…）

■前後のつなぎと子どもの変化

○グループ活動が中心になるような諸行事でのリレーションづくりに効果的である。
○「私の四面鏡」「権利の熱気球」「月世界」などのエクササイズのウォーミングアップとして使うのもよい。
　☆クッションのふんわりした感じで，友達の自己紹介をやさしい気持ちで聞けた。
　☆スピードを上げているうちに緊張した感じがなくなった。

■エクササイズの由来

・高久啓吾「ネーム・トス」『楽しみながら信頼関係を築くゲーム集』学事出版をもとにした。

あわせアドジャン

岡田 弘 おかだひろし
東京都聖徳栄養短期大学助教授

■ねらい
グループ全員が同じ数を出すために，気持ちを合わせたり，話し合ったりする活動を通じて，自己理解・他者理解を促進し，グループの凝集性を高める。

■背景となる理論・技法
ペーシング（呼吸合わせ），バーバルコミュニケーション

声をそろえて「アドジャン！」

みんなの数が同じだったら大成功

時間 10分

場所 教室

ねらい 自己理解 他者理解

■準備
・特になし

■内容
・4～5人組をつくる。
・声を揃えて「アドジャン」と言いながら，ジャンケンの要領で0～5までの数字を手で示す。全員が同じ数字が出せるようにする。
・ルールとして，同じ人が同じ数字を2回続けて出すことはできない。
・1分間に何回数字が合わせられるか，グループで競い合う。
・1分後作戦タイムを設け，グループごとに作戦を立てる。
・もう一度挑戦する。

■実施できる時間
・朝の会・帰りの会
・学活
・学年集会や全校集会の導入
・保護者会

第4章 みんなを大切に

■展開例　あわせアドジャン　「学活での実施」

教師の指示(●)と子どもの反応・行動(☆)	ポイント
●今日はちょっとみんなが熱くなる「あわせアドジャン」をします。 ●このアドジャンでは，合わせることを通して，自分や友達をより深く理解します。自分や友達を理解し，協力できた時の喜びを味わいましょう。 ●では，仲間はずれをつくらないように4〜5人組をつくってください。 ●グーは0，人差し指は1，二本指は2，三本指は3，四本指は4，パーは5とします。グループ全員で声を揃えて「アドジャン」と言いながら数字を出し合います。 ●ルールが2つあります。1つ目は，必ず全員で声を揃えて「アドジャン」と言ってください。2つ目は，同じ数字を続けて出せないことです。最初に5を出した人は，次は5以外の数字しか出せません。最初は1分間に何回合わせることができるかやりましょう。うまくできない人がいる時は教え合って協力しましょう。さっきも言いましたが，協力し合うことが目的です。では始めます。　☆アドジャン。やったー。だめだー。 ●ハーイ，そこまで。1回でも全員が揃ったグループはありますか。手をあげてください。　☆数グループが挙手。 ●すごいですねー。全員で拍手しましょう。 ●今度は作戦タイムをとります。ルールに反することでなければ，どんな作戦を立ててもかまいません。みんなが同じ数を出せるように協力して話し合いましょう。作戦タイムは2分間です。　☆グループごとに話し合う。 ●では，もう3分間やります。作戦はうまくいくかな。　☆アドジャン。 ●ハーイ，そこまで。みんなと協力するために「自分はどんなことをしたか」「今どんな感じがするか」をグループの人と話し合ってください。	●インストラクションはテンポよく行う。リズミカルなBGMを流しておくとよい。 ●数字の合ったグループが出たら，側に行って大きなリアクションで盛り上げる。 ●合わないグループへの配慮として「みんな違って，それでいい」ことを全体に伝える。 ●時間があるときは，いくつかのグループに作戦を発表させて，全員で作戦を共有する。実際には，盛り上がって自然にシェアリングに入ることが多い。

対象：小学生 低・中・高／中学生／高校生／大人

なかなか合わないグループ

「ゆっくりと次に出せる数をたしかめてごらん」

■前後のつなぎと子どもの変化

○自己理解と集団の凝集性が高まるエクササイズなので，この後にはさまざまな活動が可能である。「カムオン」や「団結崩し」（『エンカウンターで学級が変わる小学校編』所収）を実施するとさらに集団の凝集性が高まる。

○学級崩壊を起こしたクラスの建て直しにも活用できる。本エクササイズのようにルールの単純なものを，メンバーを次々に代えて行うことで，子どもたちの規範づくりに役立てられる。

　☆数字が合った時は思わず「ワァッ」と大きな声を出して喜んだ。みんなと楽しくできるから何度でもやりたくなる。

■エクササイズの由来と参考文献

・「アドジャン」『ショートエクササイズ集』図書文化をヒントにした。

トーキング・ペンダント

曽山和彦 そやまかずひこ
秋田県立本荘養護学校教諭

■ねらい
思春期において，自己イメージの形成に強い影響力をもつ友人からプラスのフィードバックをもらうことによって，自尊感情を高め，ありのままの自己を見つめて受け入れるきっかけをつくる。

■背景となる理論・技法
フィードバック，傾聴，エンパワーメント

時間 **20分**
場所 **教室**
ねらい **自己受容　他者理解**

■準備
・リボンや折り紙で作ったペンダント（班に1つ）

■内容
・一緒に活動した4〜5人組で輪をつくる。
・輪の中心にペンダントを置く。
・グループの一人一人について感謝したいことを，各自で思い浮かべる。
・初めの人がペンダントを取り，「○○さん，〜してくれてありがとう」と相手の首にかける。相手は「私もうれしいです」と言って受け取る。
・受け取った人は，次の人に対して同様にペンダントをかける。
・グループごとに感想を話し合う。

■実施できる時間
・行事……学習発表会，宿泊行事などの振り返りを目的として。
・学活……日，週，学期，年度の活動を振り返る目的で。
・その他のアレンジ……行事の内容に合わせて，ペンダントは別のものに変えられる。マイクを使って，発言権をやりとりするエクササイズにもアレンジできる。

第4章 みんなを大切に

■展開例　トーキング・ペンダント「行事後の学活での実施」

教師の指示(●)と子どもの反応・行動(☆)	ポイント
●学習発表会が終わりましたね。みなさんの力が1つになって大成功に終わり，とてもうれしかったです。今日は学習発表会を振り返ります。 ●中央にペンダントを置き，グループで輪になって座ってください。 ●学習発表会の準備から本番までを思い出しましょう。グループの友達に「ありがとう」「うれしかった」と伝えたいのはどんなことですか。一人一人について，どんな言葉をかけたいか考えてみてください。 ●考えがまとまった人はペンダントを取り，「○○さん，～してくれてありがとう（うれしかった）」と，気持ちを込めて相手の首にかけてあげてください。もらった人は，「私もうれしいです」と言ってゆっくり言葉をかみしめてから，同じようにだれかにペンダントをかけてあげてください。 ●ぜひ守ってほしい約束が2つあります。話をしてもいいのはペンダントを持っている人だけです。他の人は静かに話を聞きましょう。また学習発表会が成功したのはみんなの力が1つになったからだと思います。感謝の気持ちが伝わるよう，全員の首にペンダントがかかるようにしましょう。 ●では始めます。考えのまとまった人から始めましょう。 　☆○○さん，いつも練習に誘ってくれてうれしかった。ありがとう。 ●それでは最後です。まだペンダントをあげていない人はいませんか？ ●こんなにたくさんのことがあって，学習発表会は大成功したのですね。ペンダントを友達にかけた時，自分がかけてもらった時，どんな感じがしたでしょうか。気づいたことをグループで自由に話し合ってください。 　☆ペンダントをもらって，とても大切にしてもらった気がした。 ●お互いのよさを生かして，これからも仲よく活動していきましょう。	●一緒に活動した人と4～5人組をつくり，輪になって座る。 ●ていねいにペンダントをかけることが大切。一連の流れを実際にやってみせる。 ●約束は板書したり掲示したりする。 ●生徒の実態によって，話型を示したり自由にしたりする。 ●動けない生徒には個別に支援を行う。 ●数人からペンダントをかけてもらえるくらいの時間を設定する。 ●振り返り用紙へ記入してもよい。

小学生 低／中／高
中学生
高校生
大人

感謝の言葉がみつからない生徒

「心をこめたありがとう　でも相手はうれしいよ」

■前後のつなぎと子どもの変化
○ペンダントをかける動作があたたかな雰囲気をつくり出すので，言葉で伝える活動が苦手な集団でも実施しやすい。
○関係の深まった集団では，誕生月ごとにグループをつくるなど，ランダムに設定してもよい。
○時間を長く設定し，10人，20人とグループを大きくしていくと，たくさんの人について知ることができ，気づきもたくさん生まれる。

■エクササイズの由来
・中野民夫『ワークショップ』岩波新書に紹介されている「トーキング・スティック」という傾聴をねらったエクササイズを参考に考案した。

心の色は何色ですか？

影山雅通 かげやままさみち
福島県郡山市立芳賀小学校教諭

■ねらい
健康状態や気分を色に例えて伝えることで，自分の体調を振り返り，無理のない自己開示を促す。他者の具合を知り，その日どのように接したらよいか考える機会をもつ。

■背景となる理論・技法
自己開示，投影法，色彩心理学

発話例（1. 心の色の発表の様子）：
- 「はい元気です 今日の私の色はピンクです」
- 「友達と昼休み縄跳びすることになっているからです」

発話例（2. 全員の話を聞いた後での思いの発表）：
- 「○○さんが明るい色でぼくもなんだかうれしくなりました」
- 「○○君が元気のない様子なので係の仕事を手伝ってあげたいです」

1. 心の色の発表の様子
2. 全員の話を聞いた後での思いの発表

時間 10分
場所 教室
ねらい 自己理解・他者理解

■準備
・特になし

■内容
・健康調査で名前を呼ばれた際，自分の今の健康状態とそれに合う色を答える。
・元気で健康そうな色の子どもは，その理由や今日がんばりたいこと等を発表する。
・全員終わったら，気づいたこと感じたことを発表し合う。具合の悪い子への接し方を話し合ってもよい。

■実施できる時間
・朝の会……健康観察の際，自分の健康状態を振り返ったり1日の過ごし方を考える目的で。
・行事……遠足の移動中や宿泊学習の活動前後に，緊張をほぐし体調を自己診断させる目的で。
・その他のアレンジ……色だけでなく，晴れや雨といった天候に例えて表す方法にもアレンジできる。また，活動の楽しかった心情を振り返らせる機会にも活用できる。

第4章 みんなを大切に

■展開例 心の色は何色ですか？ 「朝の会での実施」

教師の指示(●)と子どもの反応・行動(☆)	ポイント
●みなさん，おはようございます。今日のみなさんの気分はどうですか。朝から元気いっぱいの人もいることでしょう。風邪をひいて，つらいという人もいるかもしれませんね。 ●さて今日は，朝の健康チェックにエクササイズを取り入れてみます。 　☆何をするの？ ●私がみなさんの名前を呼びます。みなさんは，いつものように返事の後に「元気」なのか「具合が悪い」のか話してください。今日はその後に，今の心や体の様子を色で表してみましょう。どんな色でもいいのです。混ぜてもいいですし，イチゴの色といったように何かの物の色で伝えてもいいのです。もちろん，友達の色は何色なのか注意して聞きましょうね。 ●実は，先生は今の心の色は赤色です。明るくがんばろうという心の色です。でも昨日遅くまでテレビを見ていたので眠くて暗い青色もついています。 　☆ふーん，そうか。そんなふうに言えばいいんだ。 ●では1分間，目を閉じて，今の自分の心の色を見つけましょう。 　☆何色がいいかな。 ●では健康観察を始めます。……○○さん。……○○君。…… 　☆返事をして，1人ずつ自分の色やそのわけを発表する。 ●色で伝えたり，他の人の発表を聞いてみて，どんなことを感じたり気づいたりしましたか。今の気持ちを発表してくれる人はいませんか。 　☆○○君が元気がないので，係の仕事を手伝いたいと思いました。 　☆○○さんの△色という表現がとてもぴったりだと思いました。 ●みんなの顔が違うように，心の色もいろいろな色になるんだね。	●朝の最初の活動にエンカウンターを導入する雰囲気を醸し出す。 ●教師自身が色を発表することで子どもに安心感を与える。 ●色は自由に決めてよいことを確認する。また，友達の発表する色には友達の体や心の様子が表れているので，ひやかさないでしっかり聞くよう話しておく。 ●少し時間をとり，静かに心に問う場をもつ。 ●体や心の調子のよい児童には色の発表の後にその考えや理由を発表してもらう。具合の悪い児童は，色の発表を控えてもよい。

小学生 低 中 高
中学生
高校生
大人

色が決まらず話せない子どもに対して

「明るい色かな　暗い色なのかな　ゆっくり見つけてみよう」

■前後のつなぎと子どもの変化

○健康観察の形式に変化をもたせて子どもの興味を引くことで，自分の健康に関心をもたせることができる。
○互いに相手を意識し思いやるエクササイズにつなげると，助け合う気持ちを高められるだろう。
　☆今日も元気という気持ちを色で言えて面白い。朝来る時からの色も考えている。
　☆朝からなんだか疲れている気持ちだったけれど，正直に自分の心の色をブルーと言ったらすっきりした。
　☆友達の色を聞いて，具合の悪い色の時は係の仕事を手伝って，いい色にしたいと思った。

SAY YES!

髙橋晋也 たかはししんや
山形県戸沢村立角川中学校教諭

■ねらい
班別自主研修や校外体験学習の報告会で，友達の発表をよく聞き合おうとする気持ちを高める。特に班ごとの自由行動を取り上げて，お互いの行動力を称え合う。

■背景となる理論・技法
質問，傾聴，受容

時間 15分
場所 オープンスペース
ねらい 他者理解

■準備
・ワークシート
・鉛筆

■内容
・ペアになり，ジャンケンで勝った人が班別自由行動で起こっただろう出来事を想像し，イエス・ノーで答えられるインタビューをする。
・イエスが5個になったら，交代して繰り返す。インタビューして・されて感じたことや言い足りないことを伝え合う。
・新しいペアで再びジャンケンから始める。
・全体で感じたことを発表する。

■実施できる時間
・学活……修学旅行を機に，以後の生活でよりよい人間関係を構築する目的で実施する。
・学年集会……旅行報告会の中で行うことで，会全体が聞き合い，感じ合える雰囲気をつくる。
・その他のアレンジ……個人やグループごとに違った学習や活動を行う，総合的な学習や職場体験学習などの終了後にも同様に行える。

第4章 みんなを大切に

■展開例 SAY YES! 「修学旅行の報告会の前半での実施」

教師の指示(●)と子どもの反応・行動(☆)	ポイント
●修学旅行の班別自主研修では，それぞれの班が自分たちの計画にそって活動しましたね。トラブルもあったけど，みんなよく乗り越えましたね。これから体験したことをお互いに感じ合う報告会を始めます。今日は班別自主活動での体験を，互いにインタビューし合って報告を聞いていきます。 ●まず2人組をつくり，ジャンケンをします。勝った人は相手にインタビューできます。相手の人が見学地でこんなことがあっただろうと想像して「はい」という答えがもらえるように質問をします。ワークシートには，相手が「はい」と答えたら○を，「いいえ」と答えたら×を記入します。○が5個になったらインタビューする人・される人を交代して，もう一度行います。両方の役割を終えたらインタビューして相手に感じたこと，聞かれて感じたことや言い足りなかったことを伝えましょう。そのあと新しい相手を探して，またインタビューし合います。 ●試しに先生がインタビューをする人をやってみます。だれか1人手伝ってください。――デモンストレーションして見せる。 ●やり方がよくわからない人いますか。 ●先生の「やめ」の合図まで，たくさんの人から○をゲットしましょう。それでは始めます。黒板に書いた各班の見学場所を参考に，こんなことがあったに違いないと想像して，相手にインタビューしてください。では，始め！ 　☆ペアになって，はずんだ会話が行われる。 ●やめ。たくさんの人にインタビューできましたか。このエクササイズをやってみて感じたことや，発見したことを発表してください。 　☆数名の生徒の感想を全体に広げていく。	●楽しかった経験を思い出す話し方で。 ●いつでも確認できるように見学地を板書する。始めに発表させてもよい。 ●質問が単純なものになると面白くない。見学地でこんなことがあっただろうと想像をはたらかせるように。 ●同じ班の人には，違う見学地に関するインタビューをするように伝える。 ●活動の内容について，わからない生徒がいないか確認する。

小学生　低　中　高
中学生
高校生
大人

SAY YES!

修学旅行に行った班別自主研修での体験をインタビューしましょう。
☆相手が「はい」と答えたら○を，「いいえ」と答えたら×を記入しましょう。

（　　　さんへの質問）
1問	2問	3問	4問	5問	6問	7問	8問	9問	10問	11問	12問

（　　　さんへの質問）
1問	2問	3問	4問	5問	6問	7問	8問	9問	10問	11問	12問

（　　　さんへの質問）
1問	2問	3問	4問	5問	6問	7問	8問	9問	10問	11問	12問

（　　　さんへの質問）
1問	2問	3問	4問	5問	6問	7問	8問	9問	10問	11問	12問

（　　　さんへの質問）
1問	2問	3問	4問	5問	6問	7問	8問	9問	10問	11問	12問

（　　　さんへの質問）
1問	2問	3問	4問	5問	6問	7問	8問	9問	10問	11問	12問

■前後のつなぎと子どもの変化

○他学年を呼んでの修学旅行報告会で行うと，より幅広い人間関係づくりとなる。旅行に行っていない学年をインタビュー役としておく。
○職場体験学習や総合的な学習など，個人やグループごとに別々な活動をした後に，このエクササイズは活用できる。
○人間関係が硬直化してきた場合，自己主張ばかりが目立ってきた時に行うと効果的。
　☆他の班の様子をもっと聞いてみたくなった。
　☆自分たちの班以外の班もがんばっていたんだなあと感じた。

ぼく，わたしのヒーロー，ヒロイン

住本克彦 すみもとかつひこ
兵庫県立教育研修所
心の教育総合センター指導主事

■ねらい

自分の好きなアニメ等のヒーロー，ヒロインを友達と紹介し合い楽しく会話することで，お互いの理解とリレーションを深める。人前で話す練習，傾聴訓練の効果が期待できる。

■背景となる理論・技法

自己開示，傾聴訓練

ヒーロー・ヒロインカード

　　　　年　　組　氏名＿＿＿＿＿＿＿

1．ぼく，わたしのヒーロー・ヒロインは
　　＿＿＿＿＿＿＿＿＿＿＿＿＿＿です。
2．どんなヒーロー・ヒロインかというと

3．なぜ好きかというと

時間：**15分**
場所：教室
ねらい：他者理解

■準備

・「ヒーロー・ヒロイン」カード（自分の好きなアニメ等のキャラクターについて記入）を事前に書かせておく。

■内容

・事前に，自分の好きなヒーローやヒロインをカードに書く。自分の想像したものでもよい。
・4～6人のグループをつくる。
・「ヒーロー・ヒロインカード」をもとに各班で，自分の好きな，自分を元気づけてくれるようなヒーロー・ヒロインについて話す。
・感じたことを語り合う

■実施できる時間

・朝の会，帰りの会……朝の会で発表し合い，帰りの会で振り返る。
・メンバーを入れかえて行うと，より多くの友達と交流できる。また交流後カードを掲示してもよい。

第4章　みんなを大切に

■展開例　ぼく，わたしのヒーロー，ヒロイン「朝の会での実施」

教師の指示（●）と子どもの反応・行動（☆）	ポイント
●今週の朝の会は，みんなが好きなヒーロー，ヒロインを各グループで紹介してもらいます。今日もみんなで楽しい時間を過ごせたらいいなと思います。　　☆楽しそうだな。自分と同じヒーロー，ヒロインも出てくるかな。	●事前にカードを作ることで緊張や不安を和らげる。
●先生の好きなヒーローは○○です。どうしてかというと……。	
●ではまず，各グループで机を寄せ合ってください。 　──各自が書いてきたカードを用意する。	●4～6人のグループにする。
●初めに，約束をしましょう。①しっかりと自分の考えを言うこと。②友達の話を真剣に聞くこと。③発表前と後は必ず拍手をすること。この3つです。この活動を通して，みんながお互いのことをよく知り合って，今以上に仲よくなれたらいいなと思います。	●発表前後の拍手をすることで，お互いを認め合う雰囲気を醸成する。
●では発表の仕方を説明します。①まず発表する順番を決めます。②自分のカードを見ながら発表してもいいです。付け加えたいことがあったら，その場で加えましょう。③はじめに自分の好きなヒーロー，ヒロインを発表し，それはどんなヒーロー，ヒロインなのか，なぜそのヒーロー，ヒロインが好きなのかについて説明します。各グループの班長が中心になって進めてください。	●各グループの班長には，事前にルールや進め方について説明しておく。
●質問はありますか。	●10～15分の時間設定をする。
●では，順番を決めるところからスタートです。	
●はい時間です。終わりにしてください。グループの友達の発表を聞いて新しい発見がありましたか。各グループで気づいたことや感じたことを出し合ってみましょう。 　☆ぼくの好きなヒーローをだれも知らなかったけど，どうして好きなのか一生懸命聞いてもらえてうれしかった。	●描いてきたイラストも紹介し合えば，より楽しい雰囲気が高まる。

小学生　低　中　高
中学生
高校生
大人

■ベストマッチなエクササイズ
「アニメ・メッセージでガンバ！」
・このエクササイズを発展させたものが「アニメ・メッセージでガンバ！」である。
・自分に自信をなくしている子どもたちに，それぞれが好きなアニメ・キャラクター入りのメッセージカード（教師の手づくり）を手渡し，自信を取り戻せるようはたらきかける。
・このかかわりにより，教師と子どもの信頼関係を深めていく。
・これを兵庫県立の不登校児童生徒支援センターや学校現場で実践している。

■前後のつなぎと子どもの変化
○自分が描いたイラストも紹介できるので，絵を描くのが得意な子どもは大いにはりきり，みんなに認められることで，自尊感情も高まる。
○好きなヒーロー，ヒロインが一緒であったためそれがきっかけで友達になったケースもある。

■エクササイズの由来と参考文献
・國分康孝監修『教師と生徒の人間づくり』瀝々社
・上地安昭「カウンセリング研修における構成法の活用」　國分康孝編『構成的グループ・エンカウンター』誠信書房
・住本克彦・冨永良喜「親子宿泊体験活動が不登校の子どもに与える影響に関する一考察」『兵庫教育大学発達心理臨床研究』第7巻

ハンドパワーの輪

國分留志 こくぶるし
さいたま市立与野教育研究所相談員

■ねらい
簡単なスキンシップを通して他者に対して支持の気持ちを示したり，支持を受けている感覚を体験する。また，輪になって行うことでグループとしての一体感を体験する。

■背景となる理論・技法
非言語的コミュニケーション，支持

（吹き出し：テストがんばれ／もっとハッピーになれ／今日一日おつかれさま）

時間 10分

場所 オープンスペース

ねらい 他者理解

■準備
・特になし

■内容
・参加者全員が同じ方向を向いて，立ったまま円形に並ぶ。
・目を閉じて，手のひらを前の人の背中や肩にぴったりとつける。
・そのまま，無言で互いに触れたり触れられたりする感じを体験する。
・最後にグループ全員，または小グループに分かれ感想を述べ合う。

■実施できる時間
・朝の会，帰りの会
・学活
・道徳……支え合う，受容するなどをテーマに
・手のひらを通して背中に暖かさが伝わるため，あまり気温が高くないところで行うのが望ましい。

第4章 みんなを大切に

■展開例 ハンドパワーの輪 「学活での実施」

教師の指示(●)と子どもの反応・行動(☆)	ポイント
●病気やけがをした時，よくなるように「手当て」をするといいますよね。今日は，一人一人が自分の手のひらを通してお互いを元気づけるように「ハンドパワー」を送ってもらいます。 ●全員で1つの円をつくって，真ん中の方を向いてください。 ●まず，体をほぐすために大きくお腹から深呼吸をしましょう。はいもう1度。軽く肩も回しましょう。前回しー，後ろ回しー。 ●ちょっとずつ内側に進んで，隣の人に肩がくっつくくらいに近づきましょう。どんな感じですか？　　　　　☆あったかい。こそばゆい。 ●はい，離れてもいいです。次にみんな右側を向いてください。手のひら全体を前の人の背中や肩のあたりにピタッとくっつけてください。その時，「もっとハッピーになれ」「今日1日お疲れさま」「テストがんばれ」「そのままでいいよ」などの真心をうんと込めてください。 ●ジワッという感じがしてきましたか。手を当てながら。うんと真心をこめて元気の出るメッセージを送ってください。目は閉じて，おしゃべりもなしです。マッサージではないので，もみません。 ●肩の力は抜けていますか。パワーを送っていますか。自分のところに集まってくるみんなのパワーを味わってください。 ●時間です。ゆっくり手を下ろして，目を開けましょう。 ●自分の手を通してどんなパワーやメッセージを送ってあげましたか。また，背中から何か伝わってきましたか。このエクササイズをやってみて，感じたこと，気づいたことを発表してください。	●身体接触を嫌がる人には強制しない。中学生以上では男女別にしたり，輪の中には入るだけなど，できる範囲で参加する。 ●小学生などは床に座って行ってもよい。 ●背中の触り方を教師がデモンストレーションしてみるのもよい。 ●教師が輪の中に入って一緒に行ってもよい。

小学生
低
中
高

中学生

高校生

大人

「ジワッという感じがしてきましたか」

「うんと真心をこめてメッセージを送ってください」

■前後のつなぎと子どもの変化

○他の非言語的コミュニケーションを使ったエクササイズ（少人数の円の中心に1人立ち，回りのメンバーにゆらゆら支えてもらうなど），言葉で自己肯定感を高めるエクササイズと組み合わせると，肯定的な雰囲気づくりに役立つ。
○自律訓練法や腹式呼吸のエクササイズと組むと，自分や相手の体の感覚に気づきやすい。
　☆暖かくて気持ちがよかった。
　☆手当ての意味がよくわかった気がする。
　☆やさしさが伝わってきた。

■エクササイズの由来

・日精研心理臨床センター主催，非構成的エンカウンターグループ

得意なこと・できること

二宮喜代子 にのみやきよこ
山口大学非常勤講師

■ねらい

肯定的な自己概念を形成する。自己理解と他者理解を深めながら人間関係づくりをする。また自分の能力や可能性の発見が、進路探索の機会になる。

■背景となる理論・技法

受容，支持，肯定的自己概念，エンパワーメント

時間 15分

場所 教室

ねらい 自己理解 他者理解

■準備

・タイマー

■内容

・近くの人と4人組をつくる。
・ジャンケンして勝った人が，左隣の人に「得意なこと，できることは何ですか」と質問する。
・質問された人は，得意なこと・できることを1つ話す。
・それを聞いた3人はそれぞれひとことずつ肯定的な感想を述べたり，ほめたりする。
・同様の作業を時計回りに役割を交代して4分間続ける。
・その後，シェアリングを行う。

■実施できる時間

・朝の会，帰りの会，学活
・進路指導
・その他のアレンジ……クラス委員や行事の役割分担を決める時，提示された中からできることや得意なことを言う。全体では発言しにくい人でも，小グループなら言いやすいことがある。

■展開例　得意なこと・できること「学活で実施」

教師の指示（●）と子どもの反応・行動（☆）	ポイント
●今日は「自分の得意なこと・できること」を見つけて言いましょう。そして友達にそれをほめてもらいましょう。何回か繰り返して，できることや得意なことを口に出して言ううちに，今まで気づかなかった自分のいいところや能力に気がつくことがありますよ。まず，近くの人と4人組をつくってジャンケンしてください。　　☆ジャンケンして和やかになる。	●生活班などで4人組をつくる。
●勝った人は左隣の人に「得意なこと・できることは何ですか」と聞きます。聞かれた人は自分の得意なことやできることを1つ話します。例えば私のことですけど「卵焼きが作れます」とか「どこでもすぐ寝られます」。それを聞いた3人は，「それはすごい」とか「いいね〜」「私と一緒」などひとことでいいからほめ言葉を返してください。これが1回のまとまりです。	●ささやかなことでもリーダーが堂々と自己開示すると，子どもも安心して得意なことが言いやすくなる。
●これを時計回りで役割を交代して4分間続けます。　☆1人が1回ですか。	
●いいえ，時間があるかぎり何回でもいいです。	
●みんなの得意なことは何ですか。ちょっと考えてください。　☆ざわめく。	
●では，得意なこと・できることを見つけましょう。4分で，はい，どうぞ。	
●（終了後）得意なことはどんなことでしたか。共通の特技もあったようですね。4人組で気づいたこと，感じたことを2分で話してみてください。	●他の人と比べるのではなく，自分の中で得意なことを探すように。
●（終了後）聞いたことで印象に残ったことや，みんなにも教えてあげたいこと，気づいたことを何人か紹介してください。	●拍手をして全体で支持するとよい。うつむきながらもうれしそうにする人が多い。
●人によっていろいろでしたね。人の話を聞いて「あ，自分にもできる」と思った人もいたでしょう。今日見つけたことが仕事につながることがあるかも知れませんよ。これからも自分の可能性を見つけてみてください。	

小学生　低　中　高

中学生

高校生

大人

得意なこと，できることが見つからない子

「……ない」

「自分の中で他のことより得意なことは何かな」

「いつも遅刻しないよね　すばらしいことだよ」

■前後のつなぎと子どもの変化

○出会いの時期のリレーションづくりとして行うとよい。自己紹介の後に，得意なことを自己開示し合うことで，より深く互いの中身を知り合い，認め合うことができる。また，共通の特技や趣味を発見して，エクササイズ後に話しかけている人も見られた。

○自分ではできてあたりまえだと思っていたことが他人にはできない場合もあることに気づき，他者を通してあらためて自己の発見ができる。

○進路指導の前段階として，自己分析に役立てることもできる。繰り返して答えを求めるうちに自己を見つめ，自己の可能性に気づく。

■エクササイズの由来

・林伸一他「グループで学ぶ日本語"自慢して，ほめる"」『月刊日本語』1995年4月号アルク

ねえ，どうして？

小原寿美 こはらひさみ
山口県日本語クラブ宇部

■ねらい
なぜ大学（大学院，会社）に入りたいかを語ることにより，目的，価値観を明確にする。また，他の人の考えを聞き，あらためて自己の価値観を見つめ直す。

■背景となる理論・技法
援助的人間関係技法，反復質問法

（吹き出し）
- どうして大学に行きたいの
- そうなんだ　なるほど
- 日本の歴史を自分の手で明らかにしたいからです

時間：15分
場所：教室
ねらい：自己理解　他者理解

■準備
・特になし

■内容
・3人程度で向かい合って座り，ジャンケンをする。
・勝った人をAとし，時計回りにB，Cとする。
・AがBに「ねえ，どうして大学に行きたいの？」と質問する。
・Bは理由を答え，Aがうなずく。
・順番に「質問し答える」を繰り返す。
・気づきや感想を話し合う。

■実施できる時間
・進路指導……教師の指導のもとに，仲間同士のピアヘルピングとして行うと目的意識が明確になる。
・その他のアレンジ……各種研修会の初めに，参加動機を確かめるため「どうしてこの会に来ましたか」などと質問を反復する形で実施できる。

■展開例 ねえ，どうして？ 「進路指導の学活での実施」

教師の指示(●)と子どもの反応・行動(☆)	ポイント
●今日はグループで「なぜ大学に入りたいのか（またはなぜ就職したいのか）をお互いに聞き合ってもらいます。今日は今の自分を言葉にしながら，自分の気持ちに気づいてほしいと思います。 ●3人組になってジャンケンをしてください。勝った人がAです。Aから時計回りにB，Cです。 ●Aさん，手をあげてください。はい，おろしてください。Bさん，手をあげてください。Cさん，手をあげてください。 ●はーい。それでは，Aさん，出番です。まず，Bさんに聞いてください。「ねえ，どうして大学に入りたいの？」。Bさんは「○○だから」と理由を言ってください。Bさんの理由を聞いたら，Aさんは「そうですか」とうなずいてください。これが1セットです。次はBさんがCさんに聞いてください。Cさんは答えてください。Cさんの理由を聞いたら，Bさんは「そうですか」とうなずいてください。同じように，Cさん，Aさんに聞いてください。では1度やってみましょう。始めてください。 ●はーい。ぐるっと1回りしました。同じ要領で2，3回と回していきましょう。答える人はさっきと違う，何か新しいことを答えてください。隣の人の話を聞いて，「あ，私も」と思ったら，「私も同じです」なんて答えてもいいです。時間は3分間です。では，始めてください。 ●はーい時間でーす。どうでしたか？　気づいたこと，感じたこと，考えたことなどをグループで自由に話し合ってみてください。 ●他の人から聞く話もずいぶん参考になったようですね。自分で語りながら自分の意外な気持ちに気づいた人もいるようですね。	●自己開示しやすい集団があることが前提。 ●就職，進学など進路が多様な時は，まず「今私は○○したいと考えています」で始める。 ●3人でグループができなければ2人または4人でもよい。 ●教師が昔を振り返り，自分が大学に入りたかった理由を紹介するなどデモンストレーションしたほうがよい。 ●2人で交互に質問し，答える形でもよい。 ●同じ質問に何度も答えることにより，答えが1つだけではないことに気づく。 ●時間があれば全体でシェアリングする。

小学生
低
中
高
中学生
高校生
大人

■前後のつなぎと子どもの変化

○さまざまな意見を聞くことで，ぼんやりとしていた意識がしだいに明確になる。
　☆大学に入ったら，したいことがたくさんあるんだということがわかった。
　☆自分のことを言うのははずかしかったけど，友達の考えを聞いてよかった。一緒に試験勉強をがんばれそう。
　☆友達はしっかりしているなあとびっくりした。
　☆自分もがんばらないといけないなと思った。
○教師による個別指導，三者面談などにつなげると価値観が明確になった状態で臨むことができる。
○各種研修会の始めに行うと参加動機が明確になり，充実した研修会になる。

■エクササイズの参考文献

・ロバート・R・カーカフ著　國分康孝監修　日本産業カウンセラー協会訳『ヘルピングの心理学』講談社

ふりかえり用紙

月　　日

（　　）年（　　）組　氏名（　　　　　　　　）

今日のテーマ　[　　　　　　　　　　　　　　　]

1．今日のテーマは楽しかったですか。

|───────────|───────────|───────────|───────────|───────────|
とても楽しかった　　少し楽しかった　　　ふつう　　　　　あまり　　　　楽しくなかった
　　　　　　　　　　　　　　　　　　　　　　　　　楽しくなかった

2．グループの人たちと協力してできましたか。

|───────────|───────────|───────────|───────────|───────────|
とても協力できた　　少し協力できた　　　ふつう　　　　　あまり　　　　協力できなかった
　　　　　　　　　　　　　　　　　　　　　　　　協力できなかった

3．グループの人たちについて何か新しい発見がありましたか。

|─────────────────|─────────────────|─────────────────|
とても発見があった　　　　少し発見があった　　　　特に発見はなかった

4．グループの人たちに伝えたいこと（伝え忘れたこと）を書きましょう。

_____
_____
_____
_____
_____

5．今日のテーマを通して，今感じていること，気づいたこと，考えたことなどを自由に書きましょう。

_____
_____
_____
_____
_____
_____

第5章

わたしを大切に

　私を大切にすることは，私を知ることが前提となる。

　私を知っている人は，自分自身に過度な要求をしない。自分を不当に卑下することをしない。劣等感や挫折感から解放されているからである。しかし，私を知ろうとしても，私を知るプロセスは容易ではない。自らの長所と短所，得意なものと苦手なもの，自分の美しい部分と醜い部分などを確認するプロセスである。それは，また自分の弱さやふがいなさを突きつけられる時でもある。ごまかしのない"あるがままの自分"に向かい合う勇気が求められる。

　こうした自己分析，自己理解，自己洞察の時間を通過することによって初めて，私を大切にすることの意味が理解されるのである。

　この章に集められた12のエクササイズは，みな，私と向き合うエクササイズである。中には，友人の力を借りて自分自身と向き合うもの，自らの力で自分自身を問うもの，他を考えることで結果的に自分自身について理解していくものなどがある。

　自分自身の内面に目を向けて，自分の内面にあるものをしっかりと確認していただきたい。自分自身の意味が見えてきて，自分がけなげで，いとおしい存在に思えてくるはずである。

　私を大切にすることを理解するには，こうしたプロセスを経ることが必要なのである。

〔飯野哲朗〕

心の中の鬼さがし

古田信宏 ふるたのぶひろ
岐阜県関市立田原小学校教諭

■ねらい

心の中にある,自分にとっていやなところや認めたくないところに気づく。自覚されたいやなところを明るく紹介することで,いやなところをもっている自分や仲間を受け入れる。

■背景となる理論・技法

自己開示,自己受容,他者受容

自分の心の中をのぞいて鬼を探し出してみましょう

おしゃべりオニ
ゲームオニ

遊びオニ

時間 **15分**

場所 **教室**

ねらい **自己受容**

■準備
・鬼の絵が印刷された紙(A4程度で)
・鉛筆またはサインペン

■内容
・鬼のイラストが描かれたプリントを配る。
・「いじわるオニ」「仲間外しオニ」「なまけオニ」など,自分の心の中にいそうな鬼を見つけ,絵に名前を付ける。
・鬼の名前をみんなに紹介する。

■実施できる時間
・学活……仲間はずしやなまけなどが問題になった時,自己を見つめさせる目的で,話し合いの前後に軽く扱うこともできる。
・その他のアレンジ①……鬼の絵をお面にして,豆まきで「退治」したり,教師が鬼を預かる形にもできる。
・その他のアレンジ②……時間が許せば,鬼の絵を自分で描かせてもよい。

第5章 わたしを大切に

■展開例　心の中の鬼さがし「朝の会での実施」

教師の指示(●)と子どもの反応・行動(☆)	ポイント
●先生は今日，寝不足なんです。ごめんなさいね。実は今日までにやらなきゃいけない仕事があったのに，「なまけオニ」にやられてしまいました。それで間に合わなくて，夕べは遅くまで仕事をしていたんです。でも，先生の心の中に鬼が住んでいることに気がつきました。 ●ところで，みなさんの心の中には鬼はいませんか。私は，これまでみなさんと生活してきた中で，みなさんの心の中にも，こんな鬼が住んでいるのに気がつきました。　　　　　　　　　　　　☆え，どんな鬼？ ●「おしゃべりオニ」が住んでいる子は，たくさんいますね。先生と同じ「なまけオニ」が住んでいる子もいますね。「ゲームオニ」にやられている子もいっぱいいそうな気がするなあ。　　　　☆ぼくだあ。私のことだ。 ●ほら，もう3つの鬼が見つかりました。でも，みなさんの心の中を探すと，もっともっといろんな種類の鬼がいるような気がしますよ。 ●では，自分の心の中をのぞいて，鬼を探し出してみましょう。鬼の絵が描いてある紙を配りますから，その鬼に名前を付けてみましょう。 　　☆考え込んでいる子やすぐに書き始める子。 ●ずいぶんいろんな種類の鬼が見つかりました。何人かにちょっと紹介してもらいましょう。　　　　　　　　　☆ぼくの心にはテレビオニがいます。 ●A君の心には，「テレビオニ」がいるんだね。ふだん，テレビの前からなかなか離れない生活をしているのかな。 ●人の心には，多かれ少なかれ，鬼が住んでいるようです。心に鬼が住んでいることは，決して悪いことではありません。自分の心に鬼がいることを知りながら生活することは，とても大切なことだと思いますよ。	●教師の自己開示から始めるとよい。鬼の出てくる物語，節分の話も効果的。 ●名前を付けた鬼の例をいくつか準備しておき絵とともに示すとよい。できれば，表情の違う数種類の鬼の絵があるとよい。 ●例示以外の鬼を見つけられなくてもよい。必ずしもオリジナルである必要はない。 ●鬼はその子にとって恥ずかしいものである場合が多い。深く詮索しないで，その鬼を見つけたことを認める。 ●鬼を退治してしまう必要はない。

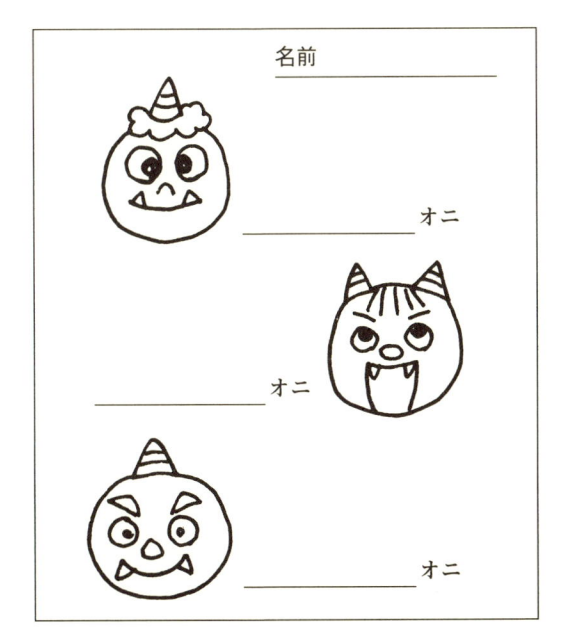

小学生 低 中 高
中学生
高校生
大人

■前後のつなぎと子どもの変化

○自分の認めたくない面を受容してさらけ出すエクササイズである。受容し合える学級の雰囲気ができていることが前提となる。
○同じ鬼をもっている子がいないか，シェアリングでたずねるとよい。安心して自己開示ができる。
　☆Bさんが私と同じ鬼をもっているなんて，びっくりした。でも，Bさんもそうだとわかったら，なんだか安心した。
　☆私と同じ鬼のいる子が何人もいたけど，きっとみんな，同じように悩んでいるんだね。
　☆「いじめオニ」を見つけた子はC君1人だったけど，たぶんぼくの心にもいると思う。

名前
_____オニ
_____オニ
_____オニ

わたしのために あなたのために

黒沼弘美 くろぬまひろみ
山形市立桜田小学校教諭

■ねらい
「人からお世話になったこと」を振り返ることを通して，人とのかかわりによって支えられ，生かされている自分に気づく。

■背景となる理論・技法
内観法

> ぼく こんなにいろいろなことを人からしてもらっていたんだね

> たくさんしてもらえてよかったね 私ももっとしてあげたいな

時間 15分
場所 教室
ねらい 自己理解

■準備
・ワークシート　・色鉛筆　・筆記用具

■内容
・今週1週間について，人からお世話になったこと，してもらったことを思い出す。
・「お世話になったことの数」だけワークシートの記号に色を塗り，何をしてもらったかを書く。
・ワークシートの記号で，「お世話になった時の気持ち」にいちばん近いものに色を塗る。
・隣の人と感じたことや気づいたことを伝え合う。

■実施できる時間
・帰りの会
・学活……学級の人間関係を深める目的で。
・道徳……自分も他者も大切にすることを学ぶ導入として。
・総合的な学習……生き方教育の一環として。
・その他のアレンジ……「してもらったこと」「してあげたこと」「迷惑をかけたこと」などにテーマを変えて振り返る。ねらいに合わせて，振り返る対象を「友人」「家族」などに設定する。

第5章 わたしを大切に

■展開例 わたしのために あなたのために 「学活での実施」

教師の指示（●）と子どもの反応・行動（☆）	ポイント
●この前，荷物がたくさんあって困っていた時，「持ってあげる」と言って何人かが手伝ってくれました。先生とってもうれしかったなあ。私たちはいつも，いろいろな人とかかわって生活していますね。今から少しの時間，今週1週間のことを振り返ってみましょう。──プリント配布。 ●今週，あなたは，だれからどんなことをしてもらったでしょうか。クラスのお友達でも，家族の人や近所のおじさん，おばさんでもいいです。「お世話になったこと」を思い出してください。　　　☆思いつかないな。 ●思いついた人がいたら教えてくれるかな。 　　☆けがをしたとき，Ａさんに保健室まで連れていってもらったな。 　　☆実はお兄ちゃんに宿題を教えてもらったんだ。 ●同じようなことはなかったかな。静かに目をつぶって考えてください。 ●目を開けてください。プリントの記号に，思いついた数の分だけ好きな色を塗ってみましょう。何をしてもらったかも下の欄に書いてください。 ●今度は，プリントのいちばん下を見てください。お世話になった時にどんな気持ちがしたか，自分の気持ちといちばん近い記号に色を塗りましょう。 ●では，お隣の人とプリントを見せ合って感想を話します。今感じていることや，お世話になった時の気持ちについて思ったことを，話してみましょう。　　　☆こんなにたくさんしてもらったことがあったよ！ ●「お世話になったこと」がいっぱいあったようですね。それに気づいて，とてもあたたかい気持ちになることができました。お世話になったことがこれだけたくさんあったというのは，みんなが助け合っているからだと思います。たくさんの人が自分を支えてくれているんだね。	●教師が自己開示的に「お世話になったこと」の具体例を示す。 ●その子に実際にあった例を教えたり，ほかの子の例から当てはまるものがないか聞く。 ●静かな雰囲気をつくる。 ●ねらいや子どもの実態・発達段階に応じて，プリントを工夫する。数を表すのではなく，文章で書いてもよい。 ●教師がシートの内容を全体に紹介してもよい。しだいに，ペア，グループ，全体等，子ども同士で伝え合うようにする。

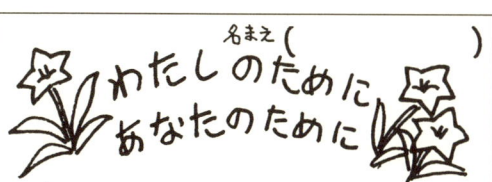

小学生 低／中／高
中学生
高校生
大人

【プリント例】
わたしのために あなたのために　なまえ（　　　）
Ⅰ．何かしてもらった数だけ色をぬりましょう
　☺ ☺ ☺ ☺
　☺ ☺ ☺ ☺ ☺
Ⅱ．じぶんのためにしてもらったことをかきましょう
Ⅲ．じぶんの気持ちとおなじかおにすきな色をぬりましょう
　友だちから，してもらったとき　☺ 😐 ☹
　友だちに，してあげたとき　☺ 😐 ☹

■前後のつなぎと子どもの変化
○何回か継続して行うと，自己や他者に対する意識が高まり，自己受容，他者受容が深まる。
　☆初めは，他の人からしてもらったことはないと思っていたけど，いろいろあったんだなあ。
○小学校6年生では卒業に向けて「両親へのお礼の手紙」を書く活動と，5年生では宿泊学習等と関連づけると効果的。

■エクササイズの由来と参考文献
・三木善彦監修『内観への招待』ＶＴＲ・ワークショップ
・國分康孝『エンカウンター』誠信書房
・「してあげたこと，してもらったこと」『エンカウンターで学級が変わる小学校編』図書文化をもとにした。

私へのメッセージ

林 和弘 はやしかずひろ
福岡県北九州市立医生丘小学校教諭

■ねらい
行事や学期の間に「自分を見つめてくれていた何か」からのメッセージを受け取ることで、がんばった自分を認める。

■背景となる理論・技法
投影法，サイコドラマ

（イラスト中のセリフ）
- もしあなたに声をかけてくれるとしたらどんな言葉をかけてくれるでしょう
- ずっとあなたを見つめていたものは何ですか
- 金魚かな…
- 時計かな

時間 20分
場所 教室
ねらい 自己理解

■準備
・ノートまたは白紙　・筆記用具

■内容
・目を閉じて心を落ち着かせる。
・準備から本番まで行事を振り返り，その間，自分を見守っていた何かを教室の中から探す。
・その「何か」が自分に送ってくれるメッセージをノートに書く。
・自分が受け取ったメッセージと感じたことを班で伝え合う。
・気づいたことをノートに書く。

■実施できる時間
・学活……行事や学期末の振り返りとして。
・授業……1つの学習が終わった時など。

第5章 わたしを大切に

■展開例　私へのメッセージ「学活での実施」

教師の指示（●）と子どもの反応・行動（☆）	ポイント
●今日は学習発表会を振り返ってみたいと思います。 ●そっと目を閉じてください。この1年間，みんなはこの教室でがんばってきましたね。ここには一緒に活動してきた仲間がいますが，ほかにも自分をひっそりと見守ってくれていた何かがありませんか。先生は，この黒板がいつも背中から「おまえもがんばっているな」と応援してくれているように感じていました。みんなも，自分を見ていてくれた「何か」を1つ見つけてみてください。では，目を開けてください。 ●その「何か」は練習の時から本番までのあなたをずっと見つめていました。がんばったこと，うれしかったこと，くやしかったことなど，何でも知っています。今あなたに言葉をかけてくれるとしたら，どんな言葉をかけてくれるでしょうか。ノートに書いてみましょう。 　☆あの「時計」がいつも私を見ていてくれたような気がする。 　　「最初はせりふが言えなかったよね。たくさん練習して，本番でははっきり言うことができておめでとう。これからもがんばって」 ●そろそろおしまいです。もう1度，メッセージをゆっくり読んでください。 ●では，机を班の形にしてください。 ●1人ずつ，自分はどんなメッセージをもらったか紹介してください。言いたくない部分は省略してもいいです。次に，今どんなことを感じているか話してください。時間は全部で5分くらいです。 ●最後に，思ったことや気づいたことをノートに書いてください。 　☆みんなも本番はドキドキしていたんだな。 　☆Aさんがそんなにがんばっていたなんて知らなかった。	●行事の前に，がんばったことやうれしかったことを覚えておくよう伝えておく。 ●教師も簡単に振り返って自己開示する。 ●期間中ずっと掲示してあった自画像などを使ってもよい。 ●日記帳などのノートやプリントに記入する。 ●書けない子どもには，個別に援助する。 ●どうしても言いたくない子がいる時は，理由を聞き配慮する。 ●数人に感想を発表してもらってもよい。 ●教師の感想を述べる。

対象：小学生 低・中・高／中学生／高校生／大人

メッセージを書けない子ども

（先生）田中さんは○○をがんばっていたと先生は思っていたけどどうですか

■前後のつなぎと子どもの変化

○筆者は，図工で描いた自画像からメッセージを受け取る形で実施している。年度始めに自画像を壁に貼り，「この1年間，もう1人の自分があなたを見守っているからがんばろうね」と意識化している。
○事前に「がんばったことベスト5」などで振り返りをしてから，本エクササイズを行うとよい。
○「友達のいいとこさがし」などと交互に行うと，自己理解・他者理解が効果的に進む。

■エクササイズの由来と参考文献

・「自分への手紙」『エンカウンターで学級が変わる　小学校編パート1』図書文化

いまの私は何色？

兵藤啓子 ひょうどうけいこ
東京都日野市立日野第七小学校教諭

■ねらい
色を選ぶことで，今の自分の気持ちを確かめ表現する。なぜその色を選んだか伝え合うことによって，自己理解，他者理解を深める。

■背景となる理論・技法
色彩心理学，投影法

（吹き出し）
- どの色にしようかな　迷っちゃうなぁ
- 友達と遊べる日だからうれしいな
- いいなぁ
- 今の心の色は黄色です　それは友達と遊べる日だからです

1. 今の気持ちに合った色をぬる
2. なぜその色を選んだのか伝え合う

時間 10分
場所 教室
ねらい 自己理解

■準備
- ワークシート
- 色鉛筆やカラーペンなど

■内容
- ワークシートを1枚ずつ配る。
- いまの自分の気持ちを見つめて，気持ちに合った色を選んで塗る。
- ペアで，なぜその色を選んで塗ったのかを伝え合う。
- 感じたことを話し合う。

■実施できる時間
- 朝の会，帰りの会
- 給食……給食を食べ終えた人からやって，他の人が聞き役になるというやり方もできる。
- その他のアレンジ……1日に数回実施し，気持ちの移り変わりを振り返ってもよい。また週末に1週間分のワークシートをまとめて振り返ってもよい。

第5章 わたしを大切に

■展開例 いまの私は何色？ 「帰りの会での実施」

教師の指示(●)と子どもの反応・行動(☆)	ポイント
●さあ，これから「いまの私は何色？」というプリントをやってみよう。 ●まず先生から紹介するよ。先生のいまの心の色は青です。それは，体育でみんなと走ったらスカッとしたからです。でも，ちょっと疲れてしまったので，灰色も少し混ざっている感じの青です。 ●みんなも，給食を食べてから，昼休みやお掃除，そして当番活動や授業のことをよく思い出して，いまの気持ちに合った色を選んで塗ってみよう。 　☆えーと，どの色にしようかな？　☆そうだ，この色にしよう。 ●塗り終わりましたか。　　　　　　　　☆まだ塗り終わってないよ。 ●それじゃあ，あと1分待ちます。 ●はーい，おしまいです。今日のペアの人と組んで，自分の心の色を伝え合いましょう。「いまの心の色は○○色です。それは，～からです」というように伝えるよ。もしも「どんな○○色」と詳しくしたかったら付け加えてください。相手の話はきちんと最後まで聞いてあげよう。1人が終わったら交代するよ。 ●自分の心の色を伝えてみて，どんなことを感じましたか。2人で少し感想を話してください。 　☆いつもは黄色が好きだけど，今日は緑の気分だったんだ。 　☆2人とも赤だったけど，理由は違ったね。 ●さあ，どうだったかな。友達の気持ちに気づいたり，自分の気持ちを伝えることができたかな。色って面白いね。ときどき自分の心の色を考えてみようね。	●2～4人組で行う。 ●プリントをファイルにして常備するとよい ●色鉛筆やカラーペンは予備を準備しておく。 ●会話が進んでいないペアは個別に対応する。 ●学年によって，①他にも選びたかった色，②選んだ色では表現できない部分，③その色が自分の何を表現しているかに焦点を当てて振り返るとよい。 ●1日に何度か色を塗る時間を設け，帰りの会でまとめて振り返るのもよい。

対象：小学生 低・中・高／中学生／高校生／大人

いまの私は何色？
名前

○ 朝の会　　○ 給食　　○ 帰りの会

気づいたこと
_____
_____
_____
_____
_____

■前後のつなぎと子どもの変化

○1週間分をファイルしておいて，週の終わりにまとめて振り返ることもできる。
○1日に数回実施し，気持ちの変化に焦点を当てて振り返ることもできる。朝の会・給食・帰りの会などに行うとよい。
○行事，保護者会の始めにウォーミングアップとしても実施できる。

■エクササイズの参考文献

・平沼良ほか『カラーピラミッド性格検査法』図書文化

マイ・ビューティフル・ネーム

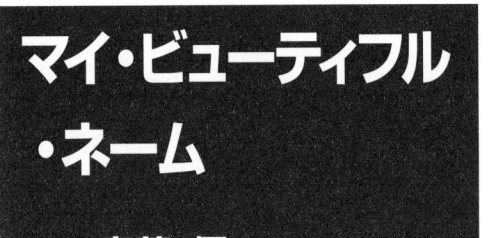

齊藤 優 さいとうまさる
千葉市立千城台西中学校教諭

■ねらい

自分の名前の意味や，名前に対して自分が感じていることを語ることで，自分への気づきを深め，未来への展望をもつ。ふだんは語らない自分の側面を自己開示することで和やかな雰囲気をつくり，子どもたち同士が仲よくなる。

■背景となる理論・技法

ゲシュタルト療法

> 私の名前は優花
> やさしくて花のように
> かわいい感じに
> なりたいわ

> 僕は正人
> そのせいか
> 正義感が強いって
> 言われるんだ

> ぴったりだよ

自分の名前から感じている自分像を語り合う

時間 15分
場所 教室
ねらい 自己受容

■準備

・特になし

■内容

・教師が自分の名前について感じていることを率直に話す。
・自分が自分の名前に対して感じていることをグループのみんなに語る。自分の名前に込められた願いや由来と比べながら話してもよい。
・グループで話したり，人の話を聞いたりして感じたことを話し合う。

■実施できる時間

・学活……学期始めなどに，自己紹介を目的に実施することもできる。子どもたちの交流を深めたい時に，他のメインエクササイズの導入として実施するのもよい。
・道徳……「家族愛」や「生命の尊重」などを題材とした授業で，読み物資料などと合わせて活用することもできる。

第5章 わたしを大切に

■展開例 マイ・ビューティフル・ネーム 「学活での実施」

教師の指示（●）と子どもの反応・行動（☆）	ポイント
●みなさんは自分の名前を気に入っていますか。名前は自分にずっとついて回るものです。とても大事ですね。これから自分の名前について語ることで，知られざる自分をみんなに聞かせてほしいと思います。 ●先生の「優」という名前は，私が生まれた時に母親がピーンとひらめいてつけてくれたものなんです。「やさしい」人になってほしいという願いを込めたのかなと想像しています。今までずっと，人から呼ばれたり，自分でも書いたり使ったりしていると，「やさしさ」ってなんとなくいつも気になっていました。自分でも自然にそんなイメージに近づいたかなって思えるんです。だから先生はこのようにジェントルマンなんですね(笑)。先生は，自分の名前がとても気に入っていますよ。 ●では，自分の名前に感じていることを4人グループで紹介してみましょう。名前の由来や，つけてくれた人の願いを知っている人は，それと比べながら自分の感じを語ってもいいですよ。では1人2分で交代し，順にグループ全員が話します。まず，ちょっと考えてみましょうか。 ●では始めます。1番目の人から始めてください。スタート。　☆順に語る。 ●話したり聞いたりして感じたこと考えたことを，グループで話し合ってください。もっと聞きたいことがあったら聞いてもいいですよ。 ●グループの話を全体に紹介してくれる人はいませんか。☆数人が発表する。 ●私が思う以上に，みんな自分のことを考えていると思いました。「自分の名は自分そのもの」と言う人もいます。自分の名前に込められたメッセージを十分読み取れるといいですね。	●名前の由来やエピソードを事前に親から聞き取らせておくとよい。 ●教師が，自分の名前に感じていることや，自分自身について率直に自己開示する。 ●和やかな雰囲気づくりを心がける。 ●あらかじめ4人程度のグループをつくり，輪になって座らせておく。できれば男女混合にするとよい。 ●やり方がよくわからない子や，会話が弾まないグループは個別に援助する。

小学生 低 中 高
中学生
高校生
大人

■ベストマッチなエクササイズ
「子どもの名前」
・教師が，自分の子どもの名前を付けたときの苦労話や，親の話，知り合いの苦労話を述べる。
・メンバーは，自分の子どもに付けたい名前を，男女について1つずつカードに書く。
・グループでカードを見せ合い，理由を簡単に話し合う。
・全体でカードを見せ合い感じたことを話し合う。
・その他のアレンジ……男女のペアをつくり，両親になったつもりで「ネーミングごっこ」として楽しむエクササイズにすることもできる。
☆名前を付けるのが楽しかった。でも1つだけ選ぶのはむずかしい。みんないい名前！

■前後のつなぎと子どもの変化
○家族や親子などをテーマにした学習やエクササイズと関連させて行うと効果的である。
☆自分の名前に深い意味があったことがわかってよかった。自分の名前が好きになった。
○男女のペアや男女混合のグループで活動するエクササイズの導入として行うと，スムーズな展開ができる。

■留意点
・生い立ちに問題を抱える子ども，自己否定の強い子どもは名前に否定的なイメージをもっていることが多い。事前に十分配慮が必要である。

もしもなれるなら

明里康弘 あかりやすひろ
千葉市教育センター指導主事

■ねらい
自分の思いや願いに注意を向け，自分自身を大切に感じるようになる。友達への理解を深めたり違った感じ方や考えがあることに気づく。

■背景となる理論・技法
自己開示，自由連想法，内観

（先生の絵）
「今日の『もしもなれるなら？』のテーマは虫です」
「先生のなりたい虫は何だと思う？『ゴキブリ』だよ その理由はネ…」
「ヒェーゴキブリだって」

時間：10分
場所：教室
ねらい：自己理解・他者理解

■準備
・ノートと筆記用具

■内容
・今日の「なりたいもの」のテーマを発表する。
　例：「もしもなれるならどんな虫になりたい？」
・教師がなりたいものとその理由を発表する。
・各自がなりたいものとその理由をノートに書く。
・4人組で発表し合う。
・班の代表が順に気づいたり感じたり新しく発見したことを発表する。
・感想を書く。

■実施できる時間
・帰りの会
・学活……最初か最後の10分を利用する。
・各教科……導入で興味・関心を高める。例：「どんな楽器になりたい？」（音楽），「どんな歴史上の人物になりたい？」（歴史）など。
・適応指導教室のグループ体験……自分のことを表現し，人とかかわるきっかけづくりとして（この実践は適応指導教室のものをアレンジした）。

■展開例 もしもなれるなら「帰りの会での実施」

教師の指示(●)と子どもの反応・行動(☆)	ポイント
●これから毎日少しずつ、自分の気持ちや考えをノートに書きとめて、いろいろな自分に出会ってほしいなと思います。今日は「もしもなれるなら」の日。ノートを出してください。テーマは「虫」です。 ●先生のなりたい虫は何だと思う？　はずかしいけれど言っちゃおうかな？　それは、「ゴキブリ」です。嫌いだけれどなりたい。理由はどんな狭い所でもスッと入れる。君たちの家にも黙ってスッと入って、君たちよりも先においしいものをぺろっとなめることができる。なんかゆかいだね。 ●「もしもなれるなら」、今日は虫です。書く時間は3分。その後、班で発表が3分。最後に班の代表が、感想をみんなに発表します。質問ありますか。はい、始めましょう。　　　　　　　　　　　☆「虫」について書く。 ●（静かな落ち着いた声で）あと、1分です。　　　　　　3分経過 ●書いたことを、班で発表してください。書いたけれど、どうしても言いたくないところはパスしてもいいです。みんなに話してもいいところだけにしてもいいです。　　　　　　　　　　　　☆班で順番に発表する。 ●友達の発表を聞いてどんなことを思ったり感じたりしましたか。新しく発見したことでもいいです。今日は、2班と4班が感想を言ってください。 ●感じたり思ったり新しく発見したこと、「自分って……だなあ」と思ったことがあったらノートに書きましょう。　　　　　☆各自ノートに書く。 ●「くも」と書いた人が4人いました。でも理由がみんな違っていました。先生は、「みんな違っていい。違っているって面白い」ことを発見しました。今日は、これでおしまい。 ●ノートを集めます。	●教師の自己開示が大切。モデルを示すこと。あらかじめ用意しておくとよい。 ●テーマは、学級の話題に合わせて設定する。 ●途中でつけ加えしなくていいように、必ず質問を受ける。 ●帰りの会等、短時間で行う時は、「いま何をするか。それに与えられた時間はどれくらいか」を明確に指示する。 ●その場の雰囲気により、シェアリングの方法を全体発表かノートに書くか吟味する。 ●ノート回収後、教師のコメントを一言書く。

もしもなれるなら

日	なりたいもの	理　由
	テーマ	
	テーマ	
	テーマ	
	テーマ	
	テーマ	

1.このエクササイズは楽しかったですか？　　　5 4 3 2 1
2.このエクササイズは簡単でしたか？　　　　　5 4 3 2 1
3.自分や友達の新しいことを発見できましたか？
　（　　　　　　　　　　　　　　　　　　　）
4.エクササイズの感想
　（　　　　　　　　　　　　　　　　　　　）

■前後のつなぎと子どもの変化

○同じ虫でも「なりたいもの」だけでなく「好きなもの」や「自分をたとえるとしたら」等、ちょっとした工夫で、子どもは、自分を多面的に見ることができる。
○進路や自分のことを考えるエクササイズの導入に効果的である。
○なかなか書かない（書けない）子でも、回数を重ねるごとに書くようになっていく。
　☆1回目　ノート白紙　班でも発表なし。
　　2回目　ノート白紙　感想「みんなはいろいろ
　　　　　　　　　　書けてすごい」班の発表なし。
　　3回目　ライオン　理由は白紙　…..
　☆友達の考えがよくわかってチョー面白い。
　☆今までは、考えるのが面倒くさかったけれど、今は、とても楽しい。

2人の私

丸山尚子 まるやまなおこ
静岡市立長田西中学校教諭

■ねらい
表に現れている自分と，心の中にかくれている自分を，それぞれの立場で語ることによって本音を引き出し，心の中にあるさまざまな感情に気づく。

■背景となる理論・技法
ゲシュタルト療法，エンプティーチェア，対立分身対語法

〈山に行きたい私〉　　　　　　〈山に行きたくない私〉

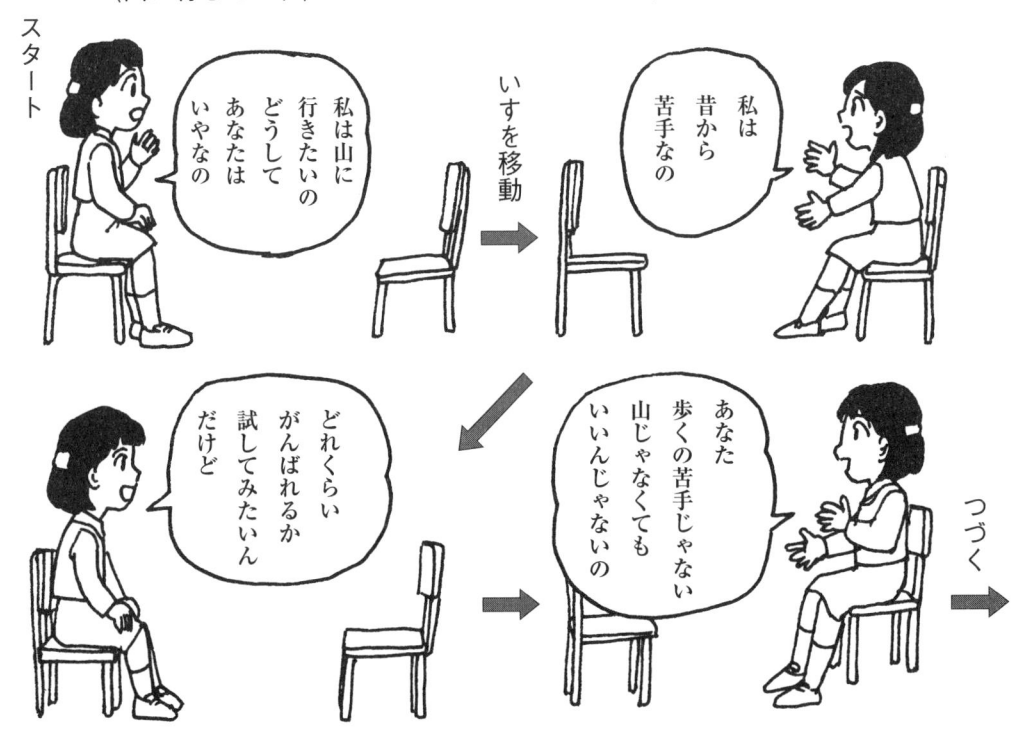

「私は山に行きたいのどうしてあなたはいやなの」

いすを移動 →

「私は昔から苦手なの」

「どれくらいがんばれるか試してみたいんだけど」

「あなた歩くの苦手じゃない 山じゃなくてもいいんじゃないの」

つづく

時間 20分
場所 オープンスペース
ねらい 自己理解

■準備
・参加人数分のいす（できれば2人につき3つ）

■内容
・2人組になり，2つのいすを向かい合わせる。
・目を閉じ，「やりたいこと」と「やりたくないこと」など，自分の中の相反する思いを見つめる。
・1人が2つのいすに交互に座りながら，相反する思いを語る。いすに座った時は，それぞれの立場になりきる。もう1人はそれを観察する。
・いすを往復した人と観察者で感想を話し合う。
・交代して同様に行う。
・活動を終えた気持ちを振り返る。

■実施できる時間
・学活……学級の活動の中で，各自の心の中に相反する思いが生まれた時
・道徳……葛藤について考える時
・保護者会
・相談室での活動
・その他のアレンジ……葛藤場面を具体的に設定して行うこともできる。

■展開例 2人の私 「学活での実施」

教師の指示(●)と子どもの反応・行動(☆)	ポイント
●2人組になって、いす2つを向かい合わせに置きましょう。 ●静かに目を閉じましょう。みなさんの心の中には、自分と反対のことを思う気持ちがあると思います。例えば、「勉強をしなくてはならないと思っている自分」と「勉強なんて嫌だと思っている自分」、「学校に行きたくないと思っている自分」と「学校に行きたいと思っている自分」などです。今目の前には、「反対の思いを持った自分」が座っています。もう1人の自分に向かって、「どうしてそう思うのか」質問してみましょう。 ●先生がやるので見てください。片方のいすに座り、もう片方のいすに座っている「自分」に尋ねます。「私は山に行きたいのに、あなたはどうして山に行くのはイヤなの？」。いすに座る時に、そのいすの立場の自分になり切って一人称で話すことがポイントです。 ●今度はもう片方のいすに移動して質問に答えます。「私は昔から苦手なの」。 ●またもとのいすに戻って答えます。「私はチャレンジしてみたいんだけど」。 ●このように何度かいすを行ったり来たりして会話してみましょう。初めに1人がやります。もう1人は観察役です。言い方や表情の変わったところがないかよく見ておいてください。できそうですか。　☆むずかしそう。 ●5回くらい行ったり来たりしてみましょう。始めてください。 ●はい、そこまでにしましょう。今、どんな気持ちですか？　いすを行き来した人も、観察していた人も感想を話してください。 ●では交代します。　　　　　　☆同様に感想を話すところまで行う。 ●どんな感想があったか全体に教えてください。 　　☆自分の気持ちの中にはいろんな思いがあるんだな。 ●自分の中にあるいろんな気持ちに気づくことができたでしょうか。心の中を見つめて、自分自身をさらに深く理解していきたいですね。	●2人組をつくっておく。できるだけ親しい人と。 ●2つのいすは相手に話しかけられるくらいの距離をおく。 ●イメージする時間を十分とりながら進める。 ●それぞれの立場を紙に書いていすに貼っておくとわかりやすい。 ●それぞれの立場になりきり、「私は…」と一人称で語る。もう1人の自分のことを「あなた」と呼ぶ。 ●5往復くらいするよう促す。 ●様子を見ながら活動を促したり、声をかける。 ●数人に感想を聞いてみる。

対象: 小学生 低・中・高／中学生／高校生／大人

■前後のつなぎと子どもの変化

○継続して行うと、自分自身を見つめられるようになり、客観的に自分の気持ちを振り返られるようになる。
○相談室登校の子どもたちに、自己肯定的な見方ができるように促す目的で実施できる。
○自分を2つに分離して考えることのできない子どもがいる場合は、片方のイスにだれか（教師）が座り、もう1人の自分を演じてやるとよい。

■エクササイズの由来と参考文献

・F. S. パールズ著，倉戸ヨシヤ監訳，『ゲシュタルト療法－その理論と実際－』ナカニシヤ出版
・國分康孝編『カウンセリング辞典』誠信書房

魔王の関所

森 憲治 もりけんじ
三重県員弁郡適応指導教室教諭

■ねらい
非現実的な場面設定で防衛（心の構え）を弱くし，自分の短所について整理して考える。それらの短所が見方を変えれば長所でもあることに気づく。

■背景となる理論・技法
リフレーミング，サイコドラマ

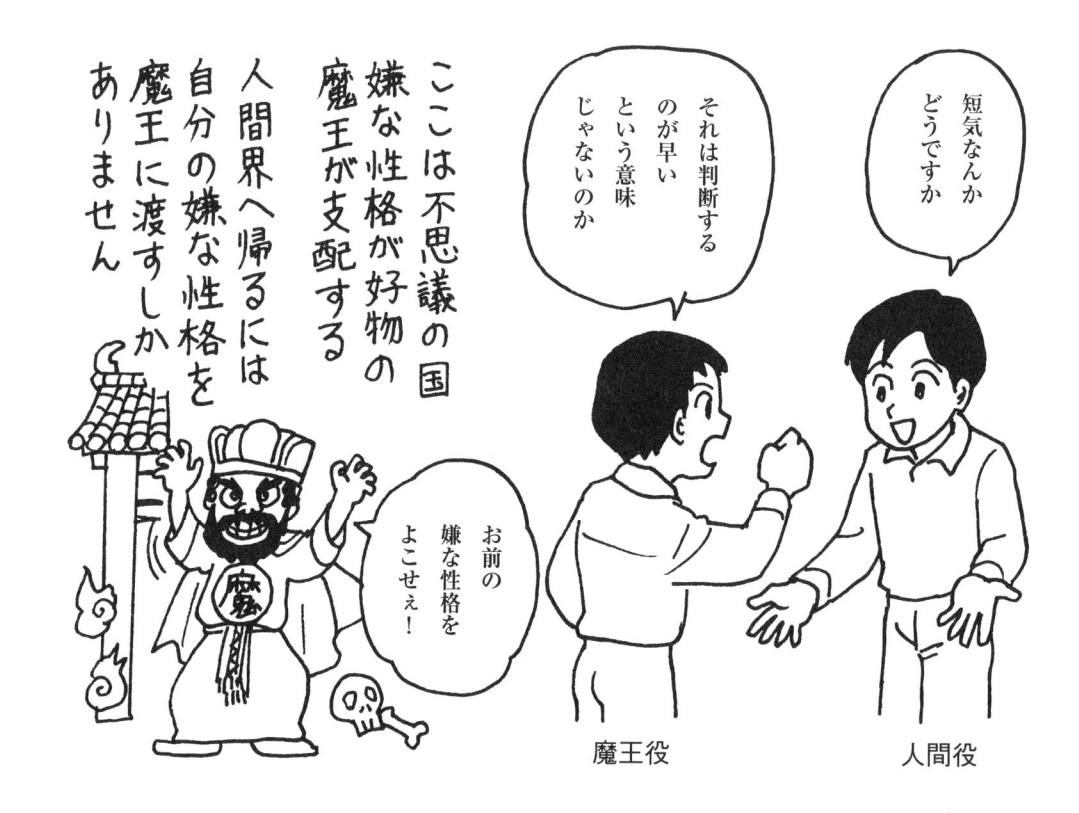

ここは不思議の国
嫌な性格が好物の
魔王が支配する
人間界へ帰るには
自分の嫌な性格を
魔王に渡すしか
ありません

「お前の嫌な性格をよこせぇ！」

「短気なんかどうですか」

「それは判断するのが早いという意味じゃないのか」

魔王役　　人間役

時間 **15分**

場所 **教室**

ねらい **自己理解**

■準備
・「性格一覧表」「リフレーミング表」を必要に応じて作成するとよい。

■内容
・2人1組になり，魔王役と人間役を決める。
・魔王は人間に，人間界へ戻るためには自分の嫌な性格を渡すよう要求する。人間は魔王に自分の嫌な性格を渡す。
・魔王は嫌な性格をよい性格にリフレーミングして人間に突き返す。リフレーミングできなかった時は，その性格をもらって人間を人間界に戻す。
・役を交代して行う。
・感想を話し合う。

■実施できる時間
・学活……行事などの振り返りとして
・その他のアレンジ……リフレーミングのエクササイズや自己分析のエクササイズと関連させてもよい。

■展開例 魔王の関所「学活での実施」

教師の指示(●)と子どもの反応・行動(☆)	ポイント
●目を閉じてください。……ようこそ！ここは不思議の国。ワシはこの国を支配する魔王じゃ。お前たちはここに迷い込んでしまった。人間界に戻る方法は1つだけ。この魔王様は，人間のイヤな性格を集めるのが趣味じゃ。さあ，お前のいちばんイヤな性格を渡してもらおう。2人1組になって座り，魔王様役と人間役に分かれて自分のイヤな性格を渡す練習じゃ。わかったか。よ～し，目をあけて組になるのじゃ～。 　　☆自由に歩いて2人1組になる。 ●この2人1組で「魔王」役と「人間」役を交代でします。先にどちらからするか決めてください。　　☆ジャンケンポン。 ●魔王は人間に「お前のいちばんイヤな性格をよこせ！」と言って取り上げようとしてください。人間は自分の中のイヤな性格を渡してください。 ●しかし！魔王様はイヤな性格を集めるのが趣味です。もらう性格に少しでもよいところを見つけて突き返し，人間を困らせてやってください。例えば，「私は決心がつかないんです」「なんだ，それは慎重だということだな。それはよいところでもあるからだめだ」という具合です。もし性格をよいところに言い換えられなかったら「よ～し，人間界に戻してやろう」と握手をしてください。質問はありますか。 ●では，始めます。　　　　　　　☆各組で話し合いが始まる。 ●は～いそこまで～。　　　　　　☆終了の握手。 ●では交代します。席を交代して魔王と人間の役を代わってください。 ●では始めてください。　　　　　☆同様に行う。握手して終了。 ●そこまで～。やってみて感じたこと，気づいたことを教えてください。 　☆魔王役がむずかしい。　☆イヤな性格でもあげるのが惜しくなった。 ●上手にできたと思うところ，むずかしかったところなど，全体にも伝えたいことを教えてください。　　　　　☆数人が発表する。	●参加者の年代によって「魔王」を「湯婆婆」など人気キャラクターにするとよい。 ●出席番号の奇数は魔王というように役を決めてから組づくりをしたり，組のつくり方を指示してもよい。 ●向かい合わせに座る。 ●リフレーミングがむずかしい場合は，ていねいにインストラクションを行い，例を多く示す。 ●時間は3分程度。 ●話し合いが進まないペアには個別に援助する。 ●プリントに記入してから後で全体へ紹介する形をとってもよい。 ●教師も感想を述べる。

小学生 低 中 高
中学生
高校生
大人

渡す性格が浮かばない

「みんなの前だと緊張する」とか具体的なことでいいんだよ

■前後のつなぎと子どもの変化
○リレーションをつくるエクササイズ（2人組・4人組など）の後に行うとよい。
○2人組のインタビュー「自分のイヤな性格を語る」等をして，自覚を高めてから行ってもよい。
○見方を広げる目的で，「私の四面鏡」などお互いに肯定的なメッセージを送り合う活動や，行事の反省会の前に行うことも可能。

■エクササイズの由来と参考文献
・藤川章「森の何でも屋さん」『エンカウンターで学級が変わる中学校編1』図書文化
・中里寛「みんなでリフレーミング」『エンカウンターで学級が変わる中学校編3』図書文化

養育費の計算

梶山雅美 かじやままさみ
静岡県立静岡南高等学校教諭

■ねらい

自分にかけられたお金を計算することにより，親や人から「してもらったこと」を考える。今まで自分が多くの人々から手をかけられ，助けられ支えられて生きてきた存在であることに気づく。

■背景となる理論・技法

内観法

> うわ〜こんなに食費がかかっていたのか……親ってたいへんだな…

> ぼくは四月に新しい自転車を買ってもらったな

> 夏に家族で海に行ったわ電車賃が○○○円でホテル代が○○○円だから…

時間 15分
場所 教室
ねらい 自己受容

■準備

・ワークシート
・筆記用具
・計算機があるとよい。

■内容

・ワークシートを配布する。
・あらかじめ記載されている「食費」「生活費」「教育費」等の平均値の他に，この1年間について「こづかい」「買ってもらった物・連れて行ってもらった所」を各自で記入する。
・この1年間に自分に使われたお金を合計する。
・感想を書く。

■実施できる時間

・朝の会，帰りの会
・家庭科，倫理，政治経済，保健など……「家庭」「経済」に関する単元の導入として。
・その他のアレンジ……すべての項目について各自で調べて来させてもよい。1年に限定せず，期間を広げて調べることも可能。

■展開例　養育費の計算 「SHRでの実施」

教師の指示（●）と子どもの反応・行動（☆）	ポイント
●みなさんは今まで家族に大切に育てられてきたことと思います。食事を作ってもらったり，おこづかいをもらったり……。買ってもらった物もたくさんあるでしょうし，旅行や遊園地に連れて行ってもらったこともあるでしょう。学校や塾に通うのもお金がかかります。携帯電話の通話料を払ってもらっている人もいるかもしれませんね。私が大人になるまでにもずいぶんお金がかかったと思います。今日は，自分が成長するのにどれくらいお金が使われているのか考えてみましょう。――プリント配布。	●金額にこだわらず，「してもらったこと」を思い出すことに時間をかけるとよい。
●この1年間にどれくらいのお金が使われたのか計算しましょう。プリントを見てください。高校生1年間の平均的な食費，生活費，教育費の金額が書いてあります。ずいぶん費用がかかっていますね。みなさんはプリントの「こづかい」と「買ってもらった物・連れて行ってもらった所」の欄に記入してください。よく思い出して書いてみましょう。正確な金額がわからない場合は，だいたいの金額でいいです。	●正確な金額を出すことが目的ではないので，「だいたいの目安」で計算すればよい。
●では，1年間にかかった費用を合計してください。	
●この金額を見て，みなさんはどんなことを感じましたか。プリントの感想欄に書いてみましょう。　　　☆こんなにたくさんかかるんだ。	●時間があったら数人に感想を尋ねてもよい。
●今感じていることを隣の人と話し合ってください。 　　☆ぼくは大切にされているんだな。　☆親になったらたいへんだな。	●家庭の経済状況は個々に異なるので，金額の高低がそのまま愛情の量的な違いを表しているわけではないことを確認する。
●みなさんにかけられた家族の「愛情」を感じた人が多かったようです。多くの愛情を受けて，みなさんが今，ここに存在しているんだということを私も感じました。人間は常に「人から愛をもらい，助けられながら生きている」ことを少しでも理解してくれるとうれしいです。	

小学生　低／中／高
中学生
高校生　●
大人

```
①食費・生活費（高校生1人・1年分）
　・食費　　　　　　　　　　　438,000円
　・家賃／電気／ガス／水道　　291,000円
②教育費（高校生1人・1年分）
　・学校（公立高校）　　　　　200,000円
　・習い事（塾等）　　　　　　120,000円
③こづかい
　　　　円 × 12か月 ＝　　　　　　円
④この1年間で買ってもらった物
　　連れて行ってもらった所
　┌──────┬─────┬──────┬─────┐
　│　内容　　│　金額　│　内容　　│　金額　│
　├──────┼─────┼──────┼─────┤
　│　　　　　│　　　　│　　　　　│　　　　│
　├──────┼─────┼──────┼─────┤
　│　　　　　│　　　　│　　　　　│　　　　│
　├──────┼─────┼──────┼─────┤
　│　　　　　│　　　　│　　　　　│　　　　│
　├──────┴─────┼──────┼─────┤
　│　　　　　　　　　　　　│④の合計　│　　　　│
　└─────────────┴──────┴─────┘
　①②③④の合計　　　　　　　　円
☆感想
```

■前後のつなぎと子どもの変化

○ワークシートを持ち帰り，親に添削してもらったり感想を書いてもらうとよい。また，お金をテーマに親子で話し合ってもらうこともできる。
○「この1年間についたうそ」など，親に迷惑をかけたことを振り返るエクササイズにつなげると，いっそう深く自己を見つめられる。
☆自分はとても大切にされていると感じた。また自分の価値が高くなったように感じた。
☆親とのかかわりを確認することができ，親との距離が近くなったように感じた。

■エクササイズの由来と参考文献

・内観法の「養育費の計算」をもとにした。
・村瀬孝雄編『内観法入門』誠信書房

ヘルプ・ミー

大高千尋 おおたかちひろ
静岡市立美和中学校教諭

■ねらい

困っていることをオープンにして人に頼る体験から，人に頼ることが問題解決の1つの方法であることに気づく。悩みを話すことで気持ちがスッキリしたり，アドバイスがもらえたり，同じ悩みをもつ人の役に立つことを知る。

■背景となる理論・技法

ピアカウンセリング，グループカウンセリング

（吹き出し）
- 私はこのごろあだなを言われて困っているけれどどうしたらいいのかな
- なぜあだなを言うのかな
- ぼくも言われていやなことがあるよ一緒に考えよう

時間 **20分**
場所 **教室**
ねらい **自己理解**

■準備

・「最近困っていること」アンケートをとっておく。

■内容

・比較的，仲のよい者同士で4人組をつくる。
・1人が最近困っていることを話す。
・グループ全員で解決策を出し合う。
・困っている人は，出た解決策についてさらに詳しく知りたいことを訪ねる。
・相談されてどんな感じがしたかを1人ずつ伝える。相談してみてどう感じたかを最後に伝える。

■実施できる時間

・学活，帰りの会
・道徳……導入として，いろいろな見方・考え方を知る目的で行う。まとめとして，その時間の主題に沿った悩みをもつ子どもについて考える。
・部活動，生徒会など
・その他のアレンジ……1人の悩みを取り上げ，学級全体で考えることもできる。意見を書いた無記名のカードを集めてプリントにし，それを配るようにして全体で意見を交換するとよい。

第5章 わたしを大切に

■展開例 ヘルプ・ミー 「帰りの会での実施」

教師の指示(●)と子どもの反応・行動(☆)	ポイント
●先日「最近困っていること」のアンケートをしました。結果は，友達に関する内容が多かったようです。思い出してみると，先生も中学生のころいちばん悩むことが多かったのは友達のことでした。 ●生活班になってください。今日はグループの1人に「最近困っていること」を発表してもらって，その解決策を話し合っていきたいと思います。 ●まず，発表してくれる人が「困っていること」を話してください。 　☆私が困っているのは携帯電話のことです。みんな持っているのに…… ●質問がある人はたずねてください。答えられない質問の場合には，「今は答えられません」と言ってパスしてもかまいません。 ●では，こんなふうにしたらどうだろうという方法をグループ全員でできるだけたくさん出し合ってください。　　☆こんな方法でもいいのかな。 ●たくさんの解決策が出ましたね。困ったことを発表してくれた人は，その中でもっと詳しく知りたいと思う方法があったら質問してください。 ●相談を受けた人はどんな感じがしましたか。1人ひとことずつ感想を述べてください。最後に困っていることを発表した人が感想を話してください。 　☆同じことで悩んだことがあったので，話してくれてよかったです。 　☆たくさんアドバイスがもらえて役に立ったし，うれしかったです。 　☆聞いてもらうだけで気持ちが楽になりました。 ●それでは，思い切って悩みをうち明けてくれた勇気ある発表者に拍手。 ●みんなが一生懸命に話を聞いている姿を見てうれしくなりました。私もよく友達や先輩に話を聞いてもらったことを思い出します。話し合える仲間がいる，話せる自分がいることを大切にしてほしいと思います。	●アンケートなどをもとに，あらかじめ発表者を決めておく。 ●3～4人組で実施する。気心の知れたもの同士がよい。クラスの様子や相談の内容によっては同性同士にする。 ●具体的な解決に結びつくことよりも，相談すると助けが得られることを体験をさせるのが目的。 ●どうしても解決策が見つからない場合は，最後に全体への提案としたり，教師が介入したりする。 ●何回か実施し，全員が発表する場を設定する。

小学生 低 中 高
中学生
高校生
大人

発表者の内容の場面がわからない

「何で困っているのかな」
「困る時の様子をくわしくきいてみたらどう？」

解決策がみつからない

「他のメンバーも自分の経験を話してみましょう」

■前後のつなぎと子どもの変化

○「困ったこと」を話すためには，クラスの人間関係ができてきてから実施するほうがよい。また，教師が内容を把握したうえで実施するほうが話し合いが進展しやすい。話の内容によって，男女混合にするかどうかも考慮したい。

○解決策を出し合った後，いくつかを取り上げて実際にロールプレイしてみることもできる。

■エクササイズの由来と参考文献

・「三人寄れば文殊の知恵」『エンカウンターで学級が変わる　中学校編パート2』図書文化

どっちがソンdeショー

渡辺とし子 わたなべとしこ
静岡県教育委員会
社会教育課主査

■ねらい
「○○らしさ」に無意識にとらわれ、やりたいことができなかったり、個性を発揮できなかったりすることがあることを意識する。「私らしさ」を大切にし、互いを理解し合うきっかけをつくる。

■背景となる理論・技法
自己開示、ジェンダー

（吹き出し）
- 「男のくせに」とおこられた
- 家でお手伝いさせられる
- チアリーダーをやってみたい
- ズボンをはいて学校に来たい

1. 今の性別で損をしたこと
2. 反対の性別になったらしたいこと

時間 20分
場所 教室
ねらい 自己理解・他者理解

■準備
・ワークシート　・筆記用具

■内容
・「男（女）で損したこと」をワークシートに書く。
・どんなことで損をして、その時どんな気持ちがしたかを全体に発表する。
・「女（男）に生まれていたらやりたいこと」を書く。
・全体に発表する。
・今の気持ちや気づいたことを男女混合4人組で話し合う。

■実施できる時間
・学活……学級で男女が対立している時に相互理解を深める目的で。また職業調べの一環として、性別と職業の関係を考える目的で。
・道徳……人権・差別の問題を考える導入として。
・その他のアレンジ……「一人っ子でソン」VS「兄弟姉妹がいてソン」などにテーマを変えて実施できる。

第5章 わたしを大切に

■展開例 どっちがソンdeショー 「進路に関する学活での実施」

教師の指示（●）と子どもの反応・行動（☆）	ポイント
●みなさんは、「男だから」「女だから」嫌だなと思ったことはありますか。「男だから損してる」とか「女だから不利」とか、もっとあんな性格だったらよかったのに、もっとこんなことができたらいいのにと思った経験はありますか。私の場合は、子どものころにとても野球が好きだったけれど、女だから野球部に入れなかったり、野球をするなんて女らしくないと言われたり、ボール投げや走るのが男子にだんだんかなわなくなっていくのが悔しかったです。それで、近所の女の子6人で草野球チームをつくりました。対戦チームもないのにおこづかいを出し合ってユニフォームを作ったりしてね。今日はどっちが損か、そして本当にそうなのかを比べてみましょう。	●教師自身の体験から、性別役割意識や慣習でできなかったこと、あきらめてしまったことを紹介する。これが、考える視点となる。
●ワークシートに自分が損した体験を書いてください。時間は5分です。	
●損したこと、その時どんな気持ちがしたかを全体に発表してください。	●ワークシートへの記入は省略してもよい。
●今度は「男だったら」「女だったら」してみたいことを書いてください。	
●してみたいことを全体に発表してください。	
●近くの人と4人組になってください。ワークシートに書いたり友達の発表を聞いたりしてどんなことを思ったか話し合ってみてください。 　☆男も女も、それぞれ損してることがあるんだなって思った。 　☆ぼくは男でいいな。女になりたいとはあまり思わないな。	●できるだけ男女混合で4人組をつくる。
●仕事や趣味、スポーツは本当に男と女で区別しなければならないのかなと疑問に思うことがあります。男でも女でも努力したことを互いに認め合えば、本当にやりたいことができるかもしれません。これを機会に、男性あるいは女性である自分について考えてみてほしいなと先生は思っています。	●男性より速く走ったり重い物を持つ女性、男性の保育士・看護士などを紹介するとよい。

小学生 低／中／**高**
中学生
高校生
大人

どっちがソンdeショー
名前＿＿＿＿＿

（1）男性・女性で損したことを書きましょう。またその時どんな気持ちがしましたか。

（2）もしもあなたが男性・女性だったら、何がしてみたいですか？

（3）今日の感想を書きましょう。

■前後のつなぎと子どもの変化

○職業調べと関連させ、「男（女）だったら就いてみたい仕事」をテーマに性別と職業について考えるきっかけとすることもできる。
　☆仕事や趣味、スポーツは、男女で分ける必要のないものがたくさんあるんだな。
○子どもが自分の性に否定的な感情をもっている場合、それを意識するきっかけになることがある。

■エクササイズの由来と参考文献

・静岡県女性総合センターの成人向けの女性学・男性学の講座で体験したものをアレンジした。
・『若い世代の教師のために　あなたのクラスはジェンダー・フリー？』(財)東京女性財団
・『男女平等教育に関する学習ガイドブック』男女平等教育研究会

じつは私……

曽根俊治 そねとしはる
静岡県教育委員会中部教育事務所
社会教育課指導主事

■ねらい
自分だけの経験や趣味や特技などを伝え，それをあたたかく受け入れられる体験を通して，集団への受容感とリレーションを深める。自分をオープンに語る体験を通して，自己理解を深める。

■背景となる理論・技法
自己開示，支持

（イラスト内の吹き出し）
- 実は私一年生の時から剣道を習っていて今一級なんです
- ピアノのほかに剣道までできるの！
- 一級だなんて知らなかった
- 試合に出てるのかなぁ

時間 20分
場所 教室
ねらい 他者受容・自己理解

■準備
・特になし

■内容
・5～6人組で輪になって座る。
・他の人にはない自分の体験，得意なこと，大切にしていること，趣味などを考える。
・「じつは私……」の話形に当てはめて1人が発表する。聞いていた人は「やったねコール」をする。
・順に全員が発表する。
・気づいたことや今の気持ちを話し合う。

■実施できる時間
・朝の会，帰りの会……新しい学級でのスタート時に自己紹介をかねて不安を和らげる目的で。
・学活……自分を振り返り，よさを発見する目的で。認め励ます支持的雰囲気を学級に育てる。
・保護者会……子どものいいところを語り合うことを通してリレーションをつくり，子ども理解を深める。

■展開例　じつは私……「朝の会での実施」

教師の指示(●)と子どもの反応・行動(☆)	ポイント
●5～6人のグループで輪になって座りましょう。 ●みなさんには，素敵なところ，自慢できるところ，こうなりたいと努力しているところなどいっぱいありますよね。今日は勇気をもって心の扉を開き，みんなが知らない自分を知ってもらうことから1日を始めましょう。 ●まずは私の心の扉を開きます。「じつは私，小学生の時に犬にかまれたんです。自分より大きい犬に飛びかかられて，それ以来どうしても犬に近寄れないのです。でもこの前，初めて子犬をなでることができました」。かっこ悪いことを話しましたが，聞いてもらうとすっきりするものですね。 ●では，目をつぶって自分の姿を振り返ってみましょう。みんなに自分のことを知ってもらうチャンスです。どんなことを紹介したいですか。 ●はい，目を開けましょう。発表時間は1人1分です。「じつは私……」と言って始めてください。聞く人は，しっかり受けとめて，発表の後に拍手と「やったねコール」をしましょう。――やったねコールをしてみせる。 ●ではジャンケンをしましょう。いちばん勝った人からスタートです。合図があったら次の人に交代します。初めの人どうぞ。 ●（1分後）はい，時間です。発表者から指名された人が次の発表者です。 　☆順に全員が発表する。「やったねコール」で盛り上げる。 ●全員の発表が終わりました。今どんなことを感じていますか。どんなことに気がつきましたか。感想を話してくれる人はいますか。 　☆A君が小さいころ外国に住んでいたなんて知らなかったよ。 ●心の扉を開いてくれたので，私もみなさんの意外な面をたくさん発見することができました。気持ちのよい1日のスタートですね。	●生活班などを利用する。 ●深呼吸などして，ゆったりと落ち着いた雰囲気を大切にする。 ●具体的な姿を思い描けるように，学習・スポーツ・趣味・ほめられたことなどの場面をあげて，考えさせる。 ●「やったねコール」を全員で一度やってみる手拍子で，♪チャン・チャン・チャ・チャ・チャ♪「やったね！」（または「さすが！」）。最後に発表者に向かって指をさす。 ●時間を決めずに班ごとに進めさせてもよい。 ●発言の少ない子，自信のない子を中心に指名し，認める。

小学生　低／中／高
中学生
高校生
大人

やったねコール

チャン　チャン　チャ　チャ　チャ　さすが

■前後のつなぎと子どもの変化

○数週間後に連続して実施することで，さまざまな視点から自分を見つめることができる。
　☆自分を見直すことができてよかった。一生懸命やったことをこれまで忘れていた。
○保護者会で「うちの子じつは……」の形式で実施すると，子どものいい点に目を向け，その行動を認めて肯定的にかかわるきっかけになる。
○一人一人のもっている特徴や努力に気づくきっかけとなり，失敗をゆるし，支え合おうとする学級の雰囲気が高まる。
　☆みんなが認めてくれてうれしかった。

自由に羽ばたこう

竹下なおみ たけしたなおみ
東京都世田谷区立
九品仏小学校教諭

■ねらい
下絵に色をつけながら自由にイメージを表現する作業を通して，自己理解を促す。

■背景となる理論・技法
カラーワーク

時間 15分

場所 教室

ねらい 自己理解

■準備
・チョウの下絵（A4判程度）
・色鉛筆，クレヨン，カラーペンなど

■内容
・下絵を配る。
・絵を見て自由にイメージをふくらませ，色を塗ったり模様を描いたりして作品を完成させる。
・隣の人と作品を見せ合って感想を述べ合う。

■実施できる時間
・学活……席がえ直後に実施するとよい。
・道徳……他者とのかかわりに関する授業で。
・図工……導入で。
・総合的な学習……リレーションづくりに。
・その他のアレンジ……いろいろな下絵で実施できる。魚の下絵を使ってどんな鱗で泳ぎ回りたいか，花の下絵を使ってどんな花を咲かせたいか，というようにしてもよい。

第5章 わたしを大切に

■展開例 自由に飛んでみよう「学活での実施」

教師の指示(●)と子どもの反応・行動(☆)	ポイント
●これはいったい何の絵に見えますか。 　☆あっ，チョウチョウだ。チョウに見えるよ。 ●そうですね。これはチョウの絵です。これから，みなさんに1枚ずつこの絵を配ります。――下絵を配布。 ●この絵をよく見てください。もし，自分がこのチョウだったらどんなチョウになってどんな所を飛んでみたいですか。世界にただ1つの自分だけの羽を持って，自由に飛んでいる様子を想像してみましょう。 　☆虹色の羽がいい。宇宙を飛んでみたい。 ●それでは，想像をふくらませて，このチョウに色をつけていきましょう。塗り絵のようにしてもいいし，模様をつけてもいいです。クレヨン，色鉛筆，カラーペン，好きなものを使いましょう。 ●何か質問がありますか。 　☆色鉛筆を使ってから，次にクレヨンを使ってもいいのですか。 　☆チョウに手をかいてもいいですか。 ●自由に好きなものを使いましょう。絵につけ足しをしてもかまいません。 ●では，始めます。時間は10分間です。　　☆チョウに色を付ける ●あと，1分間で終わりです。 ●時間になりました。作業をやめてください。　　☆ざわざわ。 ●どんなチョウになりましたか。隣の人とチョウを見せ合って，どんなチョウかを紹介してください。描いている時に感じたことや思ったことがあったら，それについても話しましょう。	●フラッシュカードのように瞬間的に見せ，興味をもたせる。 ●固定観念にとらわれず，自分の思うように，自由に想像してよいことを伝える。 ●時間があれば，色紙をちぎって貼り絵のようにしてもよい。 ●質問が出たら，不安や戸惑いを取り除くようにていねいに答える。 ●終了時刻前に予告する。 ●続きをやりたがる場合は，シェアリングのあとに時間をとる。 ●時間がある時は，全体にも感想を発表する。

小学生 低 中 高
中学生
高校生
大人

もっと続きをやりたい

「もっと続けていたい」

「話し合った後休み時間に続きをやってもいいですよ」

■前後のつなぎと子どもの変化

○絵を描くのが苦手な子どもにも受け入れられやすいので，学年始めにこのような活動を取り入れるとよい。
○時間がある時は，作品を仕上げてからの話し合いをたっぷりもつようにする。
　☆本当に自分が飛んでいる気持ちで描くことができた。
　☆いろいろ思いついて楽しくなってきた。また，やりたい。

■エクササイズの由来

・林伸一，安野陽子『山口大学学生相談所年報 No. 10・No. 11』

ふりかえり用紙

月　　日

（　）年（　）組　氏名（　　　　　　　）

今日のテーマ　[　　　　　　　　　　　　　　　　]

1．今日のテーマは楽しかったですか。

とても楽しかった　　少し楽しかった　　ふつう　　あまり楽しくなかった　　楽しくなかった

2．自分自身を素直に見つめられましたか。

とても見つめられた　　少し見つめられた　　あまり見つめられなかった　　見つめられなかった

3．自分自身について何か新しい発見がありましたか。

とても発見があった　　少し発見があった　　特に発見はなかった

4．自分自身に贈る言葉を書きましょう。

_____
_____
_____
_____
_____

5．今日のテーマを通して，今感じていること，気づいたこと，考えたことなどを自由に書きましょう。

_____
_____
_____
_____
_____

ショートエクササイズ Part2 一覧表

■第2章　シンプルエクササイズ集

タイトル	使われている技法	内容	場所	分	頁
この指とまれ	グループづくり	「好きな○○」などテーマを決めて，同じ好みや考えの人同士でグループをつくり，その理由を伝え合う。人との共通点や違いを知りながら，リレーションをつくる。	オープンスペース	15	28
あなたにインタビュー	反復質問法	2人組になり，同じ質問につき何度も質疑応答を繰り返す。自問自答では不明確なことも，人の質問に繰り返し答えることで明確になり，自分自身の考えを深化できる。	教室	10	30
4つの窓	選択法	「好きな○○」などテーマごとに4つの選択肢を用意，同じ物を選んだ人同士で理由を伝え合う。集団の中に同じ考えも違う意見もあり，それでいいことに気づかせる。	教室	15	32
いいとこさがし	リフレーミング	グループのメンバーについて，相手のいいところだと思った「事実」と，自分の「感想」を書く。回収して教師が目を通してから本人に配り，感想を話し合う。	教室	15	34
カラーワーク	非言語的コミュニケーション	下絵にクレヨンや折り紙などで色をつけ，自分を表現するような作品をつくる。色を媒介にして，言語表現や人間関係が苦手な人の自己表現のチャンスとする。	教室	15	36
トラストウォーク	非言語的コミュニケーション	2人組になり，片方の人が目をつぶったもう1人を誘導して歩く。言葉や視覚を使わないことで，相手や自分の人との接し方や思いやり，やさしさなどに気づく。	教室	15	38
文章完成法	連想法	「小さい時わたしは……」などいくつかの未完成の文の続きを各自考えて用紙に記入する。文章を自由にたくさん作ることで，自分を振り返り，自己理解を深める。	教室	15	40
他己紹介	役割交換法	2人組で自己紹介をしたあと，2つのペアが組んで4人組になる。新しい2人に，言葉遣いや言い回しなども含めて最初のペアの相手になりきって一人称で紹介する。	教室	15	42
内観	自己分析	「いつ，だれに対する自分」について調べるかを考え，「お世話になったこと」「してあげたこと」「迷惑をかけたこと」を時間を追って振り返る。	教室	15	44
わたしのしたいこと	自己表現	ペアになり，1人が「自分のやりたいこと」を思いつくままいくつもあげ，相手は「そうですか」と受ける。途中で役割を交替。言語化により自分の気持ちを確認。	教室	5	46
それはお断り	自己主張	2人組になり，各自とても大切な物を1つ決める。片方はそれを貸してと頼み，もう1人はひたすら断り続ける。練習を通して拒否する自由があることを知る。	教室	10	48
2人組・4人組	シェアリング	活動やエクササイズのあとに，気づいたこと，感じたことを2人組，4人組で話し合う。無理に統一見解を出したりまとめたりせず，それぞれの気づきを大切にする。	教室	15	50

■第3章　あなたを大切に

タイトル	内容	どんなときに	対象	場所	分	頁
青い糸	2枚ずつ用意されたナンバーカードを引き，同じ番号の者同士で自己紹介をし合う。初対面の緊張感をゲーム形式で緩和する。	学活・学年始め・国語・集会	小…低・中・高 中・高・大人	教室	15	56
心と心の握手	出会った人と手を握り見つめ合う。1〜3までの数を思い浮かべ2人同時にその数だけ手を握る。相手と数が一致するまで繰り返す。	お別れ会・宿泊行事・学活・保護者会	小…中・高 中・高・大人	教室	5	58
つながりカップル	姓名に共通点や関連がある2人組のカップルをつくり，全員の前でその「つながり」を発表。自己紹介とペアづくりをセットにできる。	学年始め・保護者会・学活	小…高 中・高・大人	体育館	8	60
おはよう，昨日ねぇ！	2人組をつくる。1人が「おはよう！」と声をかけ，昨日の出来事を話し，2人で自由に語り合う。聞く方と話す方を交代して同様に。	朝の会・学活・学年始め	小…高 中	教室	15	62
言葉のプレゼント	ペアをつくり，黒板に書かれた人の性格や性質を表す肯定的な言葉のうち，相手に合う物とその理由を短冊に書き，プレゼントし合う。	帰りの会・学活・行事の後	小…中・高 中・高・大人	教室	15	64
一番おかしい失敗談	ペアで順番に「今までで一番おかしい自分の失敗談」を話し，感じたことを話し合う。また希望者は全員の前でも発表する。	学活・道徳・総合的な学習	小…高 中・高・大人	教室	20	66
トラストパッティング	リズミカルに体をパッティング（軽くたたく）し，手のひらをこする。ペアになり相手の背中をいたわりながらマッサージする。	会議・体育	小・低・中・高 中・高・大人	教室	10	68
そんなあなたが好き好き！	自分の嫌なところを相手に伝え「それでも好きになってくれませんか」と言う。相手は内容をリフレーミングして「好きです」と言う。	研修・進路セミナー・福祉の授業	大人	教室	15	70
カラーで相手をさがそう	色の名前が書かれたクジを引く。全員が同時に大きな声で自分の色を言い，同じ色の相手を探してその人と色の好き嫌いなどを話す。	ペアをつくりたい時	小…低・中・高 大人	教室	10	72
時間半分トーク	ペアになり，1人が今週の出来事を2分で話す。相手は相づちを打ちながら聞き，それを要約して1分で話す。交代して繰り返す。	朝の会・帰りの会・学活・授業	小…高 中・高・大人	教室	10	74
うちの子マップ	紙に楕円を書き，中に自分の子どもの名前を，周りにその子について連想される言葉や文章を書く。ペアで交換・紹介し合い，話し合う。	保護者会	大人	教室	10	76
素朴なコロンブス	面白い・うれしい・おいしいの3つの発見を紙に書き，ペアで発表し合う。その後全体で感想を話し，共感し，他者を理解する。	学活・帰りの会・国語	小…高 中・高・大人	教室	15	78
忘れられない経験	ペアで片方が自分の忘れられない経験を話し，もう片方は質問したり感想を述べる。交代して同様に行い，お互いの理解を深める。	朝の会・帰りの会・学活・研修会	小…中・高 中・高・大人	教室	15	80

タイトル	内容	どんなときに	対象	場所	分	頁
この色なーんだ！	3色ずつ好きな色紙を持ち，交互に1枚ずつ出して色から連想することを話す。最後にペアや全体で，各自の自由な発想を共有する。	朝の会・帰りの会・学活・図工	小…低・中・高 中・高・大人	教室	15	82
2人で描こう	声を出さず，1枚の画用紙に2人で協力して絵を描く。完成した絵を見て話し合い，題名をつける。共同作業により他者を理解する。	学活・道徳・図工・総合的な学習	小…低・中・高 中・高・大人	教室	20	84
イメージトリップ	静かな音楽を聞きながら，各自自分が行きたかった所を旅するシーンを想像。それをペアなどで発表し合い，自己発見・他者理解する。	学活・道徳・宿泊行事の準備	小…高 中・高・大人	教室	20	86
あなたの印象	下絵に折り紙やクレヨンなどをつけて，相手のイメージに合う作品を作る。そのイメージについて話し合い，友達への関心を深める。	学活・学年始め	小…中・高 中・高・大人	教室	20	88

■第4章 みんなを大切に

タイトル	内容	どんなときに	対象	場所	分	頁
われら○○族	4人組になり，好きな色や食べ物などをもとに共通点や特徴を探し，「われら○○族」とグループ名をつけて発表，感想を話し合う。	学活・道徳・保護者会	小…高 中・高・大人	教室	15	92
みんなでミラー	2人組・4人組などになり，1人が音楽に合わせて動き，他の人がまねをする。楽しみながら自己表現できる雰囲気をつくる。	学活・音楽・体育	小…低・中・高 中・高・大人	オープンスペース	15	94
どうやってそうなったの？	メモに自分の困難な体験と，その切り抜け方を書く。4人組で発表し，感じたことを話し合うことで，他者への思いやりを育む。	学活・行事	小…高 中・高・大人	教室	20	96
それから	3人での会話トレーニング。話し役は聞き役2人に，平等になるよう気をつけながら2分間話し，他の2人は相づちを打ちながら聞く。	学活・朝の会 帰りの会	小…高 中・高	教室	20	98
つもり運動	2人・4人などで縄があるつもりの縄跳び，ボールがあるつもりのパスなど，見えないものを一緒に見ようとする共通体験をする。	体育・屋外活動	小…低・中・高 中・高・大人	体育館	10	100
カードトーキング	1人数枚ずつ，友達に聞きたいこと・話題にしたいことをカードに書き，グループごとに集める。順番にカードを引き，質問に答える。	朝の会・帰りの会・学活・道徳	小…中・高 中・高・大人	教室	20	102
ポジティブしりとり	3〜5人のグループで，好きなものや長所など自分のポジティブな面と関係する言葉を使ってしりとりをして，自己肯定感を高める。	学活	小…中・高 中・高・大人	教室	15	104
キラキラ生きる	6人以上で組になり，1人が「言ってもらいたい言葉」を3つ決める。残りの人が「キラキラ星」の替え歌にのせてその言葉でほめる。	学活・朝の会 帰りの会・保護者会・行事	小…低・中・高 大人	オープンスペース	20	106
私の3大ニュース	1年の自分の3大ニュースを書き，教師が回収して読み上げ，だれのものかを当てる。自己肯定し，友達と共に学んできたことを喜ぶ。	帰りの会・学活・道徳・学期末や学年末	小…中・高 中	教室	20	108

タイトル	内容	どんなときに	対象	場所	分	頁
何が伝わった？	4人組になり，最近強く感じた出来事を1人ずつジェスチャーで伝え，他の人が当てる。さまざまな表情を見せ合い，関係を深める。	学活・国語	小…低・中・高	教室	20	110
何考えてるかあててみて！	今自分にとっていちばん興味のあることを思い浮かべ，4～5人のグループで質問し合って当て，他者理解を促進する。	朝の会・帰りの会・学活	小…高 中	教室	15	112
はらはら親子紹介	親子が円になり，音楽に合わせてはちまきを回す。音楽がやんだ時，はちまきを持っていた親子が互いに名前などを皆に紹介し合う。	学活・保護者会・学年始め	小…低・中・高 大人	体育館	20	114
3つの発見	1日の最後に友達・自分・その他について発見したことを書く。5日目に互いのカードを回し読みして，感じたことなどを発表する。	帰りの会・行事の後	小…低・中・高 中	教室	7	116
体ぜんぶで自己紹介！	全員で輪になり，自分の好きなニックネームを発表し，全員が呼んで1周，2周目はそれにポーズをつけ，ポーズもまねながら呼ぶ。	学活・宿泊行事	小…低・中・高 中・高・大人	オープンスペース	20	118
自己紹介トス	5～7人で「○○な△△さん」と自己紹介どおりに相手を呼びながらクッションを投げ，受け手も「ありがとう××な□□さん」と返す。	学活・授業	小…中・高 中・高・大人	体育館	10	120
あわせアドジャン	4～5人組で同時に0～5の数を手で示し，全員が一致する回数を競う。各グループで一致させるための作戦を話し合い，協力し合う。	朝の会・帰りの会・学活・集会・保護者会	小…低・中・高 中・高・大人	教室	10	122
トーキング・ペンダント	グループの中央にペンダントを置き，1人がそれを人にかけて感謝したいことを言う。相手は「私もうれしいです」と言って受け取る。	行事の後・学活	小…高 中・高・大人	教室	20	124
心の色は何色ですか？	健康観察の際，自分の健康状態に合う色を答える。元気な子はその理由と今日がんばることを話す。具合の悪い子への接し方も話し合う。	朝の会・行事の前後	小…低・中・高	教室	10	126
SAY YES！	修学旅行などの後に。相手の班別自由行動の様子を想像して，YESと答えてもらえるよう質問し，お互いの行動力を称え合う。	学活・行事の後	小…高 中・高	オープンスペース	15	128
ぼく，わたしのヒーロー，ヒロイン	好きなキャラクターなど，自分のヒーロー・ヒロインをグループ内で紹介し合う。他者理解，人前で話す訓練などに効果がある。	朝の会・帰りの会	小…低・中・高 中	教室	15	130
ハンドパワーの輪	全員で同じ方向を向いて円になり，真心を込めながら前の人の背中に手のひらをつける。他者への支持や他者からの支持を体感する。	朝の会・帰りの会・学活・道徳	小…中・高 中・高・大人	オープンスペース	10	132
得意なこと・できること	4人組で順に左の人に得意なこと・できることを尋ね，聞かれた人は1つ答える。他の3人は肯定的な感想を述べたり，ほめたりする。	朝の会・帰りの会・学活・進路指導	小…中・高 中・高・大人	教室	15	134
ねえ，どうして？	3人ほどの組でお互いに進路などの志望理由を尋ね，相手が答える。人に話したり他の考えを聞くことで，目的や価値観を明確にする。	進路指導・研修会の初め	中・高・大人	教室	15	136

■第5章　わたしを大切に

タイトル	内容	どんなときに	対象	場所	分	頁
心の中の鬼さがし	鬼の絵に「いじわるオニ」「仲間外しオニ」「なまけオニ」など自分の嫌なところの名前を付けて紹介し、そんな自分や他人を受け入れる。	学活	小…低・中・高 中	教室	15	140
わたしのためにあなたのために	1週間で人からお世話になったことの数と、その時の自分の気持ちを思い出すことで、人に支えられて生かされていることに気づく。	帰りの会・学活・道徳・総合的な学習	小…低・中・高 中	教室	15	142
私へのメッセージ	行事や学期中に自分を見守ってくれた何か（時計や黒板など）を見つけ、それから自分への言葉を受け取り、がんばった自分を認める。	学活・行事の後	小…低・中・高 中	教室	20	144
いまの私は何色？	今の自分の気持ちを見つめて、ワークシートにそれに合う色をぬる。ペアでその理由と感想を話し合い、自己理解・他者理解を深める。	朝の会・帰りの会・給食	小…低・中・高 中・高・大人	教室	10	146
マイ・ビューティフル・ネーム	自分の名前の意味や由来、感じていることをみんなに話し、感想を話し合う。自分への気づきと自己開示で、和やかな雰囲気をつくる。	学活・道徳	中・高・大人	教室	15	148
もしもなれるなら	虫だったら、車だったらなどテーマごとに各自なりたいものとその理由を考え、班の中で発表、代表が全員に感想や気づきを伝える。	帰りの会・学活・授業の導入時	小…低・中・高 中・高・大人	教室	10	150
2人の私	人数分のイスを用意。「学校嫌だけど好き」など自分の中の反する考えをイスを移りながら述べ、友達が観察して感想を話し合う。	学活・道徳・保護者会・相談室	小…高 中・高・大人	オープンスペース	20	152
魔王の関所	魔王と人間のペアをつくり、人間は自分の嫌なところを魔王に伝え、魔王はそれをリフレーミングして人間に返し、感想を話し合う。	学活	小…高 中・高・大人	教室	15	154
養育費の計算	食費や教育費、買物、こづかいなど1年間に自分に使われたお金を計算して、自分が多くの人に支えられている存在だと気づく。	朝の会・帰りの会・家庭や経済の単元	高・大人	教室	15	156
ヘルプ・ミー	比較的仲のよい者で組になり、1人が「最近困っていること」を話し、全員で解決策を相談し合う。依存という問題解決法を知る。	学活・帰りの会・道徳・部活動・生徒会	小…高 中・高・大人	教室	20	158
どっちがソンdeショー	男と女、どちらがどう損をして、その時どう感じたか、逆に生まれていたらやりたいことは何かを話し合い、自己理解を深める。	学活・道徳	小…高 中・高・大人	教室	20	160
じつは私……	グループで「じつは私……」と自分だけの体験や大切なことなどを伝え、聞く人は「やったね！」とコール。集団への受容感を高める。	朝の会・帰りの会・学活・保護者会	小…高 中・高・大人	教室	20	162
自由に羽ばたこう	下絵に自由に色や紙をつけて作品を作り、友達に見せて感想を述べ合う。自己理解を促し、自由に作品を完成させる楽しさを味わう。	学活・道徳・図工・総合的な学習	小…低・中・高 中・高・大人	教室	15	164

執筆者紹介 (五十音順　敬称略　2001年9月現在)

明里　康弘	千葉市教育センター指導主事
飯野　哲朗	静岡県総合教育センター 教職研修部指導主事
伊澤　裕	栃木県宇都宮市立簗瀬小学校教諭
上村　知子	千葉市立鶴沢小学校教諭
梅本美和子	山口県日本語クラブ宇部
大高　千尋	静岡市立美和中学校教諭
大塚美佐子	千葉県野田市立岩名中学校教諭
岡　和弘	岡山市立財田小学校教諭
岡田　弘	東京都聖徳栄養短期大学助教授
影山　雅通	福島県郡山市立芳賀小学校教諭
梶山　雅美	静岡県立静岡南高等学校教諭
黒沼　弘美	山形市立桜田小学校教諭
國分　留志	さいたま市立与野教育研究所 相談員
小原　寿美	山口県日本語クラブ宇部
斉木ゆかり	神奈川県東海大学 留学生教育センター助教授
齊藤　優	千葉市立千城台西中学校教諭
佐藤　隆	茨城大学教育学部附属中学校教諭
住本　克彦	兵庫県立教育研修所 心の教育総合センター指導主事 兵庫教育大学講師
曽根　俊治	静岡県教育委員会中部教育事務所 社会教育課指導主事
曽山　和彦	秋田県立本荘養護学校教諭
髙橋　晋也	山形県戸沢村立角川中学校教諭
竹下なおみ	東京都世田谷区立九品仏小学校 教諭
塘内　正義	熊本県芦北町立大野小学校教諭
中里　寛	宮城県柴田町立船迫中学校教諭
中村　洋子	山口県萩国際大学助手
二宮喜代子	山口大学非常勤講師
橋元　慶男	三重大学教育学部附属 教育実践総合センター客員教授

林　和弘	福岡県北九州市立医生丘小学校教諭	森　洋介	山口短期大学専任講師
林　伸一	山口大学人文学部教授　学生相談所相談員	森泉　朋子	東京工業大学留学生センター非常勤講師
原田友毛子	埼玉県所沢市立北小学校教諭	安野　陽子	山口県カラーワーク研究所カラーコミュニケーター
原田ゆき子	宮城県仙台市立小松島小学校教諭	簗瀬のり子	栃木県矢板市立矢板中学校教諭
兵藤　啓子	東京都日野市立日野第七小学校教諭	家根橋伸子	山口大学非常勤講師
藤原ひとみ	大阪府摂津市立千里丘小学校養護教諭	八巻　寛治	宮城県仙台市立東長町小学校教諭
古田　信宏	岐阜県関市立田原小学校教諭	山見　智子	山口県宇部短期大学非常勤講師
丸山　尚子	静岡市立長田西中学校教諭	米田　薫	大阪府箕面市教育センター指導主事　大阪教育大学非常勤講師
三池　勝広	長崎県時津町立時津東小学校教諭	渡部　孝子	群馬大学留学生センター専任講師
南方　真治	和歌山県立和歌山工業高等学校教諭	渡辺とし子	静岡県教育委員会社会教育課主査
宮本　幸彦	東京都世田谷区立玉川中学校教諭		
武藤　榮一	群馬県前橋保健福祉事務所　児童相談部係長代理		
森　憲治	三重県員弁郡適応指導教室教諭		

監修者

國分康孝　東京成徳大学教授　日本教育カウンセラー協会会長

こくぶ・やすたか。1930年生まれ。東京教育大学，同大学院を経てミシガン州立大学カウンセリング心理学専攻博士課程修了。Ph.D.。現場の教師を志したが教育実習がうまくいかず，挫折感をもつ。これが機縁で精神分析を受け，やがてカウンセリング心理学で学位をとる。ライフワークは折衷主義のほかに，論理療法，構成的グループエンカウンター，サイコエジュケーション。自己イメージは，同僚の説をとり「大和魂が星条旗の背広を着ている人間」である。現在は日本中に教育カウンセラーを育てようと精力的に活動中。師匠は，霜田静志，ウィリアム・ファーカー。著書多数。

編集者

國分久子　青森明の星短期大学客員教授　日本教育カウンセラー協会評議員

こくぶ・ひさこ。1930年生まれ。関西学院大学卒業。ミシガン州立大学大学院修了。M.A.(児童学)。大学ではソーシャルワークを専攻したが，グループが苦手で霜田静志に精神分析的教育分析を受ける。その後，アメリカで児童心理療法とカウンセリングで修士号を取得。論理療法のA・エリスと，実存主義者のC・ムスターカスに影響を受けた。主著に『男性の心理』三笠書房，『エンカウンターとは何か』図書文化（以下共著），ムスターカス『人間存在の心理療法』誠信書房（共訳）など。

林　伸一　山口大学人文学部教授・学生相談所相談員　上級教育カウンセラー

はやし・しんいち。1950年生まれ。筑波大学大学院教育研究科カウンセリング専攻修了。日本語教育に構成的グループエンカウンターを応用することをおもな研究テーマにしている。著書に，『論理療法の理論と実際』『続・構成的グループエンカウンター』（分担執筆）誠信書房，『教師と成人のための人間づくり・第5集』（分担執筆）瀝々社，『学級担任のための育てるカウンセリング全書1』（分担執筆）図書文化社。

飯野哲朗　静岡県総合教育センター教職研修部指導主事　上級教育カウンセラー

いいの・てつろう。1956年生まれ。國學院大学卒業。浄土真宗本願寺派中央仏教学院卒業。筑波大学大学院研究生修了。日本学校教育相談学会認定学校カウンセラー。教育の学としてのカウンセリングの理論化を模索中。主著に，『生徒指導に教育相談を生かす』ほんの森出版，『スクールカウンセリング事典』（分担執筆）東京書籍，『学級担任のための育てるカウンセリング全書2・6』（分担執筆）図書文化社など。

簗瀬のり子　栃木県矢板市立矢板中学校教諭　上級教育カウンセラー

やなせ・のりこ。1962年生まれ。宇都宮大学教育学部卒業。日本学校教育相談学会認定学校カウンセラー。筑波大学研究生として國分康孝教授，田上不二男教授にカウンセリング心理学を学ぶ。学級経営に生かすエンカウンターが自分のテーマ。著書に，『エンカウンターで学級が変わる　中学校編』（分担執筆），『エンカウンターで学級が変わる　中学校編　Part2』（分担執筆），『学級担任のための育てるカウンセリング全書9』（分担執筆）以上図書文化社。

八巻寛治　宮城県仙台市立東長町小学校教諭　上級教育カウンセラー

やまき・かんじ。1958年生まれ。東洋大学卒業。民間企業で学んだ自己啓発研修の技法を，特活の集団活動，教育相談のカウンセリングに応用して，開発的な学級づくりを模索中。著書に『構成的グループエンカウンター　ミニエクササイズ56選　小学校版』明治図書，『心の教育とカウンセリングマインド』（分担執筆）東洋館出版社。『月刊学校教育相談』ほんの森出版，『月刊特別活動研究』明治図書，『小一教育技術』小学館などに連載。

あとがき

　この本は，日本の構成的グループエンカウンターが重厚に育ってきている証拠を提示していると思われる。編者の飯野哲朗がコメントしているように，ショートエクササイズはエンカウンターのエッセンスを伝達・表現している作業課題である。その作業課題がこれだけ多くの人によって提示されているということは，多くの人がエンカウンターのエッセンスをつかんでいるということである。これはエンカウンターのエッセンスが日本の教育界に普及定着しつつあることを示唆している。

　カウンセリングの世界に簡便法が求められたように，エンカウンターの世界にもいま，簡便法が求められている。これはエンカウンターの研究・実践・指導に30年近くかかわってきた私たちにとってうれしいかぎりである。

　ショートエクササイズでは，より臨機応変な能力がリーダーには求められるので，リーダーはカウンセリングの諸理論になじんでくださることを切望したい。

　　　　　2001年秋　青森明の星短期大学客員教授　國分久子

エンカウンターで学級が変わる
ショートエクササイズ集 Part 2

2001年10月20日　初版第1刷発行［検印省略］
2001年12月28日　初版第2刷発行

監修者Ⓒ國分康孝
編集者　國分久子　林伸一　飯野哲朗　簗瀬のり子　八巻寛治
発行人　清水庄八
　　　　株式会社 図書文化社
　　　　〒112-0012　東京都文京区大塚1-4-5
　　　　TEL.03-3943-2511　FAX.03-3943-2519
　　　　振替　00160-7-67697
　　　　http://www.toshobunka.co.jp/
組み版　株式会社 大栄企画
印刷所　株式会社 厚徳社
製本所　株式会社 駒崎製本所

乱丁・落丁本の場合はお取り替えいたします。
ISBN4-8100-1353-7　C3337
定価はカバーに表示してあります。

★イラスト　さくら工芸社
★装幀・本文デザイン原案　本永惠子

育てるカウンセリングの理論と実際

●エンカウンターの本

エンカウンター学級が変わる　ショートエクササイズ集1～2
エンカウンターで学級が変わる　小学校1～3・中学校1～3・高等学校
エンカウンターで総合が変わる　小学校編・中学校編
エンカウンターで学校を創る
　　以上國分康孝監修　B5判　本体：2,233～2,800円＋税
エンカウンターで進路指導が変わる
　　片野智治編集代表　B5判　本体：2,700円＋税
エンカウンターとは何か　教師が学校で生かすために
　　國分康孝ほか編　B6判　本体：1,600円＋税
エンカウンター　スキルアップ　ホンネで語る「リーダーブック」
　　國分康孝ほか編　B6判　本体：1,800円＋税
エンカウンター　こんなときこうする　小学校編・中学校編
　　諸富祥彦ほか編　B5判　本体：各2,000円＋税

●サイコエジュケーション関連

ソーシャルスキル教育で子どもが変わる　小学校編
　　國分康孝監修　B5判　本体：2,700円＋税
実践サイコエジュケーション　心を育てる進路学習の実際
　　國分康孝監修　B5判　本体：2,500円＋税

●育てるカウンセリング実践シリーズ

学級崩壊予防・回復マニュアル
　　河村茂雄著　B5判　本体：2,300円＋税
グループ体験による　タイプ別！　学級育成プログラム
　　小学校編・中学校編　河村茂雄編著　B5判　本体：各2,300円＋税

●「こころの教育」実践シリーズ

クラスでできる非行予防エクササイズ
　　國分康孝監修　押切久遠著　A5判　本体：2,000円＋税
VLFによる思いやり育成プログラム
　　渡辺弥生編集　A5判　本体：2,400円＋税

図書文化

※本体には別途消費税がかかります

構成的グループエンカウンター公式ネットワーク

E-net 2000

どこで学べるのか・だれに聞けばよいのか　　　　　　　　　2001年4月20日現在・改訂第3版

E-net 2000 とは

本ネットワークは，構成的グループエンカウンター（以下 SGE）の開発者である國分康孝 Ph.D. を会長として，「SGE を実践するための相互援助を促すこと」「SGE の発展を推進すること」をめざします。そのために，①エンカウンターを実践するうえでの相談を受ける，②ネットワーク（実践者）を紹介する，③エンカウンター研修会の講師を紹介する，等の活動をします。その他，本誌『E-net 2000』の発行（不定期），ホームページ（http://www.toshobunka.co.jp/books/encounter/encounter1.htm）の運営を行います。

●ネットワーク組織
- 会　長：國分康孝 Ph.D.
- 事務局：國分康孝ヒューマンネットワーク事務局（武南高等学校ガイダンスセンター）
- 受付け窓口：(株)図書文化社出版部（東・渡辺：03-3943-2516）
- キーステーション：各47都道府県で積極的に協力していただける人に事務局より依頼（★印）
- ネットワーク会員：受付窓口に対する希望者からの申請を受けて登録

●活動の方針
- ギブアンドテイクの原則。
- ボランティアシップに基づいて各人ができる範囲で協力し合う。よって拒否する自由もある。
- アクセス自由のオープンなつながり。エンカウンターに関してだれもが平等な一実践者。
- 指導案やワークシート等の交換にあたっては，著作者のオリジナリティーを尊重する。

■國分ヒューマンネットワークのかかわる講座

●國分カウンセリング研究会・例会
國分康孝先生・久子先生の指導で，SGE の実践研究，論理療法，事例研究等について隔月の研究会を行う（TEL&FAX 048-431-0483　武南高等学校ガイダンスセンター）。

●國分カウンセリング研究会主催・構成的グループエンカウンターワークショップ
國分康孝先生・久子先生の指導による SGE の本格的なワークショップ。体験コース，リーダーコース，それぞれ年に2～3回実施される。
- 受付窓口：(財)応用教育研究所（TEL 03-3943-2510）
- 事務局：武南高等学校ガイダンスセンター（TEL&FAX 048-431-0483）

【体験コース】2泊3日の SGE を味わい，本音と本音の交流体験をしながら自己発見にいたる。
【リーダーコース】2泊3日でリーダーとしてエクササイズを実施・開発する力を身につける。

●学級づくりのためのエンカウンター入門講座
教師初心者向け1日ワークショップ。國分康孝先生・久子先生の講演に続き，エンカウンターを体験し学級づくりに生かすノウハウを小グループで演習。
- 受付窓口：(社)日本図書文化協会・エンカウンター講座係（TEL 03-3947-7031）

(北海道)

大道まき子 帯広市立緑丘小学校　学活や空き時間，ゆとりの時間にジャンケン列車，名刺集め等を仲間づくりのために実施。市内の研究部会で研修の一つとしてロールプレイを取り上げている。いいとこさがし等は評判がよい。

石垣則昭 登別市立幌別中学校　H8より積極的な生徒指導の具体的な手だてとして，新任研，地域研で実践指導している。現在，胆振地方を中心とするSGEの会を計画中。連絡は幌別中学校・石垣（0143-85-3111）まで。

★瀬尾尚隆 札幌市立常盤中学校　（011-583-0769 [Fax]）年に数回，学活で実施。H12は総合的な学習の時間で実施する計画を校内で進めている。日本教育カウンセラー協会（JECA）北海道支部事務局長として活動。

★鳴海康司 函館市南北海道教育センター　（職：0138-57-8251）教育相談，学級経営，いじめ・不登校，生徒指導など，センターで行う研修講座で，握手とあいさつ，ブラインドウォーク，自己紹介等を毎年実施。

宮崎順一 童夢心理教育相談室　自己理解と仲間づくりをテーマに月1回程度実施。病院の看護研修や大学・専門学校の授業でも活用。H11学校教育相談研究会では「学級ですぐ使えるSGE」，H12は「心の絆を育む学校教育相談」を研修。

(青森県)

水木慈恵 上北郡七戸町立七戸中学校　人間関係づくりやアサーショントレーニングを中心に他者理解のエクササイズを月1回程度，短学活で実施。道徳や学活でも実施。

大友秀人 青森明の星短期大学　前任の高校では授業，LHRで年4～5回実施。対話のある授業に，授業が活性化した。

(岩手県)

太田勝浩 盛岡市立北厨川小学校　学活，研究授業などで45分を学期2回程度実施。活動カードを利用して，自分とは異なる友達のよさを認め受容する気持ちを育てる。

藤村一夫 盛岡市立見前小学校　学年集会では学期に1回，SSTを取り入れたものを実施。授業では，友達の発表や作品へのフィードバックを中心としたエクササイズを実施。

佐藤謙二 気仙郡三陸町立越喜来中学校　進路指導の一環として学活で学期数回実施。自己理解を深め，自己肯定感を高めることを目的にしている。学級診断尺度（Q-U）を年2回実施し，SGEによる効果を研究中。

堀篭ちづ子 岩手郡西根町立西根中学校　養護教諭。保護者会でショートエクササイズを実施。前任校では，担任とのTTで授業にも取り入れた。近隣の保育園での母親講習会にも活用。H11は他校の校内研修会で講師を務めた。

苅間澤勇人 岩手県立栗石高等学校　学級づくりを目的に4～5月のLHRで集中的に実施。数学の授業にもSGEの手法を取り入れている。「勉強する気になる」と生徒に好評。H12度6月の校内研修会，1月の盛岡地区教育相談部会研究会で「SGEの理論と実践」を講義予定。

多田江利子 岩手県立種市高等学校　SGEを用いたロールプレイやディベートを行い，家庭科の教科指導に活用。H10，11には家庭科教員の研修会で紹介した。参加者にも授業を体験してもらったところ，大変好評で反響があった。

★河村茂雄 岩手大学教育学部　（職：019-621-6625 [Fax兼]）教育相談，生徒指導の講座でSGEの体験学習を行っている。大学院の教育心理学特論・特別演習は夜間に実施し，教師をはじめ社会人にも開放。

小野寺正己 盛岡市子ども科学館　現在は数校のSGEの実践指導講師として現場とコミットしている。教育委員会の指導講師としても，学校や研修会に派遣。

(宮城県)

二本柳淳一 仙台市立旭丘小学校　朝の会の5分間で，サイコロアクションと名づけたショートエクササイズを実施。体育の準備運動の一部にも時々取り入れている。

★八巻寛治 仙台市立東長町小学校　（022-285-8926 [Fax]，職：022-249-3285 [Fax]）学活や道徳で月1回程度実施。ショートのプログラム化等，子どもの実態に応じたアドバイスが可能。県内・市内の先生30人とネットワークを持つ。県内・近県の講師（幼・小・中・一般）を行う。H9小中の連携，H10学級崩壊，H11から虐待児への援助を研究。

岩渕　進 登米郡迫町立新田中学校　新年度や学期始めの学年行事，学活で年数回実施。他者理解，自己理解を目的に，表現活動の活性化を促す支援方法を実践を通して模索中。

鈴木　睦 仙台市立長命ヶ丘中学校　技術科の情報基礎領域で作品制作中に「よろしく握手」「私は……思います」等を週1回実施。H8～10「情報教育におけるSGEの有効性」，H11「特殊教育におけるSGEの有効性」を実践・研究。

中里　寛 柴田郡柴田町立船迫中学校　学活と道徳で月2回実施。私の四面鏡，みんなでリフレーミングなど，自分を好きになるエクササイズが定番。国語ではロールプレイを用いた自己主張訓練のエクササイズを実施。

(秋田県)

曽山和彦 秋田県立本荘養護学校　不登校を背景要因にもつ生徒を対象に，自立活動の時間等を利用し，月1～2回実施。人間関係づくり，自己理解・他者理解をめざしたエクササイズを中心に行っている。

(山形県)

黒沼弘美 山形市立桜田小学校　自他のよさを認め合う温かい人間関係づくりのため，学活，道徳，教科の導入等で実施。学級開きでの友達ビンゴが好評。H11は校内や市の道徳部会で「育てるカウンセリング」の一領域として紹介した。

★**佐藤克彦** 酒田市立泉小学校（職：0234-26-3206，6069 [Fax]）山形教育センターで1年間長期研修生として研究。5学級における計25回の実践を「SGEハンドブック」にまとめた。現在は学級で月2回程度実施。地域にSGEとSGEマインドを積極的に広めたい。

★**佐藤節子** 上山市立本庄小学校（023-642-3070 [Fax兼]，secchan.sato@nifty.ne.jp）H11まで県教育センターにおいて教職員研修の中にSGEを取り入れてきた。また校内研修会，保護者研修会等でもSGEの実践を行ってきた。

吉田祐子 山形市立第四小学校　信頼関係を育む学級づくりのため，学活，道徳などで年数回実施。修学旅行等の学校行事では「仲間集め」「してもらったこと」を実施。

八柳和夫 山形市立第四中学校　保健委員や特定の学級に対し，ピアサポートの練習としてSGEを導入。いろいろな広がりに活用していくよう努めたいと願っている。

【福島県】

伊東伸也 郡山市立緑ヶ丘第一小学校　学級開き，学期始め，協力して取り組む行事の前に実施。参観日前日に「あなたの口ぐせ」を行い，当日は保護者にも参加してもらった。

坂本千花 西白河郡矢吹町立矢吹中学校　学活で月1回を目標に実施。月旅行，ブラインドデート，友だちのいいとこさがし，共同絵画などを行った。クラスメートと仲よくなるきっかけにできればと思っている。

藤田信一 会津若松市立第二中学校　年度始めなどに実施。H8から校内研究の一環として共通援助案を作成し，全学級で実施している。人間関係づくりが主なねらい。

【茨城県】

飯塚敬二 石岡市立南小学校　人間関係づくりと自己肯定感を高めるため，学活で月1～2回実施。SGEを中心とした学級経営を研究・実践した。自己肯定感を高めるエクササイズを独自に作成中。

茨城大学教育学部附属中学校　学校内外の他者と関わり合い，学び合いが成立するための基盤づくりとして「コミュニケーション学習」を立ち上げ，その一部にSGEを取り入れている。温かな人間関係づくり，自己理解，他者理解を主な目的に学期数回実施。毎年の公開研究会で発表。

佐藤 隆 茨城大学教育学部附属中学校　学活や道徳の時間に学期3回程度実施。教科でもSGEの手法を活用している。望ましい人間関係づくりのきっかけとして，対話を中心にしたものやグループワークトレーニングを行っている。

松崎恵美子 土浦市立都和中学校　道徳で年5回実施。1学期は自己紹介をかねたものを2時間，2学期は行事に合わせたものを2時間，3学期は1年間の思い出を振り返るようなものを1時間行った。

山口豊一 茨城県教育研修センター　センターにおける教育相談，生徒指導の講座でSGEの体験学習を行っている。

横島義昭 茨城県教育庁高校教育課　前任の高校では，学活や教科を中心に学期2回程度実施。HRでの人間関係づくりや教科授業での興味・関心の高揚のために適宜実践した。

【栃木県】

阿久津和之 黒磯市立鍋掛小学校　教科では相互評価や鑑賞の場面で，気持ちに触れながら授業のまとめをするのに活用。席替え後は隣の子と仲よくできるようにジャンケンゲームなどを実施。H12は月1～2回，各クラスへSGEの授業を行っている。SGEの普及に燃えている。

伊澤　裕 宇都宮大学大学院・宇都宮市立簗瀬小学校　学活，保護者会で月1～2回実施。適応指導教室担当として，不登校生徒の人間関係づくり，自他理解等に活用してきた。最近は，選択理論をSGEに生かす試みをしている。

小齋哲也 那須郡那須町立黒田原小学校　家庭教育学級，お楽しみ会等で90分を年2回程度実施。保護者同士が気楽にコミュニケーションできるよう初回に取り入れている。

斎藤エツ子 今市市立轟小学校　研究授業，校内現職教育，他機関の係長研修などで，サイコロトーキング，別れの花束，トラストウォーク等を実施。楽しく有意義な研修会との声あり。

森田　勇 兵庫教育大学大学院・河内郡河内町立岡本西小学校　総合におけるSGEを中心とした包括的な心の教育実践プログラムのカリキュラム開発に取り組んでいる。

阿部明美 小山市立桑中学校　道徳，学活で月1～2回実施。試行錯誤でチャレンジ中。最近では，修学旅行の班づくりに新聞紙ジグソー，共同絵画を取り入れた。

蕪木将郎 宇都宮市立宮の原中学校　学活を中心に月2回程度，エクササイズ集の中から学級の状態に合ったねらいのものを実践し，人間関係づくりを行っている。

★**簗瀬のり子** 矢板市立矢板中学校（職：0287-43-4430 [Fax]）学活や道徳で月1回程度実施。帰りの会や給食を利用して随時ショートを。シェアリングは日記指導と組み合わせて展開。アレンジを楽しみながら行っている。栃木県内で講師も行う。「学級経営に役立つSGE」の視点から話をしたり演習をしたりしている。

栃沢多佳子 栃木県立真岡女子高等学校　年度当初のLHRでリレーションづくりのエクササイズを実施。クラスの仲間意識を育て，各々がサポートし会える人間関係づくりを試みる。進路学習にもグループワークを取り入れている。

★**伊澤成男** 栃木県総合教育センター（職：028-665-7211，7217 [Fax]）初任者研修，生涯学習関係の研修で，1泊2日のカウンセリング演習にいくつかのエクササイズを取り入れている。家庭教育学級でも実施。

群馬県

岡庭美恵子 前橋市立敷島小学校　学活，道徳，保護者会，研修会等で実施。主に自他のよさを認め合う活動を中心にしている。よりよい人間関係を築く力を育てることを目的に，学級経営に力を入れている。

荻原敬子 太田市立宝泉中学校　温かい人間関係づくりをめざし，道徳や学活で月1回程度実施。朝の会や帰りの会にショートエクササイズを導入し，その有効性を研究中。

米本　剛 新田郡藪塚本町立藪塚本町中学校　リレーションづくりや自己理解・他者理解を深めることを目的に，学活を中心に月1回程度実施。行事や道徳の内容に関連させてエクササイズを選定している。

★武藤榮一 前橋保健福祉事務所児童相談部（職：027-261-1000，7333［Fax］）心がふれあう人間関係づくりを目的に，保護者や児童に自己理解・他者理解を深めるエクササイズを学期1回程度実施。県内の先生15人で，「出会いのパレット」という研究会と支える会を月1回開催。

埼玉県

入江智子 朝霞市立朝霞第九小学校　道徳・学活を中心に学期1～2回実施。共同絵画，リレー昔話，無人島SOS等をすることが多い。

菊池千恵子 大宮市立宮前小学校　1学期3回，2学期2回，3学期1回実施。各学年の実態に即したプログラムを作成し取り組んでいる。アンケートから児童の自己肯定感が高まり，効果が見えてきた。H9から3年計画で学校課題研究「心の通い合う教育の創造」に取り組んできた。

佐藤義隆 北本市立中丸東小学校　5年生の学期始めに学活で「Xさんからの手紙」を実施。感謝していること，期待すること，長所等を書いた人がわからないようにして交換。

鈴木　薫 岩槻市立西原小学校　学級開きでは8回程度集中的に実施し，学級づくりに活用している。校内の職員研修でも毎回取り上げている。

鈴木教夫 春日部市立立野小学校　道徳や特活で学期2回程度実施。自己理解や仲間づくりのためのエクササイズを中心に行っている。最近は，生き方や将来展望を考えさせるエクササイズを考案している。

★髙橋光代 川口市立並木小学校（職：048-252-5407，254-2288［Fax］）教育相談を中心に据えた生徒指導年間計画に位置づけ，心がふれ合う温かい人間関係づくりのエクササイズを中心に，学活，集会，保護者会等で実施。校内研修会や市のカウンセリング研修会でも行った。

谷口治子 桶川市立加納小学校　裁量の時間，お楽しみ会等で，ハートぴったりはだれ？，もしもしお巡りさん，私がしたい20のこと等を行っている。

★原田友毛子 所沢市立北小学校（職：042-922-3404，3749［Fax］）学活・道徳等で月2回実施。学年朝会や合同学活では毎月行い，ふれあいの輪が広がった。総合では「自分さがしの旅」として結実。近隣の先生方と勉強会を行う。

★別所靖子 大宮市立大宮南小学校（048-721-3304［Fax兼］）生活科や道徳に取り入れ，従来と違う切り口で授業を組み立てようと努めている。保護者会ではショートエクササイズを実施。和やかな開かれた雰囲気を保っている。SGEの効果はやり方しだい，まだまだ発展途上中。

山口孝一 大宮市立上小小学校　学活，道徳等で月1～2回実施。オリジナルエクササイズ，クリスマスプレゼントが好評。総合にマッチした内容や，保護者会で気楽に実施できる内容を考案中。H11校内研修で「家庭とのコミュニケーションを育むSGE」を紹介した。本年度も継続実施。

山下眞一 日高市立高麗川小学校　学活で45分を学期1回実施。自己理解のエクササイズをもとに自己理解ノートを作成。SGEを中心とした総合の学習活動を計画中。

荻野浩和 熊谷市立吉岡中学校　学活や道徳，年度・学期始めの学級集団・グループづくりに取り入れている。

金山美代子 春日部市立武里中学校　養護教諭。相談室登校の4人の仲がうまくいかなくなったとき，トラストウォークとみんなでリフレーミングを行った。「少し友達を見る見方が変わった」と，子どもたちの感想。

栗原信幸 桶川市立桶川中学校　学級開き，学活，保護者会などで学期2回程度実施。前任校では難聴学級に通う生徒への指導と友達づくりに共同絵画を取り入れ，有効だった。

栗原　博 入間市立東金子中学校　学活，道徳，進路指導，保護者会等で月1回程度実施。前任校では，H10に校内研修の一つとして実施した。以降，学級開きや行事の事後指導のエクササイズが好評。SGEをさらに広めるため活動中。

小林良昭 新座市立第五中学校　学級開き，進路指導，保護者会等で積極的に活用。生徒自身の自己・他者理解，リレーションづくり，さらに校内研修等に取り入れている。

斉藤　仁 所沢市立小手指中学校　カウンセリング，ボランティア，国際教育で学校を変えていきたい。SGEは3つの場を活性化させる。ボランティアの集まり，市の研修会などでもSGEを活用中。

佐藤智代 越谷市立栄進中学校　学活，移動教室，保護者会等で50分を年5回程度実施。学級開きのときの担任へのインタビューが好評。H7～9年度は校内研修後に「グループエンカウンターを用いた学級開き」を全校で実践した。

中村　豊 岩槻市立慈恩寺中学校　読み物資料を通してより活発なコミュニケーションを図り，合意できる価値づくりのため，道徳にSGEの手法を応用。H10埼玉県教育心理・教育相談研究会の夏期研修会で「学級でできる人間関係づくり」として実施した。

中村和賀子 埼玉大学教育学部附属教育実践研究指導センター 付属中学校の総合的な学習の時間で，養護教諭が週2時間，年70時間の授業を行っている。SGEを主に，体験学習を通じて思いやりのある人間関係を構築する。

★**橋本　登** 大宮市立北中学校 （職：048-641-1214, 645-5364 [Fax]） 日本教育カウンセラー協会（JECA）埼玉県支部，県内外にネットワークあり。首都圏で講師も行う。リレーションづくりとともに，気づきを起こすSGEを好む。教科や道徳の授業にSGEの導入を試みている。

福島博子 大宮市立桜木中学校 学活や道徳で学期数回利用。今後は総合的な学習の時間に位置づけ，実践していきたいと考えている。

内田圭子 川口市立川口高等学校 学級開き，学活，教科指導（保健体育），進路指導で実施。日常の学校生活でさりげなく行うことをモットーとする。「不思議な風船」「魔法のじゅうたん」など身体を動かすエクササイズに興味がある。H5校内進路学習会（希望者対象）で3回シリーズで実践。

越智典子 埼玉県立杉戸高等学校 LHR，学級開き，保護者会，校内研修会，教育センターや教育相談研究会の教員向け研修会などで紹介。自己・他者紹介，インタビュー，ネームゲーム，コンセンサスゲーム等を行っている。

片野智治 武南高等学校 今の私は，國分流SGEを全国に広めるべく歩いている。時々立ち止まって，写真を撮るのを忘れない。「エンカウンター」で出会う人々は，教師や心の教育相談員，そして企業人などである。

★**吉田隆江** 武南高等学校 （ガイダンスセンター：048-431-0483 [Fax兼]） 国語の授業の中にエンカウンター精神とその手法を取り入れている。対話のある授業をめざしているのである。エンカウンターの普及にも意を注いでいる。

髙工弘貴 埼玉県立栗橋高等学校 進路学習を目的に，LHRの時間に月1回程度実施。記入課題を用いたエクササイズを多く活用する。さまざまなカウンセリング技法をSGEの道具としてアレンジすることに関心がある。

竹村忠雄 埼玉県立八潮高等学校 進路指導，学活，保護者会等で50分を年3回程度実施。集団づくりの再編と自己理解のため，クレパスや作業シートを用いて行っている。

金子　功 埼玉県立東松山養護学校 宿泊研修では50分をHR単位で，学級開き，保護者会でも15分を年2回程度実施。社長ゲーム，NASAゲーム，エゴグラムが好評。

北原陽子 狭山市市民相談室 H9は学校適応指導教室の通室生に「私の願い」など6種類を実施。最近は公民館で母親対象のサイコエジュケーションにSGEを活用している。

土岐都子 国立婦人教育会館 前任校では学活，道徳，国語等で45分を年12回程度実施。無言でできる活動（フィンガーペーンティング等）を行い，自己理解をめざした。

★**野中真紀子** 埼玉県立総合教育センター （職：048-874-8134） センターの学校カウンセリング研修会の中でSGEを行っている。校内研修，PTAでの研修の持ち方などについてアドバイスが可能。

畠山佐保子 与野市教育センター 毎日の朝の会で「友だちのいいところさがし」を3分間実施。帰りの会で数名分を発表してシェアリングを行ってきた。教育センター研究協力員（H9～12）としてSGEを研究。研究報告「エクササイズ集15編」を発刊した。

【　千葉県　】

石井由美子 山武郡成東町立成東小学校 学活や道徳の時間を利用して実施。保護者会や校内研修でも活用しており，あなたの○○が好き，探偵ごっこが好評。

岩田裕之 印旛郡栄町立竜角寺台小学校 主に道徳や学活で実施。学級開き，1年の振り返りなどでは学期数回行っている。Xさんからの手紙など，オーソドックスなものが多いが，ブラインドウォークを活用した道徳なども行っている。

尾高正浩 千葉市立打瀬小学校 学活，道徳，総合的な学習の時間，保護者会等で実施。SGEを総合とどう関わらせていくかが目下の課題。

黒岩絹子 千葉市立有吉小学校 道徳，裁量の時間，保護者会などで40分を学期2回程度実施。学活では，Xさんからの手紙，探偵ゲーム等を行った。校内研修の一つとして，H7は自己理解・他者理解について全職員で研修。

★**髙橋伸二** 流山市立西深井小学校 （職：0471-54-8655, 8664 [Fax]） 学級で月3～4回実施。総合的な学習，環境教育における実践例あり。県内で講師を務める。実態に応じたアレンジが得意。日本学校教育相談学会認定カウンセラー。

戸邉幸代 野田市立二ッ塚小学校・ことばの教室 ことばの教室の小集団指導で学期1回程度実施。ことばの教室の保護者学習会でも，交流を深めるために年5回程度実施した。市内の15の小学校の保護者に好評だった。

豊田美恵子 千葉県総合教育センター 学活，朝の会・帰りの会で15～30分を学期2回程度実施。人間知恵の輪，団結の樹，親切カードが好評。

萩原美津枝 千葉市立宮崎小学校 おもに学活，道徳，体育で，友達関係を深める目的でSGEやGWTを活用。授業参観や懇談会では「探偵ごっこ」などを行ってきた。

半田美智子 八日市場市立匝瑳小学校 裁量の時間や学活で45分を年6回程度実施。自己理解・他者理解を深めるため，ゲーム形式で取り入れている。

藤平恵子 千葉市立誉田小学校 学活，林間学校，お楽しみ会，保護者会，職員の歓送迎会等で45分を学期2～3回実施。自他理解，個性の伸長を楽しみながら行っている。お勧めは探偵ごっこ。前任校のH7校内研究で取り上げた。

v

山宮まり子　東葛飾郡沼南町立大津ヶ丘第二小学校　学活で45分を年6回。林間，集会，保護者会でも随時実施。授業で活用できる手法を試し掘り中。サイコロゲーム，別れの花束が好評。シェアリングを通して子どもたちの変容を実感！　H11の校内，校外研修会では気軽にできる実践を紹介。

浅井　好　千葉市立真砂第二中学校　学年始めの学活で集中的に実施（4月は3回，5～7月は月1回，2～3学期は学期2回）。日常会話のきっかけとなる簡単なものから始め，自己肯定感を高めるものを混ぜている。H10より千葉市グループエンカウンターを学ぶ会で実践事例研究を行う。

伊藤　宏　野田市立東部中学校　前任校では学活，道徳，進路指導，研究授業等で月1～2回実施。幸せを運ぶ手紙，親切カード，ポジティブ・フィードバック等がお勧め。ほかの先生にも学級開きなどに取り入れるようお勧めしている。

★今井英弥　船橋市立旭中学校　（職：047-439-5710, 5709［Fax］）　主に学級の時間に月1～2回実施。しかしそれ以上に，社会や総合でSGEやその機能を生かした授業づくりを意識して行っている。H12より校内や学年で「人的環境づくり」のテーマが設定されたため，SGEを生かしたプログラムづくりに取りかかろうとしている。

植草伸之　千葉市立若松中学校　学活や道徳を中心に，月2回を目標に実施。関係づくり→自己理解→他者理解→自己開示の流れで1年を見通している。H11，12に千葉市研究指定「心の教育」を受け，全校でSGEを研修中。

大関健道　野田市立福田中学校　50分を月2回程度実施。親切カード，気になる自画像，感情を表現しよう，ブラインドデートがお勧め。H7～9に学校同和教育の研究指定校として，学活での実践を中心に全校で取り組んだ。市の学級活動部会や道徳部会でも研究テーマとしてSGEを取り上げ，市内の全小中学校にSGEの実践の輪が広がっている。

大塚美佐子　野田市立岩名中学校　学活，道徳，保護者会で月2回程度実施。自他理解が進み，学年・学級の雰囲気がよくなると実感。サイコロトーキングには保護者も参加。大人と話すいい機会となった。H11年11月に野教研道徳部会で「生きる力を育てるための道徳指導はどうあるべきか」をテーマに授業「匠の里」を実施。

小林まさ子　流山市北部中学校　学活，道徳，保護者会等で，人間関係づくりと自己理解の深化を図るため学期4回程度実施。進路指導にも活用している。

★齊藤　優　千葉市立千城台西中学校　（職：043-237-1003，237-4446［Fax］）　道徳や学活で，生徒の自己理解や人間関係づくりを目的に月1回程度実施。特に内観法やアサーショントレーニングを取り入れたエクササイズを中心に行う。

髙城英子　松戸市立新松戸北中学校　学活・道徳等で，人間関係づくりや心からわかりあえる集団づくりのために実施。学年行事を生かした環境教育の中でも，自然をありのままに受け止める感受性の育成に向け実践している。

野口由紀夫　千葉市立椿森中学校　進路指導で50分を年3回程度実施。「地域を知ろう」の事前・事後指導で活用。H6～8に前任の蘇我中学校で，進路指導総合改善事業推進地域指定実施校として全校規模で取り組んだ。

保田裕介　千葉市立蘇我中学校　自己理解や人間関係づくりを目的に月1回程度，学活等で実施。進路指導に活用したところ好評だった。

發田博介　柏市立富勢中学校　学級集団の人間関係づくりや自己理解を進めるため，教務主任の立場で担任の先生方に勧めている。人権尊重の部分を国語科で展開。校内研修や教育センターの講師としても導入時に行ったり紹介している。

大串　清　千葉県立船橋芝山高等学校　教育相談関係の研修会で，受け身になりがちな受講者を刺激し，体験的な理解を深めるために使用。テーマは主に人間関係や進路を意識させるもの。H11の校内研修会では，LHRで活用できるEQ尺度を利用した自己理解促進法を実施した。

鈴木敏城　千葉県立市川南高等学校　国語の授業を中心に，討論の雰囲気づくりと自己開示の体験のために40分を月1回程度実施している。

正保春彦　茨城大学　2年生以上対象の総合ゼミの中で，SGE，ロールプレイを実施。スクールカウンセラーとして勤務した中学でも担任の先生と協力し，道徳で実施した。

★鈴木由美　聖徳大学・都留文科大学　（suzukiyumi@nifty.ne.jp）　都留文科大学では，新入生を対象にSGEの授業を週1回行っている。友達づくりと自分を知ることを中心にした内容で，校庭でも走り回っている。

★諸富祥彦　千葉大学教育学部　（職：043-290-2561［Fax］）　全国を回りながら，主に教員対象の研修会，校内研修会でSGEを行っている。自分を好きになるエンカウンターが得意技。千葉市グループエンカウンターを学ぶ会・顧問。悩める教師を支える会・代表。

★鎌田好子　市原市教育センター　（職：0436-41-3338）　学校や教育センターの研修会で，ジャンケンゲーム，共同絵画等を実施。自己理解・他者理解を深め，関わり合いの中での気づきを大切にしている。H9～10は「なぜエンカウンターなの」をテーマに，教科の一場面にもSGEを取り入れた。

土田雄一　市原市教育センター　道徳，学活等で活用できるSGEの開発実践を行っている。「友達・先生・家族『知ってるつもり』ビンゴゲーム」など，自己理解・他者理解を深めるものが中心。初任者研修等で実施。

戸邉明良　野田市教育委員会　前任の福田中学校では，社会，学活，道徳で，人間関係を深めるために学期4～5回実施。効果が出てきている。お勧めは，保護者向けの私の伝えたいこと等。

増満芳之　栄町教育委員会　前任の中学校では50分の学活や保護者会で月1回程度実施。学活では信頼関係・他者理解を中心とし、保護者会では他者理解を中心に行った。「私のしたい10のこと」等がお勧め。

東京都

朝日朋子　台東区立育英小学校　学級集団づくりのため、学活や裁量の時間に実施。各教科、道徳、総合的な学習の時間にも活用している。

石川芳子　練馬区立練馬東小学校　学級の人間関係づくりのため、学活や道徳で30〜40分を月2回程度実施。前任校では保護者会やH10校内教育相談研修会でも実施。私はわたしよ、いいとこさがし、ありがとうカードが好評。

伊尻正一　田無市立田無小学校　H9〜10は兵庫教育大学大学院で「学級崩壊予防研修プログラムの構築」を研究。教師研修の柱としてSGEを実践。対人認知の歪みを教師自身が自覚し改善するため、レクチャーとワークを組み合わせた研修を月1回、計5回行った。教師用RCRTで変化をみた。

上野三千代　杉並区立桃井第一小学校　道徳や授業の一部として15〜45分を月2回程度実施。アサーショントレーニングも合わせて、さわやかな人間関係づくりを試みている。

小畑敦子　墨田区立墨田小学校　特に国語では、友達とのふれあいを通して自分の読みや考えを深めるプロセスにSGEを活用している。

久保田満子　練馬区立石神井東小学校　学活、道徳、保護者会等で15分を月4回程度行っている。

久保由美子　江戸川区立第三葛西小学校　学年始めの学級づくりにおいて毎日行っている。おはよう握手、接着剤、質問ジャンケンが効果的。

品田笑子　足立区立加平小学校　教科、道徳、特活で幅広くエンカウンターを活用している。総合的な学習の時間への活用が最近の関心である。

城崎　真　練馬区立大泉東小学校　学級開き、学活、体育、委員会等で45分を学期3回程度実施。授業や諸活動にエンカウンターの考え方を応用し取り入れている。

竹下なおみ　世田谷区立九品仏小学校　学級での望ましい人間関係づくりをめざし、学活や道徳で実施。教科でもブレーンストーミングや4つの窓等を応用して取り入れている。

兵藤啓子　日野市立日野第七小学校　理科の授業を中心に学期2回程度実施。互いの考えを主張し、開き合える雰囲気づくりをめざして、学期始めや班替えを機会に行っている。

福田乙夜　稲城市立稲城第七小学校　校内PTA役員会で年度始めに実施。学年の枠を超えて信頼ある関係を保護者に深めてもらいたいと考えた。小グループで話し合えるように工夫し、自分たちの考えを確かめ合えるようにした。

向井知恵子　中野区立大和小学校　国語、社会、体育、家庭科などに取り入れて進めている。振返りを大切にすることで、聞く・話す・書く力も伸びる。総合科へもつなげていくつもり。「関わりの中で子どもを育てる——人間関係を育む手法を活用して」でH10に文京区小教研教育相談部で研究。

矢野良枝　日野市立日野第二小学校　現在TTを担当する生活科、算数で、毎年の出会いの時期の関係づくりに活用。目下、通常の算数の授業に生かしたいと模索中。子どもたちに受けがいいのは、「先生から等距離？」など。

山本陽子　練馬区立大泉学園緑小学校　学活や道徳で月2回程度実施。そのたびに楽しそうな温かい人間関係が生まれること、シェアリングからねらいが達成されていることを実感。保護者会でも好評。H11に「魅力のある保護者会」をテーマに校内研修会で自己紹介ゲームなどを実施。好評。

吉田佳子　杉並区立杉並第三小学校　高学年の学級・学年の枠をはずして、信頼関係を深めようと学期1回程度実施。校内研究会では、講師の先生と「握手でこんにちは」をしてから和やかに授業を進めた。

足立由美子　江東区立深川第二中学校　学活、学級開き、外部の人を招いて話してもらうときなどに、年2〜3回「イエス・ノー・クイズ」をして人間関係をつくっている。道徳・数学でもほかの形で数回実施。

★石黒康夫　渋谷区立広尾中学校　（職：03-3400-2440）
H12より全校体制で取り組んでいる。学級開き、行事、進路学習とそれぞれの場面に合わせて実施予定で、主にその手助けをしている。教育目標を変更。生徒指導部を生徒部と改称し、その中にガイダンス科を設けて心の教育に取り組んでいる。研修テーマは「温かな人間関係を育む教育活動の実践」。

石津和恵　桐朋女子中学・高等学校　入学直後の合宿オリエンテーションで、人と出会い知り合う体験を意識的に行うため、身体接触（すし詰め電車ゲーム）、知的交流（SOS砂漠でサバイバル）を実施。

★鹿嶋真弓　足立区立蒲原中学校　（職：03-3605-8335, 8336［Fax］）　月1〜2回実施。学校行事や進路学習に合わせ、道徳、学活の時間に計画的に行った。学級開きのエクササイズや、移動教室の夜の「内観」が特にお勧め。

木下千津子　板橋区立上板橋第三中学校　国語で作品を素材に他者理解・自己表現のエクササイズを実施。学活でも対話の機会を多くし、人間関係づくりを行っている。H11は「親の気持ち、子どもの心」をテーマに、保護者にも実施。

坂詰悦子　羽村市立羽村第三中学校　技術・家庭科において、グループ学習、討議、課題学習の発表が活発かつ効果的に行える手助けとして取り入れている。自己理解やリレーションを高めるエクササイズを工夫して行っている。

柴野誠一　多摩市立多摩中学校　認めあう人間関係をめざし，学級開き，学活で年10回程度実施。自分探し，私の四面鏡，気になる自画像が好評。H10東京都スクールカウンセラー研修では講師を務めSGEを紹介した。

髙野利雄　立教池袋中学・高等学校　補充時間を使って，童話・描画・心理テスト等をエクササイズとしたSGEを実施。ボランティア体験学習の中ではシェアリングを重視。

豊田みち子　足立区立第八中学校　知的障害学級の学活で20～30分を月2回実施し，自己・他者理解を深めている。また全校生対象のコミュニケーション部を設置し，その一環として年5～6回，地域の老人会や老人ホームへ出向きボランティア活動をしている。そして障害を持つ生徒，健常の生徒，さらに高齢者へと相互理解の環を広げている。

藤川　章　立川市立立川第九中学校　学年単位で，学活，道徳，進路指導をはじめ，いじめ問題の取組みなどの場面で年間を通して実施してきた。1年生の学級開きでSGEの虜にするのがコツ。H12度総合のテーマ「共生」を学ぶ手段として，1年生全体にSGEの授業を行っている。

堀内　勇　町田市立町田第三中学校　学活で40分を学期3回程度実施。集団のリレーションづくりを中心に行う。保護者会にも取り入れている。

牧野正博　慶應義塾中等部　保護者会等で年数回，ゲーム感覚で実施。特に初回は，自己紹介，他者理解，情報交換，親睦等を目的として行っている。授業では毎時間5分程度，自己開示を中心に行っている。

宮本幸彦　世田谷区立玉川中学校　学級開きで50分を2回，2～3学期は不登校といじめの防止を意識して50分を2回程度，ゲーム形式で取り入れている。ねらいの伝達と振り返りの重要性を感じている。

本宮啓子　東久留米市立東中学校　学活では50分を学期2～3回実施。自己表現，自己理解のために，学級開き・納めにも取り入れている。進路指導で行った「25歳の私からの手紙」は効果的。H8校内研修「エンカウンターグループ体験を生かした学級づくり」では体験学習を行った。

★飯島修治　都立新宿山吹高等学校　(pahko-s@parkcity.ne.jp)　実践については加勇田修士の項参考。氏の実践の補佐役を担当している。SGEの中に，いかにメンバーの自発性を導入するかがテーマ。

★加勇田修士　都立新宿山吹高等学校　(yacht@mx2.ttcn.ne.jp)　新入生移動教室の人間関係づくり，保護者会の導入に30～60分を年3回程度実施。H3本校開校時に國分康孝先生の指導で教員全員がSGEを体験し，教育相談への姿勢を築いた。

★大池公紀　都立立川高等学校定時制　(kimi917@mb.infoweb.ne.jp)　前任の晴海総合高校ではH10年4月から専任キャリアカウンセラーとして相談活動に専念。SGEを取り入れたガイダンスプログラムを全学年に実践させた。総合的な学習の時間の展開にSGEを取り入れることを主張し，公的な教員研修会・講習会などで伝えている。

志村賢一　都立北園高等学校　学活，移動教室，お楽しみ会等で50分を年6回程度実施。傾聴訓練，自己主張訓練（紙つぶて），ブラインドウォーク等を多数実施した。

鈴木公美　都立足立新田高等学校　総合的な学習の時間に先行して行った「総合」で学期に4～6回実施。出会いや気づきを促す参画型のエクササイズが中心。教科指導でも対話のある授業にトライ。

松田孝志　明治大学付属明治中学・高等学校　倫理・政経で5単位，校外学習でのHR活動で50分を年1回実施。ジグゾーⅡ法によるグループワークで居場所づくりをしている。

間宮延泰　都立国際高等学校　学活，道徳で50分を学期2～3回実施。特にコミュニケーションの理論と実践に力を入れている。H9～10は東京都教育委員会の「人権尊重の教育」資料製作委員（特活）として取り組んだ。

和田倫明　都立航空工業高等専門学校　公民科倫理，現代社会や心理学の授業にエクササイズを取り入れたり，通常の教科指導の中にSGEの要素を取り入れるなど，おもに授業場面で年に数回行っている。

岡田　弘　聖徳栄養短期大学　大学の授業で実施。学生は「小中高でもこんな授業を体験したかった」と言う。SGEは21世紀の教育のキーワードの1つ。國分康孝・久子先生の提唱されたSGEを，多くの方に知っていただきたいと願っている。何なりとご相談いただきたい。

登村勝也　J・トムラ・カウンセリングスクールJPN　本年度は教育環境カウンセリングをテーマとして，アメリカと日本の文化を比較しながらあらゆる情報の整備をし，その集中管理活用をシステマティックにして利用してほしい。現場で発生している諸問題に対して，対処療法ではなく予防するためのシミュレーションを行いたい。

仁田ハナコ　足立区教育研究所教育相談鹿浜分室　相談活動のなかで，小グループの指導に取り入れることがある。

（神奈川県）

★甲斐田博高　相模原市立田名北小学校　(職：042-761-2627, 762-8099 [Fax], kaichan7@fra.allnet.ne.jp)　学活ではまとまった時間に，教科ではショートエクササイズを月2～3回行っていたが，現在は月1回程度のショートを実施。身体接触を伴うエクササイズが多い。

★加藤宣行　津久井郡津久井町立鳥屋小学校　(caw35210@pop21.odn.ne.jp)　教科，道徳，特活，総合などで，オリジナルエクササイズも含め，単元や実態に応じたエクササイズを実施。特に総合や総合単元道徳との関連で実践を研究中。H11はエクササイズの紹介を中心に校内研修を行った。H12は保護者対象に実施予定。

★**渡辺寿枝** 川崎市立長尾小学校　(職：044-866-1541, 855-2208 [Fax])　朝の会、帰りの会で1分間スピーチやいいとこさがしを実施。体育では体ほぐしのミニエクササイズを準備運動中に行う。特活や授業でも活用している。H11校内研修「学級経営に活かせるSGE」で体験学習した。

青野　勇 川崎市立宮崎中学校　道徳，学活，1年時の宿泊行事に導入。学級の雰囲気づくりにも活用。学級の成熟度に応じてエクササイズを選んで実施している。

大村　麗 伊勢原市立山王中学校　学活で6人程度のグループでできるエクササイズを実施。学期始めと終わり、何か活動を始めるときの導入によく使っている。

川端久詩 横須賀市立公郷中学校　相談指導学級、適応指導教室等でのSGEの展開を模索中。「アウチでよろしく」の作者として普及に努める。神奈川県教育センターのいじめ・不登校研修講座でSGEの研究発表を行う。

髙橋浩二 横浜市立領家中学校　(職：045-811-6641, 812-9645 [Fax])　H10より2年間、上越教育大学大学院で朝の会・帰りの会に実施するSGEプログラムの開発を行い、自己受容の変容に有効であることを検証した。現在は現場復帰し、実践の準備中。

米山成二 藤沢市立長後中学校　学級開きや学期の振り返りを中心に月1回程度実施。特に行事や進路学習(職場体験学習)では、3年間の計画を立てて全校で取り組む。市教委研究推進校として、H10〜12校内研究「自己をひらき、他との響き合いを求めて」を実践。

★**田島　聡** 神奈川県立上矢部高等学校　(職：045-861-3500)　現在は相談室の活動が主で、個人面接が多くなっている。面接の中で生徒の友人関係が希薄なことを痛感。また面接と並行して、SGEを行う担任のスーパービジョン、コンサルテーションを行っている。

犬塚文雄 横浜国立大学　これまで10年間にわたって、上越教育大の大学院で現職院生の修論指導に取り組んできた。H12より本校に新設された夜間大学院に転勤。社会人対象にSGE関連の修論指導を行っていきたい。

斉木ゆかり 東海大学留学生教育センター　東海大学別科日本語研修課程、留学生課程、特別講座等で留学生を対象とした授業にSGEの手法を取り入れている。

近藤茂代 湘南三浦教育事務所　前任の鶴が台中学校では、H9度校内研究「よりよい人間関係づくり」でSGEを導入。以来、年間指導計画にそって全クラスが取り組んでいる。現在は、研修会等のアイスブレーキングに活用したり、鶴が台中学校の実践を紹介したりしている。

三上吉洋 横浜市レクリエーション協会　レクリエーション指導者養成講習会などで、ラボラトリーメソッドやSGEの手法を用いて、アイスブレーク、ラポートづくりに、またグループワークセミナー等で実施している。

（新潟県）

小林靖直 新潟市立桃山小学校　学活、道徳、学級開き等で45分を月1回程度実施。学期始めにおける集中的実施により、支援的風土を高める有効性を確認した。

河内由佳 北蒲原郡安田町立安田中学校　50分を月2回程度実施。道徳、学活などで、学級の雰囲気づくり、自己理解・他者理解のために行っている。

新潟市立鳥屋野中学校　学校体制でSGEに取り組み、年10時間程度実施。職員研修会を持ちながら、共通理解とリーダーとしての資質向上に努めている。

★**吉澤克彦** 栃尾市立刈谷中学校　(katsu-y@post.tinet-i.ne.jp)　前任校ではリレーションづくりのため学年一斉270名で行ったり、授業(国語)で実施。特に鑑賞文を書いたり、詩や短歌・俳句をつくったりする場合に有効。周りからのアドバイスでよりよい作品に推敲されていく。

高口和治 北蒲原郡聖籠町教育委員会　前任の中学校では、学活、朝の会・帰りの会で月1〜2回実施。職員研修を充実したものにしている。

（富山県）

★**水上和夫** 東礪波郡福野町立福野小学校　(0763-62-1023, kazuo5@aqua.ocn.ne.jp)　高学年の学級の人間関係づくりに活用。各種の研修会に講師として参加。現在は学校現場での育てるカウンセリングの普及に力を注いでいる。上級教育カウンセラー。

森　悦郎 新湊市立新湊小学校　学活や道徳を利用し、学級開きや子どもたちの関係がしっくりいかないと感じたときに実施している。学級開きでは週3回程度、その後は月1回程度実施。H11砺波市保健会、H10県教組砺波支部・母と女教師の会、H10井口村小中研修会などでも取り組んだ。

★**平宮正志** 富山県立大門高等学校　(職：0766-52-5711 [Fax])　長年にわたり、ホームルーム担任、教育相談係として実践。特に感情面より働きかけるエクササイズが得意。

広橋里志 富山県教職員組合　前任校では朝の会の10分程度を活用して実施。短い時間ながらも、工夫次第でお互いを認め合えるようになることを実感している。

（福井県）

酒井　緑 福井大学教育地域科学部附属小学校　養護教諭が行う「心の健康づくり」にSGEを導入。平成元年度から養教と担任のTTで実践集積。今後は保健学習「心の発達」とSGEの効果的展開を模索していきたい。

中野吉人 福井市立明新小学校　特活・道徳等で月1〜2回実施。友達発見クイズ等を通して、肯定的に自己を理解し、自尊感情を高めていくことをめざす。H12は福祉教育を進めている。H9より県主催のSGE研修会に講師として参加。

加藤治代 福井市立光陽中学校 主に小学校低学年用プログラムを開発してきたが，現在は中学校におけるさまざまな場面での適用を思案中。H11はPTAの小部会で，保護者同士のコミュニケーションを促進するためにSGEを実施。

竹内一也 福井市立安居中学校 校内研修のうえ全学級で実施。200名参加のPTA行事「親子でエンカウンター」（90分）を行い好評だった。H8より，県教育委員会主催のSGE研修会等で講師を務めている。

中村　准 丹生郡清水町立清水中学校 学級開き，学活，集会等で50分を学期2回程度実施。人間関係づくりと所属意識を高めるため，学年・学級単位で行っている。

青木建一郎 福井県立福井商業高等学校 生徒が自由作文を読み合う「ペーパー・エンカウンター」を開発し，現代社会・倫理などの授業で年間10回程度実施してきた。ほかに，2人組・4人組のシェアリングなどを授業に取り入れている。

浅野裕治 福井県立高志高等学校 学活，裁量の時間に50分を学期1回程度実施。集団内のコミュニケーション育成のため，みんなでお絵かき，インタビューなどを導入した。現在は相談室に勤務。

吉村寿治 福井県立高志高等学校 LHR，自習時間に50分を学期2回程度実施。自己理解・他者理解を通した人間関係づくりを目的としている。H9年6月の初任者研修講座（高校教師対象）で，LHRの研修授業として実施した。

細田憲一 北陸高等学校教育相談室 新任教員研修で120分を年2回程度実施。児童・生徒理解，教育相談の方法を身につける。グループ全員の持ち上げが好評。

向井清和 福井県立丸岡高等学校 新年度スタートの第1時間目の授業で行うSGEは，「寄せ書き名刺づくり」という独自に考案したエクササイズ。ほかにも，授業や部活動に取り入れられるものを研究している。

山内康司 福井県立丸岡高等学校 学活で50分を年2回程度実施。自己理解・他者理解を深めるため，他人から見た私，私から見たわたし，等を行っている。

　　　　　　　　　　　　長野県

岸田優代 長野市立南部小学校 朝の時間，特活で低学年向きのエクササイズを週1回，年間を通じて実施。LDやADHD等，集団不適応を示す児童の存在する学級の集団づくりに効果を上げている。H10より県内の職員研修，教育センター研修等で講師を務めている。

滝沢洋司 埴科郡戸倉町立戸倉小学校 「心の居場所」となる学級をめざして，エクササイズやゲームを段階的に実施。子ども同士のかかわり行動を起こしやすくして，仲間づくりや人間関係の改善を支援する方法を研究・実践している。

田中　武 長野市立芹田小学校 朝の活動，体育のウォーミングアップとして週2〜3回実施。低学年は，こおりおに，サッカージャンケンなど触れ合えるものが効果的。

中嶋篤泰 上田市立中塩田小学校 学期2〜3回実施。6年生で諸行事に追われ，クラスの雰囲気が悪いと感じられたときや，まだ話したことのない級友と少しでもふれ合って卒業を迎えさせたいと思ったときに行った。

★**岸田幸弘** 飯山市立第三中学校 （職：0269-65-2001，3007［Fax］，ZVM01373@nifty.ne.jp） 田上不二夫先生のもとで月1回研究会を行っている。夏には対人関係づくりのワークショップを開催。学活，行事，学年集会などで，ショートから数か月のプログラムまでアドバイスが可能。小中学校，教育委員会，教育センター等で講師も行う。

★**西澤佳代** 長野市立犀陵中学校 （職：026-221-1783［Fax］，kayonszw@po.cnet-na.ne.jp） 不登校生や孤立児が学級復帰し，友達づくりしていくためのプログラムを開発実践。地域の研修会の講師を行う。長野県内の実践者の紹介可能。

　　　　　　　　　　　　岐阜県

★**木村正男** 岐阜大学教育学部附属小学校 （職：058-271-3545，1816［Fax］，kimura@fuzoku.gifu-u.ac.jp） よりよい人間関係づくりを目的に，道徳や学活で月2〜3回実施。PTAの授業参観でも，親子でサイコロトーキングを行い好評だった。岐阜近県の講師を行う。

倉掛正弘 加茂郡八百津町立八百津小学校 道徳・学活の時間を使って，45分を月2回程度実施。学級での人間関係づくりと自己理解をねらいとしている。

★**古田信宏** 関市立田原小学校 （職：0575-22-3243） ぎふ教育心理研究会事務局。SGEと他のさまざまな心理療法を組み合わせ，「自分さがしの活動」として年20回程度実施。

足立司郎 岐阜県立岐阜商業高等学校 前任の教育センターでは，初任研の講座等で40分〜2時間実施。校内研修等でも1〜2時間の講師を7回程度行った。関係づくり，自己・他者理解を中心に，心の動きの自己覚知をねらいとして面接技法や「たまご」のロールプレイを取り入れた。

下野正代 岐阜県立加納高等学校 クラス担任として学級開きに，また英語の授業ではエクササイズを英語で行って効果を上げた。校内の定期教育相談ではグループ面談にSGEを取り入れ，この事前研修として職員研修で取り組んだり，教員研修の交流に取り入れたりした。

出崎雅行 岐阜県立羽島高等学校 倫理，LHR，定期教育相談旬間等で，自己理解・他者理解を深めるために実施。S62〜H6まで，岐阜県高等学校教育相談研究協議会主催のワークショップ，県下の高校の職員研修会等を指導した。

中谷圭子 岐阜市立岐阜商業高等学校 ともに学び合う姿勢をつくるため，家庭科の導入・一部として50分を年10回程度実施。担任のあるときは，学年始めの集団づくりや進路指導での自己理解のため，ブラインドウォーク，自分を見つめるKJ法，私のバック等を年10〜12回行っている。

福冨茂美 岐阜県立東濃実業高等学校 LHRや授業，部活動，保護者懇談会に取り入れている。出会い・信頼・自己発見など必要に応じたテーマを行う。H12の入学式には1年生担任向けに「クラスづくりのLHR」の研修会を実施した。

---静岡県---

長崎良夫 賀茂郡河津町立南小学校 前任の病弱養護学校において，自立活動の時間に年間35時間，人間関係づくりと自己肯定感を高めるための指導を行った。現在は，自己肯定感を高めるための活動を学活で行っている。

中園英子 三島市立沢地小学校 転入生，教育実習生，ALTの自己紹介に，握手でこんにちわを実施。朝の会や特活では学期2～3回行い，人とのふれあいを大切にしている。

渡辺満昭 静岡市立麻機小学校 朝夕の会，学活，道徳の導入など細切れの時間を活用し，内面の成長にポイントをおいて月数回実施。ミニタイムカプセルと名づけ，カードとボックスを使って効果の持続を図っている。H9～10の研究授業と校内研修で活用し好評だった。

鈴木秀夫 三島市立山田中学校 「人はみな違う。でもつながっている」を共に味わいながら，学級の時間や行事と絡めて実施。年度末には，自分と仲間の「気づき・想い・感じ」がまとめられた文集が完成している。

佐藤秀野 静岡県立静岡南高等学校 特活等で50分を年3回程度実施。学級開きでは集団づくりのために自己紹介をかねたエクササイズを行っている。H9職員全体研修会では「生徒理解の基本と学級づくり」としてSGEを体験。

中野 秀 静岡県立静岡南高等学校 LHRで50分を月1回程度実施。進路指導にも用いている。新聞パズル，伝言ゲーム，初めてのデート，ハッピーレター等を行った。

成岡若名 静岡県立静岡南高等学校 LHRで50分を学期1～2回，移動教室，保護者会でも行う。自己紹介すごろく，ラブレターに返事を書く，結婚に必要なもの，がよかった。

横地れい子 静岡県立静岡中央高等学校 LHRで週1回，月に3回程度実施。H12から始めてまだ手探りの状態。身体接触の少ないゲームをしばらく続けて様子を見ているところ。記録を残すようにしている。

★飯野哲朗 静岡県総合教育センター （054-667-3792 [Fax 兼]） センターでの研修会を中心に年20回程度，カウンセリング実習，スピーチ，ディスカッション，チームワーク，コミュニケーションのトレーニングや人権教育等に活用できるエクササイズを実施。

---愛知県---

川井栄治 犬山市立犬山南小学校 学活を中心に，学級の集団凝集性や児童のセルフエスティームを高めるため，月2～3回実施。H11は総合的な学習として，4年生を対象に「みんな大好き」のプログラムを実施。

大島敏裕 犬山市立東部中学校 学活，道徳を中心に学期2回程度実施。年度始めは相互理解や受容的人間関係づくりに重点をおいて活動。その後は職業体験，分散研修等の活動に絡めた内容を中心に実践している。

沢里義博 東海市立加木屋中学校 学活や教科で年数回実施。人間関係づくり，自他理解，認め合い，対話のある学校生活の実現のために，体験を楽しみ広げようと試みている。H12に人間関係づくりと対話のある学級づくりのための校内研修を実施，好評を得た。

宮島暢子 一宮市立大和中学校 養護教諭。学活を利用し，流行の「動物占い」を活用して自己理解，他者理解について取り組んだ。職員の歓送迎会でも別れの花束を実施。

村久保雅孝 名古屋音楽大学 公募によるベーシック・エンカウンター・グループのファシリテーターを務めるいっぽう，教員研修や産業カウンセリング研修等の場で，構成的グループエンカウンターの実践を続けている。

竹内彰一 コミュニケーション・サポート・センター 専門学校にて人間関係演習を実施（90分×2時限を週1回，年8単位）。心理学・社会学・哲学の講義とともに，心に向かう視座を確保するためクレヨンの想念画を多用。

---三重県---

★中井克佳 北牟婁郡紀伊長島町立赤羽中学校 （職：05974-7-0417 [Fax 兼]） H12は，エンカウンターの技法を取り入れた「認知・情意・実践的態度」の統合を目的とする人権教育のプログラム開発と，その効果研究にあたる。実験のフィールドは総合的な学習の時間。

伴野直美 四日市市立山手中学校 自他の違いを認め合うことをめざし，学活等で実施。家庭科の授業でもSGEの活用で柔軟な展開が可能になったと感じている。「気持ちに出会おう」「内観」「苺に出会おう」が好評。

★森 憲治 員弁郡適応指導教室 （職：0594-72-6580 [Fax 兼], relax@mie1.1st.ne.jp） 前任校では中学3年生の進路決定前に集中的に実施。また保護者会，教員研修会でも学期1回程度実施。現在は，適応指導教室でのSGEの可能性について研究中。

---滋賀県---

高務俊隆 滋賀県立彦根西高等学校 国語の授業で自己理解や他者理解を目的に学期1～2回実施。人権教育をLHRなどで行うに当たって，SGEの活用に取り組んでいる。

---京都府---

西村宣幸 京都府立東稜高等学校 国語で実施。登場人物になりきってのロールプレイ，登場人物のエゴグラム作成，登場人物を悪者順に並べる集団意志決定ゲームなどで，生徒の興味をひきつけ理解を深めている。H10に高校・研究会・教育センターで開発的教育相談のプログラムを実施。

井戸　仁　亀岡市教育研究所　研究所主催のSGEや教育カウンセリングの講座を企画運営している。

亀谷陽三　亀岡市教育研究所　研究所主催のSGEや教育カウンセリングの講座を企画運営している。

〔大阪府〕

藤原ひとみ　摂津市立千里丘小学校　養護教諭。健康教育にSGEを取り入れて，楽しく元気の出るエクササイズに挑戦している。子どもたちの「面白い！またしよう」に支えられ，自分自身が一番楽しんでいる。

松本　剛　大阪学院大学　主に人間関係研究会の中で非構成のエンカウンターグループを行っている。

土屋裕陸　大阪体育大学　要請に応じて，1セッション約60分のものを10セッション程度にまとめて年2回程度実施。スポーツ集団のチームビルディングと新入部員の適応支援を目的として行っている。

★米田　薫　箕面市教育センター・大阪教育大学非常勤講師　（職：0727-27-5112, yoneda@wombat.or.jp）主張は「関西に育てるカウンセリングを！」「カウンセリングでもっと幸せになれる」。各地の研修会や大学の授業で年数十回実施。センターでは，教育相談の他，グループ研究を担当している。上級教育カウンセラー，臨床心理士。

〔兵庫県〕

★須藤　真　宍粟郡山崎町立伊水小学校　（職：0790-65-0006）SGEの理論を学びながら，リレーションづくりのエクササイズを中心に実践中。さらに，実践前後の学級や児童の変化に着目している。

杣本和也　兵庫教育大学学校教育学部附属中学校　学活を中心に月1回程度実施。生徒の人間関係づくりや自己理解を目的に，学級状態に応じてエクササイズを導入。

赤澤恵子　親和中・親和女子高等学校　学活，道徳などで50分を年5回程度実施。互いに理解・尊重し合う受容的雰囲気の学級づくりのために利用している。

野田暢子　兵庫県立姫路北高等学校　LHR等で年3回程度，リラクセーション，内観，自己理解・他者理解のエクササイズを実施している。

住本克彦　兵庫県立教育研究所・心の教育総合センター　当研究所主催の小中高の教員対象の講座でSGEを紹介し，リーダーを務めている。県下の校内研修や教員研修会でも広くSGEを紹介している。

〔奈良県〕

井上正一　桜井市立大福小学校　学期始めに「あなたはレポーター」「ええとこさがし」を実施。休み中についてインタビューし合う。H8校内研修会にSGEが取り入れられた。

〔鳥取県〕

谷浦康志　鳥取県教育研修センター・岩美郡岩美町立岩美中学校　学活，道徳の時間に，学級づくりの一環としてH10より実践。H12はセンターにて学級経営について研修中。

〔島根県〕

渡部睦浩　島根大学教育学部附属中学校　入学直後のクラスづくりに関する授業，2年に進級したクラス替え直後の緊張感を和らげる授業，修学旅行に向けたトラブルシューティングの授業，総合的な学習の自分史づくりの授業（構想中），卒業に向けての思い出共有の授業（3学期実施予定），SGE的な発想を取り入れたAETとの英語の授業に活用。

〔岡山県〕

岡　和弘　岡山市立財田小学校　主に授業に活用している。国語では，ノートに書いた意見や感想へ互いにフィードバックし合うエクササイズを実施。

早瀬尚子　備前市立三石小学校　朝の会や授業ではショートエクササイズを実施。H10度に絵を使ったシェアリングの方法について研究。

加藤由美子　吉備郡真備町立真備中学校　認め合うあたたかい雰囲気づくりのため，1分間スピーチ＆愛のメッセージのほか，6つの未来像，私はなあに？，などを学活を中心に年7回程度実施。H12〜13校内研究「豊かな心を持ち，よりよく問題を解決しようとする生徒の育成」に挑戦中。

〔広島県〕

今川卓爾　広島大学附属三原中学校　学級開き，道徳，特活，学活，行事の前後，選択履修，総合，学級修め，保護者会で実施。違いを認め合い，セルフエスティームを高めて人生に見通しをもつ演習を実施。不登校の支援克服にも有効。

〔山口県〕

中村洋子　萩国際大学　身体表現を中心としたエクササイズが得意分野。「できる・できない」「より早く高く強く」という客観尺度では測れない「あるがままの自分を出せる体育授業」が目標。

★林　伸一　山口大学人文学部　（学生相談所：083-933-5042, 5280 [Fax]）学生相談所の出会い合宿においてSGEを取り入れた活動をしている。留学生のための日本語・日本事情の授業においてもSGE・論理療法をヒントにしたエクササイズを実施。小中高などの校内研修の講師も行う。

〔高知県〕

★上村国之　高知市教育研究所　（職：088-832-4497, 6715 [Fax]）初任者研修，教育相談講座，市内各校の校内研修等で，「構成的グループエンカウンター演習」を実施。

〔福岡県〕

林　和弘　北九州市立医生丘小学校　朝の会や学活で「私はわたしよ」「がんばったあなたへ」など，楽しく元気になるエクササイズを中心に行っている。自分自身の個性や学級の実態に合った年間プログラムを研究中。

★**相良賢治** 北九州市立上津役中学校 （職：093-611-2708, 2707 [Fax]） 学活，保護者会等で50分を年3回程度実施。学級開きに際して「仲間づくりの演習」を行い，リレーションづくりに利用している。

★**坂本洋子** 産業医科大学 （職：093-691-7155） 北九州教育カウンセリング研究会を鈴木美智子先生（九州女子大学）とともに設立し，研修会を行っている。

〔長崎県〕

松尾通成 長崎県立大村城南高等学校 HRや「産業社会と人間」で月1回程度実施。よりよい人間関係づくりや学習意欲の喚起をめざし，ゲーム，ランキング，ロールプレイ等を行う。

〔熊本県〕

塘内正義 葦北郡芦北町立大野小学校 全校児童を対象にした「いじめ防止プログラム（20分×20回）」の中に取り入れた。主に人間関係をつくる力をSGEで，トラブルを回避する能力をSSTで養成していこうと，エクササイズを組み込み実践してきた。

井上博視 熊本電波工業高等専門学校 青少年赤十字メンバー，指導者，看護婦，福祉関係者等，人間に関心をもつ人，関わっている人の研修にとても有効な方法だと考え，数十年，実践・研究を続けている。「赤十字の心を学ぶ会」として誰でも参加できる研修会を年2回行っている。

〔大分県〕

芦刈信雄 臼杵市立東中学校 道徳，学活，学年集会などで，一人一人のよさを認め合い高め合う集団づくりのために学期数回実施。帰りの会では互いのふれあいをめざしショートエクササイズを行う。H11に「21世紀を生きる力」のテーマで人間関係づくりのためのSGE研修を行った。

三河尻郁生 大分市立吉野中学校 学活，保護者会，全校・学年集会等で50分を年4回程度実施。仲間づくりやコミュニケーション能力の育成，自己理解の深化を中心に行っている。H9の中教研カウンセリング部会「子どもの心を開かせるカウンセリングのあり方」で公開授業を行った。

〔宮崎県〕

★**田中陽子** 九州保健福祉大学 （0982-23-5648 [Fax兼]，sgekey@sw.phoenix.ac.jp） ゼミ，研修会などで，自己理解・他者理解およびカウンセリングマインド修得のため週1回実施。H9に「人間関係づくり」として愛媛県の教育研修で実施。その他，体験研修としても行う。

〔鹿児島県〕

原田達明 大口市立大口中学校 学活，道徳などで年2～5時間，保護者会で年1～2回，自己理解，他者理解，信頼体験のため実施。事前に自分で体験したものを実施するようにしている。

松元智宏 熊毛郡南種子町立南種子中学校 1年は自己理解，2年は社会とのかかわりに関するものを進路指導で実施。進路決定の準備段階に，自分を知り，周りとかかわるSGEはふさわしいと思う。

大庭洋行 鹿児島情報高等学校 開発教育の一環として，異なる文化や言語，宗教，人種，政治体制を知り，理解し，それを受容していく心を育むためのカリキュラムとして実践。

★**竹﨑登喜江** 元・鹿児島純心女子大学 講義の初回に，自己紹介，他己紹介，誕生日の輪を実施。学生は体を動かす授業に，また初対面の人とでも共通の話題があれば意外と話ができることを発見し驚く。H11は川内市の小中の先生に呼びかけて「学級経営に生かすSGEセミナー」を実施。

《SGEを学べる機関・研究会編》

心のケア・サポート研究会　（01332-3-1211　北海道医療大学・阿部一男）　月1回・第4土曜日、小中高の教員が集まりロールプレイなどの実習やカウンセリングのスーパービジョンを行っている。VTRによる通信制も行う。

童夢ふれあいグループ　（011-863-3420　札幌市・童夢心理教育相談室）　希望者が自由に参加できるSGE。毎月1回の例会と年1回（12月）の合宿研修を行っている。

青森県三戸地方教育研究所　（0179-23-3625　長澤良雄）　H9度よりSGEを活用した学級経営を推進している。H12度は8月に学級経営研修会でSGEの体験学習、1月には学級経営研究会でSGEの公開授業および河村茂雄先生の講演を予定している。

JECA岩手支部・旧岩手大学教育臨床研究会　（019-621-6625　岩手大学・河村茂雄）　月1回安比高原で1泊しながら、教育臨床の研究会で教師同士のエンカウンターを行っている。

サイコエデュサークルAZ（アズ）　（0224-54-1225　宮城県船迫中学校・中里寛）　月1回、SGEを中心とする、子どもの心を育む手法を学び合う会。

山形教育相談研究会　（023-674-3268　上山市立本庄小学校・佐藤節子）　教育相談研修の一つとしてSGEを取り上げている。今後も続けていきたい。

福島県教育センター・教育相談部　（024-553-3141　水野晴夫）　教育相談の研修講座の中でSGEを取り上げている。各学校での実践の問い合わせにも応じている。

茨城県県西高等学校教育相談学習会＜若根の会＞　（0276-82-1392　飯塚英夫）　月例会のなかで、年1回はSGE研究会を実施。夏には研修合宿も行っている。

龍ヶ崎市教育センター　（0297-62-9192　塚田浩代）　小中学校へ出向きSGEの研修を行う。また教職員および市民対象の講座においても実施。ネームゲーム、ライフライン、進化ジャンケン、共同絵画ほか。H11にはSGE普及のための実践、研修会を行った。

栃木県カウンセリング協会　（028-649-1210）　隔年で片野智治先生（武南高等学校）の指導のもと、SGEの1泊2日程度の研修会を行っている。非常に評判がよい。

栃木ロールプレイング研究会　（028-621-7274　栃木県教育研究所相談部・丸山隆）　毎月第4火曜日午後7～9時、大田原市文化会館にて、グループ研究や自発性・創造性・即興性を磨く訓練に主眼おいた研究会を行っている。

I.C.I 心理カウンセリング研究会　（048-647-6204　大宮市・中村孝太郎）　学校カウンセラーを中心に教育相談について月例研究会を開き、グループワーク等を行う。

国際カウンセリング研究所　（048-647-6204　大宮市・中村孝太郎）　カウンセラー養成講座で、埼玉県立大学講師の片野智治先生の指導のもと、毎年8回のSGE研修会を開催している。

サイコドラマ研究会　（0471-22-5553［Fax兼］　東京理科大学・小山望）　毎月1回、平日の夕方から大宮駅前ビルでサイコドラマに関する体験学習を実施。サイコドラマの体験ができる。申し込み・問い合わせはファックスで。

埼玉教育相談研究会　（0489-74-6733　越谷市立新方小学校・渡辺）　中村孝太郎先生の指導のもと、月例研究会で年5～6回SGEを取り上げている。「心を育てるカウンセリング」等をテーマに研究。

育てるカウンセリング研修会　（042-923-2396　所沢市立教育センター・古屋雅康）　日常の教育指導にカウンセリングの技法を生かし、不登校やいじめ等を予防するための教員対象の研修会の中でSGEを実施している。

日本学校教育相談学会・埼玉支部　（0485-93-3730　北本市立中丸東小学校・佐藤義隆）　SGE研修会やSGEに関する研究発表を毎年行っている。会員330名。

人間関係研究会　（048-861-0487　本部事務局長・渡辺忠）　1970年（S45年）発足以来、全国約40ヶ所で公募によるベーシック・エンカウンター・グループ、フォーカシング・グループを開催している。

いちはら教育相談の会　（0436-41-3338　市原市教育センター・鎌田好子）　市内の小中学校の教職員および教育相談に興味のある者の自主活動の場。

千葉市グループエンカウンターを学ぶ会　（043-232-6125　千葉市立若松中学校・植草伸之）　千葉大学の諸富祥彦先生をスパーバイザーとして、千葉市教育センターの明里康弘先生に協力をいただき、年4回程度自主的な勉強会を実施。教員自らがエクササイズを体験し、授業での生かし方などについて話し合う。

東京理科大学人間関係研究会　（0471-22-5553　小山望）　当大学の教員有志で、毎年数回、人間関係能力の改善・向上を目的としたSGE研修を行っている。

朝日カウンセリング研究会　（03-3370-2370　渋谷区）　エンカウンター、構成的、イメージなど、いろいろなグループを試みて20年になる。参加者のモチベーションを大切にして5～20名の小グループを行っている。

異文化間カウンセリング研究所　（03-3446-7856　渋谷区）　どのように相手（や自分）の話や気持ちを聴いているのか、ビデオに映った姿を見て振り返る「聞き方訓練」（大塚芳子担当）を定期的（土日集中）に行っている。

学級経営セルフ・ヘルプ・グループ（03-3620-1807［Fax兼］　品田笑子）　月1回の学級経営の学習会で、おもに教師向けエンカウンターの実習を行っている。

教育に生かすSGE研究会（019-621-6625　岩手大学・河村茂雄、03-3300-3930［Fax兼］　佐々木ひとみ）SGEのエッセンスを学校教育に生かすため、集団体験の影響についてのリサーチと、学校で活用できる基本的なエクササイズの検討を隔月で行っている。

駒澤大学学生部・学生相談室（03-3418-9067　世田谷区）「エンカウンターグループ：出会い・コミュニケーション・憩い」と題し、学生相談室の健康増進活動として、在学生対象に毎年度末、大学施設を利用して合宿形式で実施。

サポーティヴコム（03-5269-1042）　サポーティヴコムは教員の交流スペースで、さまざまな学習活動をしている。会員には月間予定を配布。月額500円。

新愛育心理研究会（03-3334-5869　牧野正博）　年1回の大会と4回の会報を発行。國分康孝先生、久子先生等を講師に迎えSGE、カウンセリング等の講義・演習を行う。

杉並教育研究会・教育相談部（03-3314-1564　杉並第三小学校・吉田佳子）　子ども同士の人間関係づくり・信頼関係づくりのため、SGE活用法の研修を行っている。

全国学校教育相談研究会（042-524-8195　都立立川高等学校定時制・大池公紀）　毎夏の全国大会ではSGEの講座を設定し、教室内・学校内での普及に努めている。ワークショップ、地域の研修会でもSGEの学習を実施している。

東京カウンセリング・スクール（03-3409-3363　港区）　毎年8月に3日間6セッションの通いによるエンカウンターの体験コースを行う。2月には3泊4日のフォーカシングによるワークショップ・グループを行う。

東京教育・カウンセリング研究所（03-5833-3583　台東区）　当研究所主催の研修会・研究会でSGE等の研修を行っている。現場の先生方が実際にSGEを行う際の相談にも応じる。

日本教育カウンセラー協会（03-3941-8049［Fax兼］　文京区）　主に3日間6講座の研修会の中でSGEを扱っている。研修会は各地で不定期に開催。

日本グロースセンター・カウンセリング研究所（03-3993-1648　練馬区）　宿泊エンカウンター（実存、秩父巡礼、ハワイ等）、2日通いEG、毎週月曜EG、月1回女性のためのEG、心気功EG、インターナショナルEG、およびカウンセラー養成講座、その他を行う。

学校グループワーク研究会（045-710-2985　横浜国立大学・犬塚文雄）　学校グループワークの先行実践を比較検討し、独自の観点からエクササイズの開発研究を行う。

川崎市教育相談サークル（044-866-1541　長尾小学校・渡辺寿枝）　市内外の教員および教育相談を学びたい仲間の自主研修会。SGEも体験する。

東海大学大学院心理教育支援室・文学部広報学科（0463-58-1211　東海大学・山本銀次）　エクササイズの開発と活用による授業展開や、参画性の強い学生主体のエンカウンター合宿と研究を行っている。

鯖江カウンセリング教室（〒916-0074　鯖江市上野田町19-1　鯖江青年の家内）　J・トムラ・カウンセリングスクールJPNカウンセラー養成コース。月1回の講義と年2回のワークショップで、基礎、応用、実践の3年コース。

福井県教育研究所・教育相談課（0776-36-4852　佐飛克彦）　教育相談や学級経営等の研修講座にSGEを取り入れ企画運営している。校内研究会等の講師としても普及に努めている

福井県教育庁嶺南教育事務所（0770-56-1310　小浜市）　管内の学校ではSGEを実践するところも多く、その支援をしている。また当事務所の研修講座としてSGEを取り上げている。

田上臨床教育研究会（026-241-1327　長野市・西澤佳代）　不登校、いじめ、集団づくり等、教育に関する研究会。筑波大学教授、田上不二夫先生の指導で、SGEを基礎とした系統的人間関係づくりの研修会を毎夏に行っている。

ぎふ教育心理研究会（0575-22-6288　古田信宏）岐阜大学教育学部・宮本正一教授とともに、教育心理学的実践について研究している。

岐阜県教育委員会・学校支援課子ども支援室（058-271-3328）　教育相談の研修講座のほか、職階研修やコミュニケーショントレーニングの研修講座等で広くSGEを実施している。

岐阜県高等学校教育相談研究協議会（058-251-0165　市立岐阜商業高等学校・中谷圭子）　夏期ワークショップ、研究大会でSGEを実施している。

伊東カウンセリング研究会（0557-35-1003　菊田兼一）　月2回の研修のうち、1回は主にSGEを実施している。

静岡県総合教育センター・教職研修部（0537-24-9721　掛川市）　研修のなかにSGEを活用しているものがある。クラス等で実践するときの相談にも応じる。

IYG研究会（0586-71-2200　一宮市立北部中学校・青木きく代）　一宮市中学校の養護教諭を中心に月1回事例研究等を含めた勉強会を実施。SGEも取り上げていく予定。

コミュニケーション・サポート・センター
(052-961-7024　名古屋市・竹内彰一)　心理教育を中心とする研修会の企画運営をしている。多くの教育関係者とともに，よりよい学校生活をめざしSGEを展開していきたいと願っている。SGEについての学習会，研究会員を募集中。

日本学校カウンセリング学会　(059-231-9328　三重大学教育学部・市川千秋研究室)　毎年夏休みを中心に，合宿研修会を開いている。

京都府亀岡市教育研究所　(0771-26-3916)　市内の幼，保，小，中の教職員を対象にSGEや教育カウンセリングの講座を開催している。また教育カウンセリング研究部を設け，開発的カウンセリングの研究もしている。

京都府立学校教育相談研究会　(075-572-2323　府立東稜高等学校・西村宣幸)　毎月の例会，春の総会，夏の合宿，冬の研究大会を実施。府立高校の先生方に教育相談を広めるべく日夜奮闘中。

兵庫教育大学大学院・学校教育研究科
(0795-44-1135 [Fax兼]　学校カウンセリング研究室)　教師カウンセラー養成プログラムの必修課題として，上地安昭先生の指導でグループ・カウンセリング研修会を毎年集中的に実施。

石央カウンセリング研修会　(0855-53-4354　江津市・玉木敦)　年3回，独自の研修会を開催している。SGE，ブリーフセラピー，ピアサポートなど，広く学校教育相談を考えていこうという研修グループ。

岡山県美作カウンセリング研究会　(0867-42-3176　村松五郎)　毎年夏休みに3泊4日で体験。リラックス体験を併用したイメージ変遷を媒体にしたSGE。毎月第2土曜日にステイクロウス体験として寄り添いの研修を行う。

日本教育評価研究会・広島県尾道三原支部
(0848-62-4777　広島大学附属三原中学校・今川卓爾)　学校現場で使えるSGEの紹介，演習，研修会等を行っている。

日本語クラブ宇部　(0836-41-4314　二宮喜代子)　外国人に日本語を教える教室で実施。人間関係づくりと日本語習得を目標として活用している。

山口県国際交流協会主催ボランティア日本語講座・日本語クラブ山口　(0839-73-0813　小郡町・小田知子)　山口大学人文学部・林伸一先生の指導を受け，ボランティア日本語講座のクラスにおいて，クラスづくりのために時折実施している。

山口大学学生相談所・出会い合宿係　(0839-33-5280　林伸一)　毎年1泊2日の合宿でSGEのエクササイズを実施。留学生を交えた異文化理解をめざしている。

童句をつくりあいながら心を育てる会
(088-689-1682　鳴門市・日下正幸)　童句をつくることをウォーミングアップとしてカウンセリング研究を進めている。そのなかにエンカウンターを取り入れ，1泊研修，ワークショップでも実施している。

徳島県カウンセリング研究会　(088-689-1682　副会長・日下正幸)　毎夏1泊の研修会のなかでエンカウンターを行っている。毎月第3土曜日の例会でも時々エンカウンターの学びあいをしており，カウンセリング全体も取り上げている。

エンカウンター・グループ研究会　(092-642-3154　九州大学・野島一彦)　エンカウンター・グループの実践と研究についての検討を行う。毎月1回，九州大学発達臨床センターにて開催。

九州大学教育学部　(092-642-3154　福岡市)　「心理療法論I演習」で野島一彦先生がリーダーとなり，学生50人対象に，10～1月に週1回(90分)10セッションを行う。

福岡県立看護専門学校・保健学科　(092-923-2037　太宰府市)　「人間関係論」の授業で本山智敬先生がリーダーとなり，学生40人対象に，4月に2泊3日の計8セッション(22時間)を行っている。

福岡教育大学教育学部　(0940-34-1012 [Fax]　宗像市)　「臨床心理学演習」で坂中正義先生がリーダーとなり，学生50人対象に，4～7月に週1回(90分)7～9セッションを行う。

赤十字の心を学ぶ会　(096-242-6027　熊本電波工業高等専門学校・井上博視)　人間理解のスキルの向上，密やかな気づきによる自己の成長をめざす研修会。

ANDANTE　(0975-42-1086　大分市・三河尻郁生)　毎月第3土曜日の3時から例会をもち，実践の紹介や開発研究を行っている。

［敬称略　2001年4月現在］